新潮文庫

パラサイト・イヴ

瀬名秀明著

新潮社版

8116

目　次

パラサイト・イヴ

プロローグ

目の前の景色が突然消えた。

永島聖美《ながしまきよみ》はなにが起こったのかわからなかった。全《すべ》てが消えた。一瞬前まではいつもと変わらない朝の町並みがフロントガラスの向こうに映し出されていたのだ。何十回も、何百回も通った道だった。道は緩やかな下りで、右へややカーブしていた。カーブの向こうの信号が黄色に変わるのが見えたところだった。

聖美は瞬《まばた》きをしてみた。だが視界は戻らなかった。もう一度、瞼《まぶた》に力を込めて目を閉じ、そして瞳《ひとみ》を見開いてみた。やはりなにも見えなかった。先程まで当然のように見えていた前方の白いブルーバードも、停留所に停車していたバスの尾灯も、歩道を急ぐ女子高校生の集団も、なにもかもがどこかへいってしまっていた。聖美は慌《あわ》てて視線を落とし、手元のハンドルを確認しようとした。そして愕然《がくぜん》とした。ハンドルはなかった。それどころか、自分の両手がどこにあるのかすらわからなかった。シートベルトを締めているはずの上半身も、軽くアクセルを踏んでいるはずの右足も、あるべきところに存在しなかった。どこまで続いているのかもわからないほどの、ただ一面の闇《やみ》が広がっているばかりだった。

周囲がゆっくりとうねっているのがわかった。どろどろとした温かい液の中に浮かんでいる。聖美は裸だった。いつの間にか服はどこかへいってしまったようだった。

あの夢だ。聖美は気づいた。

年に一度、クリスマス・イヴの夜に見る、あの夢だ。始まりも終わりもない、ただ暗い世界の中で自分が蠢《うごめ》くのを感じる、そんな奇妙な夢をこれまで聖美は見続けてきた。その夢だった。その夢にいま入りこんでしまったのだ。だが、なぜいま起きたのか聖美にはわからなかった。あの夢はまるで星の運行のように規則正しく現れてきた。決してクリスマス・イヴ以外の夜には見ることはなかった。まして、目が覚めているときに入り込んでしまうなど、これまでにはなかったことだった。

自分の体の形が大きく変化しているのがわかった。腕や足の感覚はなくなっていた。もしかしたら本当になくなっているのかもしれなかった。頭も胴も腰もない、全身がただ細長く伸びただけの虫のような体、そんな気がした。聖美は体を震わせ、緩やかに粘り気のある暗闇の中を進んでいた。

ここはどこなのだろう、いままで何度も考えてきたその問いを聖美は繰り返した。聖美の体はこの場所を覚えているようだった。だが聖美はどうしてもそれを思い出すことができなかった。曾《かつ》て、どこか遠い場所で、確かに聖美はこうしていたことがあった。それが昨日のことだったのか、何年も前のことだったのか、或《ある》いはもっと遥《はる》か昔のことだったのか、冥《くら》い闇の中でなにもわからず、ただ体をうねらせ泳いでいたことがあった。それが昨日のことだったのか、何年も前のことだったのか、或《ある》いはもっと遥《はる》か昔のことだったのか、聖美にはわからなかった。そもそもこの闇の中で時間が流れているのかどうかも定かではなかった。

ふと、聖美は自分の体に変化が起きているのを感じた。体の中心で、なにか小さなものが、ゆっくりとふたつに分かれてゆく。それと同時に、体全体が中心から静かにくびれてゆく。体の両端が緩やかに反対方向へと流れてゆく。

いま、自分はふたつになろうとしている。聖美にはそれがわかった。

穏やかだった。時間の進行が途方もなくゆるやかに感じられた。

ここがどこなのか、いつのことなのか、自分がなんなのか、そんな些《さ》細《さい》なことはもうどうでもよくなっていた。ただこの闇の中でこのまま浮かんでいたかった。体が分裂してゆく。じわりと体の中がふたつに離れてゆく。痛みはなかった。心地よいほど感覚がなかった。すべてが鎮《しず》まっていた。掻《か》き乱すものは何もない。体は自然に分かれてゆく。静かだった。なにもかもが静かだった。

聖美は全ての神経を弛《し》緩《かん》させ、流れの中にゆったりと身を任せた。

視界が消えたのが不意であったのと同じように、視界が戻ったのもまったく不意のことだった。ハンドルを握る両手が見えた。聖美は目をしばたたき、そして前方に視線を移した。

目の前に太い電柱があった。

第一部　Development　―発生―

I

電話が鳴るまで、永島利明《としあき》にとってその朝は普段と変わらない穏やかな一日の始まりだった。

その日、利明は八時二〇分に薬学部の駐車場へ車を止めた。まだ駐車場は六割がた空いていた。鞄《かばん》を手に車を降り、鍵《かぎ》をかける。なにげなしに薬学部の校舎を見上げた。六階建てのその建物は、曇った空の下で灰色にくすんで見えた。

利明は玄関ロビーの脇《わき》に設置されている靴箱からサンダルを取り出して靴を履きかえ、エレベーターに乗って五階へ上がった。左右にのびる廊下の右奥に、利明の所属する生体機能薬学講座があった。まだほとんど学生も職員も来ていないらしく、物音がしない。

だが、これもいつものことであった。この講座は朝が遅い。他の有機系の講座の中には八時前にスタッフ全員が集まり、ゼミを開いているところもある。しかし利明の講座では学生に対して登校時間についてとやかくいう風潮はなかった。要は実験をおこない、データを出せばいいだけの話なのだ。利明は助手という肩書上、八時半までには出勤するようにしていたが、これも自分でそう決めただけのことだ。

利明は自分のデスクがある第二研究室の扉の鍵を開け、電灯を点《つ》けて中に入った。荷物をロッカーに入れ、本棚の脇に鞄を置く。机の上には、昨日の夜に学生が書いたのだろう、試薬注文票が二枚置かれていた。制限酵素の *EcoR* I と *BamH* I だった。利明は二枚の注文票をクリップで挟み、机の横の壁に掛けておいた。

昨夜ノートに書いておいた実験計画を確認してから、利明は実験の準備に取りかかった。まず研究室を出て、はす向かいに位置する細胞培養室の鍵を開ける。部屋の中は殺菌灯の光で青白く染まっていた。それを普通の蛍光灯に切り替え、中に入る。培養器《インキュベーター》からプラスチック製の培養フラスコをふたつ取り出し、顕微鏡の下に置く。利明はレンズを通して細胞を眺め、具合がいいことを確認した。

利明は一旦《いったん》細胞をインキュベーターの中に戻した。そして実験器具を加圧滅菌器《オートクレーブ》の中から取り出し、クリーンベンチの中に入れた。

研究室に戻り、冷蔵庫から幾つかの試薬を取り出していると、利明が指導している修士二年生の浅倉佐知子《あさくらさちこ》が登校してきた。

「おはようございまーす」

浅倉は歯切れのいい声で挨拶《あいさつ》をしてきた。利明もおはようと声を返した。

浅倉は白いサマーセーターにジーンズという姿だった。長めの髪を後ろで束ねている。セーターを脱ぎ、白衣をまとった。

浅倉は女性にしては大柄で、身長は一七五近くある。利明より数センチ低いだけだ。利明の横を通るとき、浅倉はわずかに微笑《ほほえ》んで会釈《えしやく》した。浅倉の長身は白衣を着るとよく映える。実験をする姿はいつも颯爽《さつそう》としており、見ていて気持ちがよかった。

培養室にいると言い残し、利明は研究室を離れた。

クリーンベンチ内の準備をしてから利明は再び培養フラスコを取り出し、作業を開始した。細胞はＮＩＨ３Ｔ３という名で知られた比較的有名なものである。ただし、ふたつのフラスコのうち、一方の細胞にはレチノイド受容体《レセプター》の遺伝子を導入してあった。二日前に利明はそれぞれの細胞を新しいフラスコに入れ、増殖させていた。そして昨日、培養液にβ《ベータ》酸化系酵素の誘導剤を添加したのだ。今日はこの二種類の細胞からミトコンドリア画分《かくぶん》を回収する予定だった。利明の予想では、レセプターの遺伝子を導入した方でβ酸化系酵素の量が増加しているはずであった。

そして、操作を始めたちょうどそのときに、電話はかかってきたのだった。

研究室のほうから電話のベルの音が聞こえてきた。利明は手を休めなかった。研究室にはまだ浅倉が残っているはずだ。彼女が応対してくれると思ったのだ。三回のコールの後、浅倉が受話器を取ったらしく、十数秒間静けさが戻った。その後突然ばたばたという足音が響いた。どうしたのだろう、と利明は思いながら、ピペットで溶液を回収し続けていた。ふと、なぜだかわからないが、利明は壁にかかっている時計に目をやった。九時ちょうどを指していた。

大きな音を立てて、培養室の扉が開いた。

「永島先生、お電話です」

視線を上げると、浅倉が開いた戸の隙間《すきま》から顔を出していた。わずかに口元が震えているのがわかった。

「病院からです。お、奥さんが、事故に遭われたって……」

「なんだって？」

利明は立ち上がった。

2

大学病院の周りの道路はひどく混雑していた。病院内に入ろうとする外来患者の車の列が公道まではみ出し、渋滞を引き起こしているのだ。利明は苛立《いらだ》った心を抑え切れずに何度もクラクションを鳴らした。

電話の相手は緊急外来のスタッフの一人だった。聖美は自動車に乗っていた。下り坂のカーブをなぜか直進し、電柱に激突したのだという。ブレーキを踏まなかったのか、車は大破していた。額を強く打っていたという。事故のあった場所を訊《き》くと、利明もよく通る幹線道路だった。確かにスピードは出やすいが、見通しはよく、危なさは感じられない道だ。どうしてそんなことになったのかわからなかった。

「くそっ」

悪態をついて利明はハンドルを切った。センター寄りの車線に割り込み、Uターンする。豚の鳴くようなホーンがあちこちで響いたが、かまっている暇はなかった。病院の裏口にまわり、職員用の駐車場に車を滑り込ませる。物品搬入用の入口から中に入った。途中で通りかかった看護婦を捕まえ、緊急外来の場所を尋ねた。

利明は駆けた。中央廊下が果てしなく感じられた。革靴の底がリノリウムの床の上で神経質な音を立てる。いつしか利明は聖美の名を呟《つぶや》き続けていた。通路を右に曲がったとたん、歩いていた老婆《ろうば》を突き倒しそうになった。すんでのところで身をかわし、捩《ねじ》るような姿勢のまま利明は走り続ける。信じられなかった。なにかの間違いなのだ。今朝も聖美はいつもと変わらない笑顔を浮かべていたではないか。利明は今日の朝食を思い出した。卵焼きと鮭《さけ》の塩焼きだった。味噌汁《みそしる》の中には豆腐と若布《わかめ》が浮いていた。なんという朝食だったのだろう、と利明は思った。あまりにも普通だった。明日も、明後日《あさって》も、いつまでも今日と同じ生活が続くと考えているからこそ聖美はそんな料理を出したのだ。突然過ぎる。こんなばかな話はない。今朝は聖美と二人で外に出た。聖美は郵便局に行くといって小型自動車に乗り込んだ。買い物に必要だからと半年前に中古で買ったばかりの車だった。可愛《かわい》らしい装飾の好きな聖美とよくあう、赤い色の車だった。

「永島聖美さんの御家族のかたですね？」

その場についたときは息を切らしていた。年配の看護婦が駆け寄ってきて、ぜいぜいと喉《のど》を鳴らす利明の顔を覗《のぞ》き込んだ。利明はひとつ唾《つば》を呑《の》んでから、そうだと答えた。

「聖美さんは重体です」看護婦は事態を説明した。「自動車事故で頭部を強く打ったようです。こちらに運ばれてきたときにはすでにかなりの脳内出血が起こっていて、呼吸が停止していました」

看護婦にすすめられ、利明は廊下に設置されているソファに腰を下ろした。看護婦のいったことが俄《にわか》には信じられなかった。利明は呆然《ぼうぜん》と看護婦の顔を見つめた。

「助かるんですか……？」

「いま緊急手術室で治療がすすめられています。しかし非常に危険な状態です……。親《しん》戚《せき》の方々をお呼びになってください」

利明は呻《うめ》いた。

聖美の両親はすぐに駆けつけてきた。聖美の父親は古い住宅街で外科医院を経営しており、そのすぐ隣に家を持っている。この大学病院から五キロと離れていない。

ふたりは真っ青な顔をしていた。父親のほうが利明に状況を聞き、危篤《きとく》状態だとわかると、こみ上げるものを堪《こら》えるかのように目を閉じ、そしてどっかりとソファに座り込んだ。母親のほうは完全に取り乱し、ハンカチで顔を覆《おお》いながら、利明や近くにいる看護婦にわめき散らした。利明はそんな義母の姿をぼんやりと眺めていた。聖美の母親がこんな醜態を見せるとは意外だった。聖美の両親も人間らしいところがあったのだと、利明はようやく気がついた。高級な家具に囲まれ、上品な服をまとい、微笑みながら紅茶を飲み、幸せで安らかな団欒《だんらん》を楽しむ。利明が初めて聖美の家に招かれたときには、そんな印象しか受けなかった。父親は頼りがいがあり優しく、母親は物静かで、しかし笑顔を絶やさない。まるでホームドラマだ、と思ったものだ。しかし、いま目の前にいるふたりからは普段の穏やかな振る舞いを想像することができなかった。生の感情をむき出しにしていた。

「落ち着きなさい」

義父のほうが妻の名前を呼び、そうたしなめた。だがその声は震えていた。義母はびくりとして振り向き、両目を大きく見開いた。そして一度大きくしゃくり上げ、崩れるようにして夫の体に凭《もた》れた。

昼を過ぎたが、何も食べる気が起きなかった。利明たちは看護婦の勧めで待合室のほうに移り、壁にかかっている時計を眺めながら放心した状態で座っていた。時折り看護婦が来て、聖美の様子を伝えた。マッサージ処理でなんとか呼吸は回復したものの、かなり自発呼吸能が落ちており、人工呼吸器をつけている状態だという。何度かCTスキャンを受け、その後集中治療室《ICU》に移されたようだった。

医師が利明たちの前に現れたのは、それから三〇分後のことだった。利明たちは反射的にソファから腰を上げた。

眼鏡をかけてひょろりとした感じの男だった。まだ若い。三十代になったばかりだろう。しかし顔立ちは引き締まっており、瞳《ひとみ》は優しげで、利明は好感を持った。医師は自分の名を告げ、脳外科の専門医だといった。そしてしっかりと利明たちに顔を向け、はっきりと、しかし誠実な口調で聖美の容態を説明した。

「永島聖美さんは、脳に重篤な出血を起こしていました。こちらに運ばれてすぐに脳の手術と心肺蘇生《そせい》をおこないましたが、現在は人工呼吸器をつけている状態です。自発呼吸は停止してしまいました。引き続き、強心剤を投与するなど出来る限りの処置をおこないます。しかし、現在のところ、聖美さんは深昏睡《こんすい》の状態にあります。非常に残念ですが、聖美さんは脳死状態に向かいつつあるといわざるをえません」

ああ、と声を上げて聖美の母親が顔を伏せた。

利明はなんと反応したらいいのかわからなかった。人工呼吸器、深昏睡、脳死などといった言葉が頭のなかで渦を巻いていた。聖美がそんな単語で表現されるということが信じられなかった。

そのとき、突然、利明は熱を感じた。

はっとして顔を上げた。全身が燃えそうなほど熱かった。外温が上がったのではない。体の内部が発火している、そんな感じだった。温度は急激に上昇していった。わけがわからず、利明はあたりを見回した。だが視界は赤く染まり、やがて何も見えなくなった。

利明は悲鳴を上げようと口を開いた。だがざらざらとした息が漏れるばかりだった。喉の奥が蒸発していた。いまにも指の先から焔《ほのお》があがりそうだった。焼ける、と利明は思った。このままでは焼けてしまう。

「……これから聖美はどうなるんでしょう」

ふっと熱気が消えた。義母が医師に質問していた。

「現在、脳波と血圧、それに心拍数をモニターしています。また、脳内への血流が停止すると脳細胞が死んでゆきますので、それをCTで検査します。そういった検査の結果を確認してから、脳死判定をおこなうことになります……」

どこかで医師が答えていた。利明は目をしばたたいた。自分の手が見えた。左手だった。手を閉じたり開いたりしてみた。指の動きがしっかりと確認できた。焔はあがっていなかった。

気がつくと、利明の隣で聖美の父親が医師と話をしていた。母親が父親に寄り添うようにして立っている。夕方には聖美が一回目の脳死判定を受けることになるかもしれないということが医師の口から聞こえてきた。

利明はふらふらとソファに腰を下ろした。先程の幻覚がまだ尾を引いていた。こめかみのあたりがひどく痛かった。

「大丈夫ですか？」

医師が声をかけてくる。利明はぞんざいにそれを手で振り払った。

聖美が死ぬ。

だまされているようだった。全《すべ》てが遠い世界の出来事のようだった。まだ全身が火照《ほて》っていた。あれは何だったのだろう、ずきずきと音を立てる頭の中で、利明は思った。あの熱さは、いったい何だったのだろうと。

3

午後六時、利明たちはＩＣＵの中に通された。

部屋に入る際、緑色をした滅菌衣と帽子を着せられ、さらに三層構造のフィルターマスクをかけさせられた。手や足を消毒液で洗う。利明にとってみれば、これらは全く馴《な》染《じ》みのないものではない。ヌードマウスを使う動物実験など、感染防御が必要な場合にこのようないでたちで動物施設に入ることはよくあった。しかし病院内でこういった格好をすることになるとは思ってもいなかった。聖美の父親は外科医という職業のため滅菌衣姿がさまになっていた。母親のほうだけはさすがに慣れないらしく、ごわごわとした木綿の感触をしきりに気にしている。

予想外に大きな部屋だった。壁際《かべぎわ》に幾つものストレッチャーが並んでおり、そのふたつにひとつの割合で輸血や点滴をおこなうための用具が設置されている。壁際には小型モニタがふたつ備えられ、そこから何本ものチューブが伸びていた。だがほとんどのベッドは使われておらず、部屋の中は閑散としていた。

聖美は手前から二番目の場所に寝かされていた。

聖美の鼻の穴にはチューブが挿入されていた。利明はそのチューブの先を目で追った。管は小さいバケツのようなものへと続き、そこからさらに白い色の機械へとつながっていた。幾つか調節つまみらしきものがあり、メーターの針が一定の間隔をおいて左右に揺れている。それほど大きくない機械だった。針が揺れるたびに、プスー、プスーと音がする。これが人工呼吸器だと医師が説明した。また、壁際に据え付けられたモニタには、脳波らしき線が映し出されていた。

　利明たちは聖美の体を囲み、その姿を見つめた。

　髪は剃《そ》られており、頭部は布と包帯で覆われていた。しかし胸から下はシーツを掛けられていたので、それ以外に目立った傷を見つけることはできなかった。頭の傷痕《きずあと》を除けば、まったく正常であるように思えた。

　退室後、利明たちは医師に連れられ、控室へと通された。医師は利明たちに椅子《いす》をすすめてから自分のデスクに座った。壁に設置されている投影台にCTスキャンの写真を掲げ、また脳波のデータを見せながら、医師は脳死について説明を始めた。脳死の定義とは「脳幹をはじめとするすべての脳の機能が不可逆的に停止した状態」であること、いわゆる植物状態は脳幹が生き残っており脳死とは区別されること、厚生省の定めた判定基準に沿って脳死判定の検査がおこなわれたこと、そしてこの病院ではそのほかに聴性脳幹反応の検査やCTスキャンによる脳血流検査も必要に応じておこなっていることなどを告げた。

「これが午後五時におこなった第一回目の脳死判定検査の結果です」

　医師は一枚の紙を利明たちに見せた。瞳孔《どうこう》固定、脳幹反射、無呼吸テスト、などといった項目が並び、それぞれの結果が記入されている。医師はひとつひとつ結果の意味を解説した。そして、いまの聖美は刺激を与えても脳波に変化が見られないこと、すでに自分では呼吸する力がないことを強調した。人工呼吸器をはずせば呼吸は止まり、心臓も停止して、体温が下がってゆくのだといった。用紙の表のうち右半分は空白になっていた。明日の午後に二回目の検査をして、そこに結果を記入するのだという。

「脳死はこのように検査を二回おこなうことにより判定します。一回目と二回目の間には六時間以上おいて、判定を確実なものとするようにしているわけです」

利明はそんな医師の解説を、ただぼんやりと聞いているだけだった。目を閉じた聖美の穏やかな表情が頭から離れなかった。

「聖美さんの人工呼吸器は作動させたままにしておきます。呼吸器をいつ止めるかは、ご家族の間で話し合われてください……。もちろん、それまでのあいだ、われわれは聖美さんに対して出来る限りのことはします。栄養剤も点滴しますし、床ずれが起きないように定期的に体の向きを変えたりもします。しかし、あのように呼吸をしてはいますが、聖美さんはもう亡《な》くなられたのだということは御了解ください……」

その夜、利明は一睡もせずに病院で過ごした。

利明たちはICUに入り、聖美のベッドサイドに座ってその顔を見つめていた。聖美の父親のほうは落ち着きを取り戻しはじめていたが、母親は何がなんだかわからないといった風で、ときどき嗚咽《おえつ》を漏らしては感情を吐き出していた。しかしそのうち目の下に大きな隈《くま》を描いてぐったりと伏せてしまった。

「いったん家に帰るよ」

妻が疲労の限界に達したのを見て取った義父は、そういい残して妻を抱きかかえ病院をあとにした。

夜の十時ごろ、看護婦がやってきて、聖美の体を熱いタオルで拭《ふ》いてくれた。小柄で可愛らしい感じの看護婦だった。まだ二十代前半であろう、そんな彼女が誠意を持って聖美の世話をしてくれることに利明は胸を衝《つ》かれた。

利明は看護婦の仕事を手伝いながら、聖美の肌の暖かさを改めて感じた。聖美の背中はわずかに汗をかいていた。口の中には唾液《だえき》が湧《わ》き出ていた。皮膚にはまだ張りがあり、頬は薄く上気したように紅を帯びていた。利明は植物人間というものを見たことはなかったが、こうして聖美の体を見る限り、植物状態と区別することはできなかった。

「奥さんに話しかけてあげてください」聖美の排泄《はいせつ》物を始末しながら、看護婦は微笑《ほほえ》んでいった。「きっと喜んでくれますよ」

その言葉を信じ、利明は一晩中聖美の手を取り、話し続けた。今日見たり聞いたりしたこと、これまでのふたりの思い出、どれだけ聖美のことが好きだったかを、絶えることなく話して聞かせた。聖美の温《ぬく》もりが手を伝ってくるのがわかった。聖美は規則的に胸を上下させ、静かに息をし続けていた。プスー、プスーという人工呼吸器の音が止《や》むことなくＩＣＵの中に響いていた。

早朝、利明は薬学部へ行った。ふと、ひとりになりたいと思ったのだ。ほとんど人影のない朝の街をゆっくりと車で通り抜け、丘の上にある薬学部を目指した。校舎には薄く靄《もや》がかかっていた。湿った空気を吸いながら利明は建物の中に入り、自分の研究室へと向かった。

当然のことながら、研究室には誰もいなかった。利明は自分のデスクに座り、背もたれに体重をかけて、大きく息を吐いた。窓の外に視線を移すと、そこには白く霞《かす》んだ町並みが遥《はる》か遠くに見えた。

ＩＣＵで見た聖美の顔が浮かんでくる。

利明はこれまでに何度か親族の死に立ち会ったことがあった。彼らは病気か、あるいは老衰で死んでいった。皮膚の色は生気に欠け、張りを失っていた。その体は冷たく、硬くなり、生命を全く感じさせなかった。死んでいるということが素直に理解できた。だが、ＩＣＵのストレッチャーに横たわっていた聖美の姿は、これまで利明が持っていた死の感覚から掛け離れていた。

聖美は本当に死んでしまったのだろうか。

利明の中で、文献的概念としての脳死と手に残る聖美の温もりが衝突し波を立てていた。

利明も脳死については新聞やテレビなどで何度か目にしていたし、また臨床医向けの雑誌や啓蒙書《けいもうしよ》を読んで大まかな知識は得ていた。そして、いままではどちらかといえば肯定的な感情を持っていた。脳死に対する批判のうちの幾つかは、非科学的な感情論に流されていると思った。一方で臓器を必要としている患者がいるというのになぜ脳死者からの摘出が躊躇《ちゆうちよ》されなければならないのか、とさえ考えていた。

だが、いまの利明にはわからなくなっていた。

聖美の心臓が鼓動を続けたまま、臓器が取り出されるさまを思い浮かべ、利明は唇を嚙《か》んだ。マウスやラットの解剖は毎日のようにおこなっているというのに、この想像だけは耐えることができなかった。いや、ヒトの解剖はおこなったことはないが実験動物は慣れているという中途半端《はんぱ》な経験が、却《かえ》って悪い想像をかきたてるのだった。麻酔をかけられ腹を切り開かれたラットの姿が、全裸の聖美と重なっていった。ラットの肝や腎《じん》が聖美の腹部を通してみえた。

腎臓。

利明は目を閉じた。

聖美は生前、腎臓バンクに登録していた。昨年の暮れ、突然聖美が登録を希望したのだ。あの朝のことを、利明はよく覚えている。

移植は推進されるべきものだ。頭の中では利明はそう考えていた。聖美の腎も誰かの役に立つのなら喜ばしいことではある。だが、あの聖美から、まだ肌が暖かく、心臓も力強く動いているあの聖美から、腎が取られるということに気持ちが追いついていかなかった。聖美が死んでいるということ自体が感覚としてどうしても受け入れられないのだった。聖美は死んでいない、生き延びさせる方法が必ずある、そんな気がした。

目を開けると、いつの間にか窓の外の靄は消え、街並みが朝陽を受けて眩《まぶ》しく輝きはじめていた。どこかで烏《からす》の啼《な》く声がした。一日が始まろうとしている。多くの人にとっては何げない平凡な一日となるだろう。利明にとっても、聖美が事故に遭わなければ記憶に残ることもない一日となったろう。

利明は研究室を出て、培養室に向かった。体を動かしたかった。病院に戻る前に、いちど細胞の具合を確かめておきたかった。定常状態になっているものがあれば継代《けいだい》しようと思ったのだ。

利明は顕微鏡を覗《のぞ》きながら、自分が使用している培養フラスコをチェックしていった。だが、特に緊急な処置が必要なものはなかった。利明はぼんやりと、ハイブリドーマや癌《がん》細胞を眺めていた。

そして、ふと、ある考えが浮かんだ。

利明はレンズから目をはなし、フラスコの中の赤い培養液を見つめた。感嘆の声が喉《のど》から漏れた。

「ああ、聖美」

心臓の鼓動が速まっていった。立ち上がった拍子に椅子が大きな音をたてて後ろへ倒れた。頭の中で、その考えが急速に広がっていった。よろよろと後じさりながらも、利明はテーブルに置いたフラスコから目を逸《そ》らすことができなかった。

確かに、聖美の身体《からだ》は脳死したのかもしれない。だが自分の手で聖美を生き続けさせることができる。聖美の全ては、まだ死んだわけではない。利明はフラスコを見つめたまま拳《こぶし》を握り締め、天井に向かって突き出し叫び声を上げた。

病院までの道のりがもどかしく感じられた。利明はアクセルを踏み込み、ギアを激しく動かしながら、聖美の名を呼び続けていた。やらなければならないことが幾つかあった。親族の意見をまとめ、聖美の腎を提供させること、かつて共同研究をしたことのある第一外科の助手に連絡を取ること、そして医師の了解を得ること。どれも大して難しくはないはずだった。聖美はまだ生きている、それがわかっただけで涙が出てきそうだった。

聖美、これからもずっと一緒だ。

心の中でそう叫んでいた。

4

利明と義父が見守るなか、聖美の二回目の脳死判定検査がおこなわれていった。昨日会った担当医が、もうひとりの医師と手分けして仕事をすすめてゆく。どんな大袈裟《おおげさ》な検査をやるのかと利明は構えていたが、実際は、耳にヘッドホンを当てて音を聞かせたり皮膚に刺激を与えたりして反応を起こすかどうかを調べるだけであった。聖美の脳波は平坦《へいたん》のままだった。担当医はそれを見ながら結果を判定表に書き込んでゆく。随分と非科学的な方法でおこなわれるものだ、と利明は思った。

全《すべ》ての結果は、前回と同じくネガティヴだった。担当医は検査が終わった時点で判定表を利明たちに見せ、了承を求めるような視線を送った。利明は表にボールペンで記入された結果と聖美の顔を見比べ、そしてひとつ頷《うなず》いて紙を医師に返した。医師はそれを受け取り、表の上にある空欄に署名し、そして判を押した。

「聖美さんは脳死と判定されました」

「ええ」

他になんといえばよいのだろう、そう思いながら、利明は自分でも呆《あき》れるほどそっけない言葉を返した。

「それでは、控室のほうへどうぞ」

担当医はそういって利明たちを促した。

部屋の中には女性がひとり待機していた。利明たちに気づくと椅子から腰を上げ、頭を下げてきた。利明も曖昧《あいまい》に会釈《えしやく》を返した。

「こちらは移植コーディネーターの織田《おだ》あずささんです」と担当医が紹介した。「聖美さんの腎臓を移植に提供していただけるというお話でしたので、こちらに出向いてもらったんです」

医師の紹介を受けて、女性は名刺を差し出してきた。恐らく利明より年下だろう、スーツ姿のその女性は、どこかやり手のキャリアウーマンを思わせるところがあった。しかし理知的な目元とはアンバランスなほど柔らかい頰の線が、親しみやすい雰囲気を補っている。その表情には誠実さと知性があった。女性は再び軽く会釈をして、よろしくお願いしますといった。

利明たちはその女性と向かい合うような形でソファに腰を下ろした。

「コーディネーターというのは最近になって日本でも出てきた職業なんです」

織田はそういって、まず自分の仕事について説明を始めた。移植という治療は、臓器受容者《レシピエント》である患者のほかに臓器提供者《ドナー》がいて初めて成り立つ。そしてドナーとは、生体臓器移植の場合を除けば救急医療医によってケアを受けてきた脳死者や心臓死者である。本来救急医は救急医療に専念すべきであり、自ら移植手術に積極的に乗り出すことは望ましくない。一方、移植医が脳死者の遺族に擦り寄っていって臓器の提供を切り出すことも、遺族にとっては不快感を覚えるだけである。そこで移植医と救急医のあいだを仲介し、円滑に移植治療がおこなわれるよう取り計らう人間が必要となってくる。それが移植コーディネーターというわけだ。仕事は多岐にわたり、医師たちのスケジュール調整から遺族への配慮など細々としたところまで含まれる。

「聖美さんの腎提供によって、ふたりの透析患者さんが救われることになります。慢性腎不全というのは小さな子供でも起きる症状ですが、残念ながら完治させる方法はなく、体の中に溜《た》まるものを外に出すには透析しかありません。しかし透析治療は時間の制約を受けるために通常の社会生活を送ることは困難ですし、厳しい食事制限も受けなければなりません。そういった患者さんが、腎移植によって自由に食事や旅行をすることができるようになるのです。聖美さんの腎は決して無駄にはなりません」

コーディネーターの熱心な説明を聞き、臓器摘出までのスケジュールを確認してから、利明はいった。

「聖美の腎が患者さんのお役に立てるということがよくわかりました。聖美の腎臓を提供したいと思います。聖美は腎バンクにすすんで入っていましたし、これが本人の遺思を尊重することになると思います。どうかよろしくお願いします。ただし、提供するのは腎だけにさせてください。ほかの臓器については聖美の意見がわからないので、むやみに取り出すのはちょっと聖美に悪いような気がするんです」

我ながら芝居がかった言い方だと思った。意志を告げたあと、利明は横に座っている義父の顔を窺《うかが》った。義父は目を閉じ、ひとつ頷いてみせた。

「腎だけでも私たちとしては本当にうれしく思いますよ。ありがとうございます」コーディネーターの織田はそういって深々と頭を下げた。「私も最大限のお手伝いをさせていただきます」

織田が差し出す書類に、利明はゆっくりと記入していった。それは臓器提供の承諾書だった。ぺらぺらのB５判の紙の中央には横書きの活字で、

上記の者　死後　臓器移植のために（　　　　）を提供することを承諾します。

という無味乾燥な一文が印刷されている。利明はその上の欄に、書式に沿って聖美の名前と住所、生年月日、性別を書き入れ、そしてかっこの中に一画ずつ区切るように力を込めて「腎臓」のふた文字を綴《つづ》った。そこでひとつ息をつき、最後にその文章の下に今日の日付と、承諾者となる自分の氏名、住所、続柄を一気に記入した。

「ここに判をお願いします」

織田の白く長い指が、書類の最後にある「印」の字を指した。

利明はズボンのポケットから印鑑を取り出した。織田が手際《てぎわ》よく鞄《かばん》から朱肉を出し、利明の前に置く。

利明はぐりぐりと押し込むようにして判をついた。書類に写し取られた永島という印影は、書類の内容に不釣り合いなほど鮮やかで、ふしだらな感じさえした。一瞬利明は目を背けた。

これでいいのだろうか、という思いが利明の心をよぎった。暖かい聖美の体の中から臓物を取り出すことが、これで決まったことになる。それほど重大な決定を、こんなたった一枚の紙切れで自分は下そうとしている。なにか間違っているのではないだろうか。

利明は軽く頭を振った。いまさら何をいっているのだろう。こうしなければ聖美を生き延びさせることはできないのではなかったか。聖美とこれからも暮らすためには、こうしなければならないのではなかったか。聖美はなにもあの外見だけが聖美なのではない、聖美の体の中に生きる細胞ひとつひとつが聖美なのだ。その聖美を自分のものにしなくてはならないのだ。いまその話を切り出さなくてはならない。利明はそのとき、体に微熱が湧《わ》き起こるのを感じた。医師に聖美の死を告げられたときに感じた、あの熱さだった。頭がぐらぐらと回転を始めた。

控室から退室するとき、利明は義父には気づかれないようそっと担当医に近づき、低い声でいった。

「実は、聖美のことでお願いがあるんです」

「どうしたんです？」

「ひとつ、私の希望をきいてください。聖美の両親には内緒で……。腎の提供と引き換え条件です」

「引き換え？　いったい……」

怪訝《けげん》な表情をする医師を、利明は制した。医師の背中を抱え、隠れるようにしながら、ゆっくりと低い声でいった。

「聖美の肝臓をください。……肝の初期継代培養《プライマリー・カルチャー》をしたいんです」

5

篠原訓夫《しのはらくにお》は病棟勤務を終え、臨床研究棟の五階にある第一外科の医局に戻った。エレベーターを降り、右手に進み、つきあたりにある医局のドアを開ける。肩を揉《も》みながら人気のない部屋の中を横断し、自分のデスクへと向かった。実験台を通り過ぎるときに目をやると、その上に置いてあるデジタル時計が五時半を示していた。

デスクの上には秘書の書いたメモがふたつ置かれていた。コピーを頼んでいた学術文献が見つからなかったこと、製薬会社の営業が訪ねてきたことが記されていた。

篠原は白衣の胸ポケットから手帳を取り出し、デスクの上に放った。そして再び肩を軽く揉み、凝りをほぐした。最近、病棟から帰ったあとはこのような動作を無意識のうちにしてしまうことが多くなっていた。だいたい病棟と医局の間が遠すぎる、そう独り言をいって、それから少し恥ずかしさを覚え、篠原はあたりを見回した。

珍しいことに、部屋の中には篠原の他には誰もいなかった。いつもなら若い研究生が一人くらいは実験をしているのだ。今日は少し早めに食事に出掛けたのかもしれなかった。

篠原はインスタントコーヒーを淹《い》れ、マグカップを手にデスクに座った。手帳を開き、予定を書き込もうとしたとき、部屋の電話が鳴った。内線電話の呼び出し音ではない。外部からかかってきたことを示す鈍い電子音だった。篠原はカップを持ったまま立ち上がり、電話のほうへと歩いていった。そしてコーヒーを一口啜《すす》ってから受話器を取り、もしもし、第一外科ですが、と答えた。

「……こちら、薬学部の……」

「なんだ、永島さんじゃないですか」

篠原は笑みを浮かべ、見えない相手に向かってひょこりと頭を下げた。

利明との付き合いは、篠原が博士号を取得するために利明の所属する生体機能薬学講座へ研究生として出向いたときから始まっていた。医学部の学生は、単に卒業して医師国家試験に合格するだけでは医学博士になることはできない。ある程度の期間医局に残り、実験をおこない、論文を書く。そして審査を受け、ようやく博士の肩書を得ることができる。当時二十九歳だった篠原は、博士号を取ろうと必死になっていた。先輩からまわされる夜勤でふらふらになりながらも、薬学部へ通って細胞培養を続けていたのだった。篠原の与えられたテーマは、肝細胞の癌《がん》化に伴う癌遺伝子産物の発現量を測定することだった。ラットの肝臓を摘出し、そこから細胞を回収して初期継代培養《プライマリー・カルチャー》をおこなう。この時点では普通の肝細胞だが、これに発癌剤を与え、細胞の癌化を促進させてやる。その際、細胞表面に現れる幾つかのタンパク質をモニターし、その発現量と癌の進行にどのような関係があるかを調べるというものであった。ありふれたテーマだが、篠原が測定した癌遺伝子産物は当時まだあまり研究の進んでいないタンパク質であったため、博士号の対象となったのである。そのタンパク質を認識する抗体を作製したのが、利明の所属する講座の助教授だったのだ。

　利明は当時まだ大学院生で、しかも癌遺伝子が直接の研究テーマではなかったが、ラットの肝細胞のプライマリー・カルチャーを日常的におこなっており、その技術に長《た》けていたので、篠原は利明によく手技を教わった。組織染色や流動細胞光度測定法《フローサイトメトリー》も利明に習った。篠原は二年間研究生を続けたのち医学部へ戻り、その翌年なんとか博士号を取ることができた。だがそのまま利明との付き合いは続いており、時折り誘い合って飲みに出たりしている。年齢は少し離れていたが、互いにさん付けで呼びあっていた。

篠原は受話器を耳に当てながらコーヒーを喉《のど》に流し込んだ。また飲む相談かと苦笑したが、その直後、相手の様子がおかしいことに気づいた。回線の向こうから、斜めに歪《ゆが》んだような呻《うめ》き声が聞こえてきた。混線しているのだろうか、と一瞬篠原は眉《まゆ》をしかめ、フックを何度か押してみた。だが奇妙な感覚は直らなかった。利明はなかなか話し出そうとはしなかった。長い沈黙があった。コーヒーの白い湯気が渦を巻いて立ちのぼってゆく。耐えられなくなって篠原がなにか話しかけようと口を開いたとき、不意に受話器の向こうから低い声が聞こえてきた。

「聖美が死んだんです」

篠原の背筋に冷たいものが閃《はし》った。

思わず誰もいない室内を見回した。蛍光灯が突然ぺかぺかと明滅した。だがそれはすぐに輝きを取り戻し、デスクや床の上に影を落とした。電子のひとつひとつが床に降り注いでくる、サーとノイズのような音を立てて落ちてくる、自分の頭の上にも積もってゆく、そんな妄想《もうそう》が頭の中を過《よぎ》った。

「……なんだって？」

自分でも驚くほどの大声が口から出た。唾《つば》の飛沫《しぶき》がふたつ、弧を描いて落ちてゆくのが見えた。

「でも聖美は生きています」

「おい……」

「篠原さん、聖美の肝細胞を取ってください。ぼくは医者ではないから聖美を捌《さば》くことはできない。しかし篠原さんなら問題はない。そうですね」

「聖美さん？　いったい聖美さんがどうしたっていうんだ？」

「いまからそこへ行きます。聖美の肝を取ってくれますね」

「どういうことなんだ、いまどこにいる」

「すぐに行きます」

電話が切れた。

しばらく篠原は受話器を握り締めたまま呆然《ぼうぜん》とその場に立ち尽くしていた。何が起こったのか理解できなかった。ただひとついえることは、永島利明の声が普通ではなかったということだ。

すぐ行きます、という利明の言葉を思い出し、篠原はきょろきょろと辺りに目をやった。ここに来るということなのだろうか。電話は外線だった。いったい利明はどこにいるのだろう。

そのときだった。電話が切れてから一分と経《た》っていなかった。真後ろにある扉が開いた。びくりとして篠原は振り返った。

薄笑いを浮かべて、利明が立っていた。

6

電話がかかってきたとき、安斉麻理子《あんざいまりこ》は自分の部屋で机に向かい数学の問題に専念していた。ラジカセに好きな女性シンガーのテープをセットし、音量を絞ってBGMに流していた。中学校のクラスの友達にダビングしてもらったものだ。宿題に出された図形問題は意外と難しかったが、数学は好きな分野なので飽きることはなかった。ちょうど補助線の引き方がわかったところで電話の音が聞こえてきた。

「はいはい」

思考が中断されたことに対する軽い苛立《いらだ》ちをそんなふうに言葉に出して、麻理子は立ち上がり、廊下に出た。

廊下に掛かっている時計を見やると、八時二〇分を指していた。一歩部屋の外へ出ると、家の中はあまりにも静かで、冷たかった。まだこの時間では父は帰って来ない。いつも一時を過ぎるのが普通だった。部長になってからずっとこんな調子だ。仕事が忙しい、いつもそういっていた。だが麻理子は本当の理由を知っていた。あたしの顔を見る時間を減らしたいだけなのだ。

麻理子が足を踏み出すごとに、ぺたぺたとスリッパの音が響く。それに電話の電子音が重なる。この家にはふたつの音しか存在しないようだった。

麻理子は無造作に受話器を取り、もしもし？　とぶっきらぼうにいった。

「私、移植コーディネーターの織田と申します。突然の連絡で申し訳ありませんが、安斉重徳《しげのり》さんはいらっしゃいますでしょうか」

はっとして、麻理子は大きく息を呑《の》んだ。反射的に自分の左の手首に視線を落とす。トレーナーの袖《そで》がめくれて、穿刺《せんし》のための穴が見えた。それより手前には、袖に隠れてはいるがもうひとつ穴が開いている。ふたつの穴が突然疼《うず》いた。

「父はまだ帰ってきていませんが……」

麻理子はたどたどしい口調で答えた。

「失礼ですが、麻理子さんでいらっしゃいますか？」

「え、ええ、そうです」

「そうですか。実はご希望の腎《じん》移植のためのドナーが見つかったので連絡を差し上げたんです」

心臓が激しく鳴りはじめた。腎移植。その言葉が麻理子の背骨を走っていった。鳥肌が立った。

前回の腎を摘出してから、麻理子は父親に強引に薦められて死体腎の移植希望登録を出していた。あれから一年半しか経っていない。あまりにも早いような気がした。一気に麻理子の記憶はこの一年半を遡《さかのぼ》っていった。

「死体腎はほとんど出ないんだ。だから我慢して待たなきゃだめだよ」

あのとき、吉住《よしずみ》という医者はそういって、まだ小学生だった麻理子の頭を撫《な》でてくれた。だが麻理子にはそんな言葉は意味がなかった。移植など二度とするつもりはなかったのだ。ただ父親の顔を立てるためだけの登録だったのだから。

父親は吉住先生のその言葉を聞いて、不安げに質問していた。

「待つというと……、どのくらいなんでしょうか」

「はっきりとしたことは私にもわかりません。東京近辺にある大きな病院では、年間十件以上の死体腎移植をおこなっているところも幾つかあります。しかしそれは東京のほうがドナーが多く出るからで、こちらでは残念ながら年に一件か二件といったところです。ご存じのとおり、日本では脳死といった概念が社会で受け入れられていませんから、どうしても心臓死者からの腎の提供を待つことになります。しかしドナーとして適当な心臓死者の数が少ないのに加えて、新鮮な腎を摘出することが実際上困難なことが多いこともあって、提供腎の絶対数が極めて少ないのです。麻理子さんの体に合う腎が見つかるかどうかも問題です。登録の順番もあります。いい腎臓がほかの地域で見つかればシッピングしてもらうこともできますが、それでも五年や十年は待っている患者さんは少なくありませんよ」

「十年……」

絶望的な表情をした父親の姿が今でも目に浮かんでくる。

「今回の腎がうまく生着すればよかったのですが……」

吉住先生は苦渋の声を出した。それを聞いて、麻理子は俯《うつむ》き、唇を嚙《か》んだ。

みんな、あたしのせいだと思っているんだ。

あたしがいうことをきかなかったから、手術が失敗したと思っているんだ。みんなうわべは優しい顔をしているけれど、本当はあたしのことを張り倒したいくらい憎らしく思っているんだ。

なんにもわかっていないくせに。

「最近、なにか病気にかかったことはありますか。風邪はどうかな?」

電話の相手は麻理子の体の具合を訊《き》き出し始めた。麻理子は、ありません、ひいてません、とつっけんどんに返事をしていった。その間、麻理子は左手を胸に押し付け、どきどきと大きな音を立てる心臓を抑えようと懸命になっていた。本当に自分はまた移植をすることになるのだろうか。それも今度は父親の腎ではない、まるきり知らない人の死体から取った腎を。

突然、死体、という言葉がずんと音を立てて体の中心に沈んだ。

理科の実習でやったフナの解剖や、道路の端に転がっている轢《ひ》かれた猫の姿が脳裏をよぎった。

死体の腎臓が、死んだ人間から取り出した腎臓が自分の体の中に入る。

凄《すさ》まじい寒気が全身を駆け抜けた。

いやだ。

移植なんてやりたくない。

そんな麻理子におかまいなく、電話の相手は早口に尋ねてきた。

「お父さんがお仕事から帰ってくるのはいつくらいかわかりますか」

「さ、さあ……。いつも遅いから」

「お父さんが帰ってきたら、至急電話をくれるようにいってください。もし連絡がつくようだったらすぐに相談して、移植を受けるかどうか決めてください。連絡が遅れるようであれば次の候補の方に腎臓を提供することになってしまうんです。なるべくはやくお願いしますね」

安斉重徳が家に帰ってきたのは一一時を回っていた。安斉の所属する部署では来年度の新型ワードプロセッサの発売に向けて追い込みにかかっていた。ここ数週間、休日もゆったりとした気持ちに浸ることができない。もっとも、仕事のことを第一に考えてしまうのは若いときからの悪い癖だった。

玄関の鍵《かぎ》を開け、中に入ると、電気が消えていた。不思議に思いながら安斉は廊下の電気を点《つ》け、靴箱に目をやった。麻理子は帰っている。普段は廊下の電気を点けっ放しにしてあるのに、なぜ今日に限って消してあるのかわからなかった。

安斉はネクタイを緩めながら台所にゆき、冷蔵庫の中からハムと缶ビールを取り出した。ハムを口にくわえながら居間への戸を開ける。床に腰を下ろしてテレビのリモコンを操作した。深夜ニュースが南米で起きた飛行機の墜落事故を流していた。

事故の映像を見ながら、最近麻理子と顔を合わさなくなったなと安斉は思った。まだ麻理子は起きているはずだが、わざわざ部屋まで行って声をかけるようなことはしなくなっていた。朝もお互い忙しく、ろくに言葉を交わすことはない。食事も別々だ。しかしそれが習慣になってしまっている。恐らく、麻理子が大学に入るまではこの状況が続くのだろう。安斉はビールを呷《あお》った。

それから二〇分ほどしてニュースが終わった。そろそろ持ち帰ってきた書類に目を通さなければならない。安斉はテレビのスイッチを切り、背伸びをした。そのときだった。

「お父さん」

不意に後ろから呼ばれ、安斉はぎくりとして振り返った。パジャマ姿の麻理子が立っていた。どことなく目のまわりが腫《は》れぼったいのがわかった。

「なんだ……、どうしたんだ」

「…………」

麻理子はなかなか話し出そうとしなかった。はっきりしない娘の態度にすこし苛立ちを覚えながら安斉はいった。

「夕食は取ったんだろう、まだ何か欲しいのか。夜食は止《や》めたほうがいいぞ」

「……さっき、電話があって……」

麻理子の思い詰めたような雰囲気を察し、安斉はビールの缶をテーブルに置き、立ち上がった。

「電話って……病院からか。いつもの透析の先生か？」

「違う……。移植コー……なんとかっていう人から」

移植。安斉は息を呑んだ。

「どんな電話だったんだ。話を聞いたんだろう？　いつかかってきた」

「八時半くらい……」

「なんでそれを早くいわないんだ」

安斉は舌打ちをして電話に駆け寄った。麻理子からなんとか電話番号を聞き出し、それをプッシュする。移植の順番が回ってきたのだろうか。それしか考えられなかった。

なぜ麻理子はぐずぐずしていたのだろう。

すぐに目的の相手が電話口に出た。やはり麻理子への提供腎が見つかったとの知らせだった。

「移植をお受けになりますか？」

「もちろんです！　お願いします」安斉は興奮していった。

コーディネーターの女性は簡潔に要件を伝えはじめた。すぐに病院へ来てほしいという。検査の結果が良好ならば、ドナーの心停止を待って移植をおこなうとのことだった。

声を弾ませながら安斉は礼をいい、電話を切った。

「麻理子、移植が受けられるぞ！　こんなに早く見つかるなんて思ってもみなかった。これでまたうまい食事ができるようになるぞ」

安斉は笑みを浮かべながら麻理子を見た。しかし、麻理子は青ざめた顔で震えていた。かすかに首を横にふり、いやいやをしている。安斉は喉《のど》まで出かかった歓声を呑み込み、麻理子のほうに手を伸ばした。

「どうした、麻理子？　移植を受けられるんだぞ、嬉《うれ》しくないのか」

「……いや」

掠《かす》れるような声で麻理子がいった。安斉にはわけがわからなかった。

「いったいどうしたんだ。もう透析をしなくてもよくなるんだ。前の移植のときだって、あんなに喜んでいたじゃないか」

安斉の手を麻理子が振り払った。

「いや！　移植なんていや！」

安斉は狼狽《ろうばい》して麻理子のほうに歩み寄った。だが麻理子はその分だけ後じさりをする。麻理子の目に涙が浮かんでいるのがわかった。しゃくりあげ始めている。明らかに麻理子は気が動転していた。突然の移植の話に戸惑っているのだ。どうやってなだめたらいいのかわからなかった。

「……麻理子」

麻理子は壁までさがり、がくがくと膝《ひざ》を震わせながら絶叫した。

「あたしはフランケンシュタインじゃない、お化けになんかなりたくない！」

7

移植コーディネーターの織田から吉住貴嗣《たかし》へ連絡が入ったのは午後十一時半だった。大学病院でドナーが出たとの知らせであった。デスクに向かい患者のデータを見ていた吉住は、ドナーという言葉を聞いて思わず姿勢をただした。

「脳内出血で脳死した二十五歳の女性です。今日の午後に遺族と会って承諾を得てきました」

きびきびとしたコーディネーターの声にひとつひとつ頷《うなず》きながら吉住は手元のメモ帳に要点を書き付けていった。織田あずさは昨年入ったばかりの女性コーディネーターだったが、仕事は迅速で、遺族に対しても気配りがきくとの評判だった。吉住が担当した移植でも、彼女のおかげで的確な対応が取れ、それが成功につながったことが何度かある。

吉住の勤務する市立中央病院は、この地域における腎移植の中心施設となっている。救急病院に運ばれた患者が脳死となり、遺族から献腎の申し出があると、その病院の主治医がまずこの病院に電話する。すると移植コーディネーターがその救急病院に出向き、遺族に腎移植について説明をおこなう。理解が得られたら献腎の承諾書に署名してもらうことになる。この手続きは脳死者が腎バンクに登録していてもさほど変わらない。遺族に反対されては移植などおこなうことはできないからだ。

「レシピエントの候補が決まりました。回線でデータを送ります」

織田が電話口でいう。吉住は頷いてデスクのコンピュータのスタートアップボタンを押した。

移植医である吉住のところへ連絡が来るということは、移植の準備がすでに半ばに入っていることを意味する。市立中央病院ではおおむね次のような手順でレシピエントを決定している。コーディネーターが遺族の承諾を取ったところで、病院はまずドナーの血液を採取し、そのＡＢＯ型血液型とＨＬＡ型を臨床検査室で確認する。さらにドナーがエイズなどの感染症に罹《かか》っていないかどうかをチェックする。その結果が出ると、コーディネーターがそのデータを基にレシピエント候補の選出に入る。

地方腎移植センターに指定されているこの市立中央病院では、これら移植希望者の様々なデータがコンピュータに入力されている。患者の氏名、生年月日、透析施設、組織適合性、輸血歴、移植歴、透析歴などだ。この地域で死体腎移植の希望登録をしている者は約六〇〇人である。この登録者リストを検索し、まずドナーの血液型と等しい者をピックアップする。そしてその中からＨＬＡ適合度の順で候補者の順位をつける。腎はひとりの提供者にふたつあるので、大抵の場合ひとりのドナーからふたりのレシピエントが選ばれることになる。そのうちひとりは、吉住の病院がコーディネートもおこなうということもあり吉住の病院が移植を担当する慣例だ。吉住の勤める病院では適合性の高い登録者をふたり呼び出し、検査をおこなう。このうち移植に適していると判断されたものひとりが、最終的に手術を受けることになっていた。もしこの地方で適当な候補者がいないようであれば、全国の腎移植システムを統括する千葉の国立佐倉病院のほうまで検索し、他の地域へ腎をシッピングすることになる。しかしよほどその場所への交通手段が充実しているところでないと、レシピエントへの腎の生着は難しい。シッピングしている時間が長くなれば腎《じん》の新鮮さが失われ弱ってくるからだ。地域中心的にレシピエントを選出するのにはそれなりの理由がある。

吉住は受話器を肩に置きながらパソコンのキーボードを叩《たた》いた。コーディネーターから送信されてきたデータが画面に映し出される。レシピエントの候補者リストだった。組織適合性が高い者から延々と順位がつけられている。吉住は画面をスクロールしてリスト全体をざっと見渡した。

「一番の安斉麻理子さん、それに三番の岩田松蔵さん、このふたりが候補になります。うちの病院で担当することになるのが一番の安斉さんです」

どこかで聞いたことがある、吉住は眉間《みけん》に皺《しわ》を寄せ、そしてあっと驚きの声を上げた。あわてて画面をスクロールアップし、リストの一番上を注視する。安斉麻理子、確かにその名が載っている。年齢十四歳、移植歴一回、移植担当病院・市立中央病院。吉住は麻理子のＨＬＡ型を見た。ドナーのものと全《すべ》て一致している。ミスマッチゼロだ。

安斉麻理子。

間違いない。

吉住が二年前に担当した少女だった。

安斉は二年前に父親から生体腎移植を試み、失敗している。手術そのものは成功だったし、術後もさほど大きな拒絶反応は起こらなかった。だが、ささいなことがきっかけで腎は生着せず、摘出することになったのだった。吉住は唇を噛《か》んだ。悔いの残るケースだった。

ＨＬＡとはヒトリンパ球抗原の略である。ヒトの細胞の表面に露出している糖タンパク質のことだ。外部から細胞が侵入して来ると、免疫《めんえき》担当細胞はそのＨＬＡを認識し、もしそれが自分のＨＬＡと異なる場合はその細胞を異物と見なし、攻撃する。これが免疫反応である。ＨＬＡは移植する腎の細胞表面にも発現しているから、もしその抗原のタイプがレシピエントの持つ抗原と異なる場合、レシピエントの免疫担当細胞は移植腎を異物としてとらえ、攻撃をしかけるので、当然その臓器は生着しにくくなる。したがって移植をおこなうときは、なるべくレシピエントの抗原と似たＨＬＡを持つ臓器を探してやる必要がある。ただし、ＨＬＡ型はＡＢＯ型血液型と異なり、非常に多岐にわたっている。Ａ、Ｂ、Ｃ、ＤＲ、ＤＱ、ＤＰと六種のＨＬＡ型があり、それぞれがさらに十種以上のサブクラスに分かれているのだ。移植ではこのうち最も解析が進んでいるＡ、ＢそしてＤＲの適合性が検討される。これら三種の抗原は、父親と母親からそれぞれ一組ずつ遺伝されるので、結局ひとりの人間では三対の抗原、計六個の抗原タイプが調べられることになる。しかし、ここで抗原の種類の多さが災いする。これら六個のタイプがすべて一致するドナーを見つけ出すのは極めて困難なのだ。兄弟間であっても六つとも一致するのは四人に一人、まして他人同士では数万人に一人という確率になる。そのため実際はミスマッチが一個か二個ある臓器でも移植されることが多い。ただ、その場合生着率が悪くなることは否《いな》めない。

安斉の場合、父と娘の間での移植であり、組織適合性も高かった。成功していいはずの移植だった。

だが失敗した。全ては吉住をはじめとする移植班が安斉麻理子の信頼を得られなかったことが原因だった。

吉住は大きく息をつき、ディスプレイ上の安斉の名前を見つめた。そしてこめかみのあたりを押さえ、湧《わ》き上がってくる記憶を遮った。

吉住は仕事に集中するよう自分にいいきかせ、電話の向こうのコーディネーターに話しかけた。

「安斉麻理子がミスマッチゼロか」

「ええ、ほかにはミスマッチゼロの登録者は当地域ではいませんでした。データをご覧ください」

その通りだった。ミスマッチがひとつの者もいない。しかしミスマッチがふたつの候補が五人いた。そのうちのひとりでリストの三番目にあがっている男性が、もうひとりのレシピエント候補になっていた。五十一歳で透析歴五年、隣県の病院の管轄《かんかつ》になる。リストの二番目にあがっている女性には連絡がつかなかったようだ。

移植は常にレシピエントを選択する困難がつきまとう。さまざまな要因が作用するため、患者にとっては賭《か》けのようなものになってしまう。もちろん年齢や透析歴はレシピエントとなる候補順位に考慮されるが、自分と似たＨＬＡ型のドナーがいつ現れるのかわからない。しかもひとつの死体に腎は二個しかないのだ。

全国の死体腎移植希望者登録数は二万人を数える。だが、そのうち実際に死体腎を移植される者は年間二〇〇人にすぎない。そして透析患者は全国で十二万人。慢性腎不全の患者に対する移植の功績は、あまりにも小さい。日本は欧米諸国に比べて、透析患者に対する移植患者の比が極端に少ないことで有名だ。それは決して日本の医療技術が遅れているためではない。脳死を人の死と認めることに対する国民の不安感が、医師や患者に移植手術を躊躇《ちゆうちよ》させる原因になっているのだ。患者は来るあてのない腎臓を夢見ながら、精神的にも金銭的にも楽とはいえない透析と共に長い人生を過ごすのだ。そんな現在、幸運にもレシピエントになれた者はうまくいけば通常の社会生活を満喫できるようになる。そして選択から漏れた者は、さらにこれから長い透析生活を強いられることになる。

「もうひとり、一番の候補が移植を受けられないときのために五番の女性にも来ていただくことになっています」織田はいった。「ミスマッチ2、三十六歳、透析歴三年半です」

「わかった」

吉住は候補者ふたりのデータをプリントアウトした。麻理子が感染症などに罹っていて移植を受けられないような場合は三十六歳の女性が繰り上げ当選になる。ふたりは来院しだい検査を受け、移植に適しているかどうかをチェックされることになる。

吉住はさらにコーディネーターとスケジュールのやりとりを続けた。およその段取りは次のように決まった。まず吉住が大学病院での腎摘出をおこない、そこで腎の一方をコーディネーターの織田に渡す。織田は隣の県へシッピングし、吉住はもう一方の腎を市立中央病院まで運び移植をおこなう。織田はその計画ひとつひとつを吉住にきちんと確認していった。腎の摘出と移植手術は時間との勝負である。ドナーの心停止後は綿密なタイムスケジュールに則《のっと》って行動する必要がある。執刀医である吉住や手術助手、看護婦、それにレシピエントの息が合うように調整をおこなうのもコーディネーターの仕事だ。

織田との打ち合わせを終えると、吉住は、

「よし」

と声を上げ立ち上がった。今度は成功させてみせる。安斉麻理子。今度こそ、この子を助けてやる。

8

移植の承諾をしてから二日後、聖美の心拍数が徐々に低下を始めた。

依然として聖美は人工呼吸器につながれており、そのため少なくとも呼吸は規則的に繰り返されてはいた。しかしついに、そうして体の機能を維持し続けるのにも限界がきたというわけであった。モニタに映し出された聖美のバイタルサインを示す幾つかの数値が、確実に低くなってゆくのがわかった。

「今夜、市立中央病院の移植班がこちらへ来ることになりました」

聖美の脳死判定に立ち会った医師が利明にそう告げた。

「聖美さんの心臓が停止したら即座に腎を摘出する必要があります。そのため、まえもって聖美さんの大腿《だいたい》動脈を確保しておかなければならないんです。今夜はそのための軽い手術をおこないます。心停止後すぐにそこからカニューレを入れて、聖美さんの腎を急速に冷却するためです」

動脈の確保はすぐに終わった。利明がＩＣＵに戻ると、そこに横たわっている聖美の大腿にはカニューレ挿入用のマーキングが施されていた。

昇圧剤の投与が打ち切られた。だが聖美の血圧はすぐには下降せず、一〇〇前後をいったりきたりしていた。明日の朝までは持ちそうだとの医師の言葉を聞いて、利明はぼんやりと、ああ、聖美の温《ぬく》もりもそれまでなのか、と思った。

聖美の体が、刻々とドナーとしての物体に変わってゆく。そう感じながら利明はその日の夜を聖美と過ごした。夜の十時、いつもの看護婦が聖美の清拭《せいしき》にやってきた。聖美の出す尿や便の処理をおこない、口や鼻の穴の中に詰まったものを綿棒で取り出し、汗ばんだ背中をタオルで拭《ふ》き、体の位置を変え褥瘡《じょくそう》ができないようにする。それを嫌な顔ひとつせず、むしろ利明に対して気遣いの笑みまで見せて、着実に進めてゆく。これまで利明は病気らしい病気をしたこともなく、病院とは無縁の生活を送ってきた。もちろん学会や懇親会で医者と話をすることはあったが、病院の中で医者がなにをしており、看護婦がなにをしているのか、実際のところはなにも知らなかったのだ。

「本当にありがとうございます」利明は素直に頭を下げた。「聖美もこんなに尽くしてもらって感謝していると思います」

看護婦はそれを聞くとすこし手を止め、にっこりと微笑《ほほえ》んでからいった。

「そういってくださると嬉《うれ》しいです。でも、わたしたちとしては聖美さんを助けてあげられなくて本当にすまなく思っています」

「いや、とんでもない、みなさん十分に治療してくれましたよ」

あわてて首を振る。すると看護婦は、浮かべた笑みを曖昧《あいまい》に崩し、そして利明から視線を離して作業を再開した。

「ＩＣＵで看護の仕事をしていると、ときどきわからなくなっちゃうことがあるんです」独り言のように小さな声でいう。「一生懸命看護しても、毎日のように亡《な》くなられる患者さんが出てきますからね。わたしたちはいったいなにをやってるんだろうって、すごく落ち込むことがあるんです。ほかの部署と比べて、ＩＣＵ付きのナースは早くやめちゃうんですよ。でも」

看護婦はそこで言葉を切った。聖美の清拭を終え、服を着せる。作業が終わったところで看護婦は利明のほうをくるりと向き、両手をぽんと腰においた。

「そうして励ましていただけると、これからもずっとがんばっていかなきゃ、って思います」

そういって看護婦はＩＣＵを出ていった。

9

朝まで小康を保っていた聖美だったが、昼すぎになって血圧が急速に下がり始めた。午後一時には九五を切り、さらに一時間後には八〇を切った。突如としてＩＣＵの中が慌《あわ》ただしくなった。何人もの医師や看護婦が出入りを繰り返し、利明や義父たちは隅のほうへ追いやられることになった。脳死判定直後の静けさとは対照的であった。

「二時半に市立中央病院の移植チームが到着します」と医師のひとりが腕時計を見ながら告げた。「まず腎冷却用のカテーテルを入れます。それから聖美さんの心停止を待って摘出手術に入ります」

「聖美の心停止のときには立ち会えるんでしょうか」

利明の質問に医師は頷《うなず》いていった。

「五分ほど、お別れの時間を設けます。それから聖美さんを手術室のほうへ運びます」

人工呼吸器のプスー、プスーという小さな音が、喧噪《けんそう》に紛れて聞こえなくなった。

血圧が七五になった。


吉住はふたりのスタッフと、そしてコーディネーターの織田とともに大学病院に入った。腎摘出のために最小限必要な手術器具と、腎の冷却灌流《かんりゅう》装置と一緒だ。大学病院であればさすがに器具がないということはないだろうが、吉住はドナーからの臓器摘出の際には自分の器具を持ってゆくことを忘れなかった。摘出は迅速な対応が必須《ひっす》の条件である。使い慣れた自分の器具を使うのがベストであった。

大学病院のスタッフと挨拶《あいさつ》を交わした後、吉住は織田を待合室に残してＩＣＵに入り、ドナーの様子を観察した。血圧は六五近くになっており、心拍数も三〇台に下がっていた。血圧が五〇以下になると、もはや体全体に血液が行き渡ることはなくなってしまう。末梢《まっしょう》の細胞では死滅がはじまる。死戦期の腎保存処置をおこなうことは、すでに遺族から了承を得ているとの話だったので、いつ血圧が五〇を切ってもいいように、まず大腿動脈にカテーテルを入れてやることにした。

吉住はドナーについての詳しいデータを担当医から見せてもらい、最終的な確認をした。その後待合室の織田にこれからカテーテルを挿入することを回線電話で伝えた。

一五分後、吉住は助手とともに局所冷却の準備を開始した。ICUの中に灌流装置が運ばれた。ドナーの足を少し開かせ、その間に装置を置く。助手のひとりがすぐにセッティングを始めた。もうひとりの助手がドナーの大腿周辺を消毒し、次いでシリコン製のダブルバルンカテーテルを用意する。

消毒が終わったところで、吉住はドナーから見て左側に立ち、ドナーの右足の付け根に確保されている大腿動脈と静脈を確認した。灌流装置の横でスタンバイしている助手に一瞥《いちべつ》をくれた後、バルーンのついたカテーテルの先端をドナーに挿入した。

手ごたえを確かめながら、吉住はゆっくりとカテーテルを進めていった。目的の位置までバルーンを到達させ、ひとつ頷いて助手にうまくいったことを伝えた。ドナーの内股《うちまた》から突出しているカテーテルの末端を灌流装置のポンプへと繋《つな》ぐ。続いて静脈のほうもカテーテルをセットし、装置へと管を導いてやった。

これで準備は終わりである。血圧は六二、心拍数は到着時よりさらに下がっていた。吉住たちは一旦《いったん》ICUを出て、ドナーの血圧が下がるのを待つことにした。遺族たちを部屋の中へ入れてやるように指示を出し、吉住は医師控室へ向かった。まだ遺族とは顔を合わせていない。移植医は遺族の前に軽々しく顔を出すべきではないと吉住は思っていた。遺族にとってみれば、自分は肉親の体を奪うハイエナのような存在も同然なのだ。今回も、遺族には手術前に一度会うだけにするつもりであった。遺族への仲介は主にコーディネーターがやってくれる。わざわざ遺族の感情を昂《たかぶ》らせることはなかった。

控室で吉住はコーヒーを啜《すす》った。ソファに凭《もた》れ、天井を見上げた。

そして、安斉麻理子の顔を思い浮かべた。

彼女は異変を察知していた。

永島聖美の体は「死」へ向かって走り出していた。その変化は聖美の頭部が傷ついたときからゆっくりと、しかし着実に起こっていた。それが加速されたのだ。もう止めることはできない。聖美は死んでゆく。温度を失い、硬直し、やがてどろどろに溶けてゆく。すでに脳の中は変質が始まっていた。ホルモンの放出が止まるだろう。血流が弱まるだろう。末梢の細胞は破裂し、醜く中身を周囲にぶちまけるだろう。

すべてが計算どおりに進んでいた。

聖美の視界を奪うことは簡単だった。視神経に僅《わず》かな細工をしてやっただけだ。その間に手の動きを誘導して車の向きを逸《そ》らした。一番気をつかったのは聖美の体を破壊しすぎないように調節することだった。何としても脳死にする必要があった。万が一聖美が腹部をダッシュボードにぶつけて内臓を破裂させでもしたら、腎《じん》移植の話はなくなってしまう。衝突の瞬間、彼女は聖美の足を操作し、ブレーキを踏むタイミングを測った。そして腰に力を入れさせ、体が前にバウンドしないよう注意した。両手をハンドルに固定し、無用な裂傷を防いだ。

そして聖美は額をハンドルに叩《たた》きつけた。頭蓋《ずがい》の破片が脳に突き刺さるのがわかった。その瞬間を思い出すたび、彼女はぞくぞくとした快感を覚えた。聖美は死ぬ。だが、彼女は生きる。永遠に。

聖美の腎はふたりの患者に移植されるだろう。そのうちどちらか一人でも女性であればいい。それなら完璧《かんぺき》だ。そちらに移された腎が生着してくれれば、最も理想的に事が進む。それに、利明は予定どおりプライマリー・カルチャーを実行してくれるはずだ。彼女が思考を誘導したとも知らずに。

利明。

彼女はその姿を思い浮かべ、僅かに身を捩《よじ》った。

もうすぐだ。彼女は全身を震わせ、利明の声を、表情を、体温を思い浮かべた。

利明のような男が現れるのを待っていた。利明こそ、本当の彼女を理解してくれる男だった。絶対に逃すわけにはいかない。

利明とひとつになるのだ。

突き抜けるような興奮が彼女をびくびくと痙攣《けいれん》させた。聖美の血圧が急速に下降するのを感じながら、彼女は快楽の余韻に身を任せていた。


血圧が五〇を切ったとの知らせを受けて、吉住たち移植スタッフは再びＩＣＵに戻った。カテーテルの挿入から一時間が経過していた。

助手が装置に乳酸加リンゲル液の入った点滴ボトルを幾つかセットし、灌流装置の蠕動《ペリスタ》ポンプ部分につなぐ。吉住はダブルバルンカテーテルの具合を確認した後、ドナーの体外に露出している送管からエアーを送り、大動脈内でふたつのバルーンを膨張させた。たちまち血液の流れが遮断される。バルーンが正常に機能していることがわかった。

吉住の合図とともに、助手がポンプを作動させた。冷却した輸液がカテーテルを伝って一定の速度でドナーの中へと送られてゆく。吉住はドナーの脇腹《わきばら》に手を置き、輸液が流入することを確かめた。

人間の体の中央には腹部大動脈と下大静脈というふたつの太い血管が走っている。腎臓は脇腹の上のあたりに左右ひとつずつ存在し、その腎に血液を送る腎動脈は腹部大動脈から分岐している。同様に腎静脈は下大静脈に合流する。腹部大動脈と下大静脈は下腹部のあたりでそれぞれ左右二本に分かれ、両足へと降りてゆく。吉住はその腹部大動脈が分岐した大腿動脈からカテーテルを入れ、血管を溯《さかのぼ》っていったのである。そしてふたつのバルーンがちょうど腎動脈への分岐点を挟むような位置で止め、バルーンを膨らませたのだった。これによりドナーの腹部大動脈は血液の流れが遮断される。そこに冷却した輸液がカテーテルを伝って送られる。バルーンとバルーンの間を結ぶ部分のチューブには細かい穴が開いているので、輸液はその穴から漏れ出て腹部大動脈内に入る。しかし血管の上下はバルーンで塞《ふさ》がれているため、輸液は腎動脈に流れ込み、腎の内部へと行き渡る。こうしてドナーの腎は急速に冷却され、同時に腎の中の血液は洗い流される。輸液は腎の内部を一周した後、腎静脈を経て下大静脈に帰ってくる。そして静脈から装置へと導かれ、灌流されるという仕組みである。

摘出する腎は新鮮であるに越したことはない。しかし脳死提供者から取り出す腎に比べ、心臓死提供者からの臓器は生きの良さ《バイアビリティ》がどうしても低くなる。それは、心臓が停止してから腎を摘出するまでどうしても虚血の時間が生じてしまい、それが腎に障害を与えるためだ。それを防ぐために、現在では心停止後即座に死体の動脈から冷却した灌流液を注入し、死体内の腎を急速に冷却するという方法が一般化している。切開以前に冷却液で腎を灌流することにより、ドナーの虚血は防止され、また移植腎の生着率はかなり高められる。そして今回のように遺族からの承諾を得ることができれば、心停止前から灌流をおこなうこともある。

助手が一定時間毎《ごと》に灌流速度を報告する。ドナーの肌が、次第に青白く変化してゆくのがわかった。血液循環を止められたため、体温を維持できなくなったドナーの肉体は急速に温もりを失ってゆく。もうひとりの助手がドナーの心拍記録をモニターしていった。灌流開始から四〇分ほどかけて、パルスは微弱なノイズへと変化していった。自発的な拍動が消えたことを示していた。

「ドナーの遺族を呼んでください」吉住は横で控えていた担当医師と看護婦にいった。

「最後の面会をしてもらいます」

五時を二〇分過ぎたところで、看護婦が控室で待っていた利明たちを呼び出した。冷却灌流を始めて五〇分経《た》ったといい、利明たちを再びＩＣＵに連れ戻した。

室内に入るなり、利明は変化に気づいた。ストレッチャーに横たわった聖美の顔から目を逸らすことができなくなった。利明はその顔を凝視したまま、担当医とともにゆっくりと歩を進め、聖美に近づいていった。一歩進むごとに聖美の顔が鮮明に見えるようになっていった。ぐるりと聖美のまわりを半周し、ストレッチャーの左側で立ち止まった。後ろで義母がしゃくり上げるのが聞こえた。

「こちらのモニタは聖美さんのバイタルサインを示していますが、このようにパルスがほとんど確認できなくなりました」担当医が聖美の脇に備え付けてあるテレビ画面を指していった。「まだ人工呼吸器が作動しているので聖美さんは形式的には呼吸をしていますが、このモニタでわかるように、心臓の拍動はありませんし、血圧も低下していますから、ご覧のように肌も冷たくなっているのです」

聖美の顔は透き通るほど白く、唇は霜が降りた花のようだった。渓谷の清流が聖美の体内を通り過ぎていったかに見えた。聖美の閉じた瞼《まぶた》の先から、結晶のように睫《まつげ》が伸び、短く細い影を皮膚に落としていた。思わず、利明は聖美の頬に手を伸ばしていた。指先がその頬に触れた瞬間、痺《しび》れるような感覚が腕を伝って後頭部へと駆け抜けていった。ドライアイスを摑《つか》んだときに似た、千切れるほどの冷たさと熱さがないまぜになった痛みだった。利明は喉《のど》を鳴らしていた。手が震えるのを抑えることができなかった。利明は人差し指と中指で静かに聖美の頰を撫《な》で、ゆるやかに顎《あご》に触れ、首筋をとおり、そして血管が見えそうなほど白い胸元をさすった。衣類に隠れて見えなかったが、明らかに聖美の乳頭が起《た》っているのがわかった。そのまま冷たく固まってしまったのだ。利明は聖美から手を離した。そしてもう一方の手でその指先を包んだ。気のせいか、ひんやりとした感触が残っていた。

どくん。

突然、利明の心臓が大きな音をたてた。

規則的な鼓動の中に割り込んだ感じだった。息苦しさを覚え、利明は胸に手を当てた。

どくん。利明の自律神経に逆らうかのように、心臓は再び身勝手な一拍を返してきた。

全身が熱くなるのがわかった。

「人工呼吸器を停止します。よろしいですね」

医師が告げた。

利明は胸に手を当てたまま聖美を見据え、大きく息を吸った。肺がぎくしゃくと膨らみ、空気を受け入れていった。

聖美の体が崩れてゆく。そう思った。

医師が呼吸器のスイッチを切った。プスー、プスーとメトロノームのようにリズムを取っていたその機械は、プス、のところで中途半端《はんぱ》に止まった。そして数秒後、ゆっくりと最後のスーという音を立ててエアーを吐き出した。

聖美の胸の動きが止《や》んだ。

医師が腕時計を見ながら低い声でいった。

「午後五時三一分、死亡と確認します」

義父が大きな息をついた。

どくん。三たび利明の心臓が音を立てた。部屋中に聞こえるのではないかと思うほど大きな音だった。自分の胸が波打つのがわかった。ふと、利明は聖美が自分へ命の残りを送ってきたのではないかと思った。聖美の最後の鼓動を受け止めたような気がした。死にたくない、まだ死にたくないと聖美がいっているようだった。

「それでは、これから警察の方による検死をおこないますので」

医師が利明たちに外へ出るよう促した。

利明たちはICUを出た。廊下に医師らしき男が三人立っていた。その後ろにはコーディネーターの女性が大きな箱を持って控えている。三人の男のうちリーダーらしきひとりが利明たちの姿を認め、近づいてきた。四十代前半だと思われたが顔に張りがあり、若々しく見えた。先程まで利明たちと一緒だった担当医と比べ、精力的な躍動感が滲《にじ》み出ていた。

その男は軽く頭を下げて名を告げた。

「吉住貴嗣といいます。市立中央病院の移植スタッフのひとりで、今回聖美さんの腎臓の摘出と移植を担当させていただきます。これからすぐに手術に入りますので、短い挨拶で申し訳ありません」

「そうですか……。よろしくお願いします」

利明は右手を差し出し、吉住と名乗った男と握手を交わした。そのとき、吉住は利明の顔をまじまじと見つめ、なにかに驚いたように目を見開いた。

「……なにか？」

「いや……失礼」

吉住はもう一度会釈《えしやく》し、目を伏せるようにして部下らしき二人の男やコーディネーターとともに準備室のほうへ消えていった。

しばらくして、検死が終わったのか聖美を乗せたストレッチャーが手術室へと運ばれた。看護婦が声をかけてくる。

「待合室でお待ちください」

看護婦に促され、利明たちはその場を離れた。義父と義母は狭い待合室の中に入り、倒れるようにしてソファに座り込んだ。利明はそれを見届けてから廊下を進み、電話を探した。

聖美、すこしの辛抱だ。利明は聖美の白い頰を思い出しながらそう心の中で呟《つぶや》いていた。もう少ししたら暖かいところへ連れていってやる。この俺が育ててやる。

聖美、おまえを離さない。

麻理子を乗せたストレッチャーが進んでゆく。安斉重徳は麻酔が効いている麻理子の手をとり、一緒になって付いていった。

「さあ、お父さん、ここまでです」

手術室のドアまでくると、スタッフのひとりである看護婦がそういって安斉の腕を取り、麻理子から離した。ストレッチャーを押していた若い医師がドアを開いた。その中をよく見る暇も与えず、麻理子の体はその向こうに送り込まれていった。

「任せてください」

ドアを開けた医師はそういって中へと消えた。

安斉は先程まで麻理子の手を握っていた自分の手のひらを見つめた。麻理子の温《ぬく》もりが消えようとしていた。それを逃すまいと、思わず握り締めた。

「安斉さん、気を落ち着かせて、あちらのほうでお休みになっていてください」

看護婦のひとりが気をきかせて安斉を待合室まで連れていってくれた。安斉をソファに座らせ、そして自動販売機からホットコーヒーを持ってきてくれた。熱い紙のコップを差し出してくる。安斉はそれを両手でくるむようにして受け取った。

安斉はこれまでの経緯を頭のなかで反芻《はんすう》していた。

コーディネーターの女性と電話でやりとりしてすぐ、安斉はタクシーを手配しこの病院へ向かった。途中、麻理子はずっと暴れていた。ひきつけを起こすのではないかと思うほど激しかった。病院に着くと少しはおとなしくなったが、それでもしばらくは泣いていたのだ。それは前回の移植のときには決して見せなかった拒否反応だった。

麻理子は病院に着くと直ちにＩＣＵに移され、幾つかの検査を受けた。これまでの透析データを確認後、血中カリウム値や血圧が測定され、何回か透析と輸血を受けた。感染症の有無を厳重にチェックされた。暴れるのは手術を前にして感情が昂《たか》ぶっているからなのだろうと理解されたようだった。手術についての説明を受け同意を求められたころには、麻理子は騒ぎ過ぎた反動からか半ば放心状態に陥っていた。

「同意なさいますね？」

吉住という医師が問うてきたのを、安斉は勿論《もちろん》ですといって答えた。吉住は麻理子の顔を覗《のぞ》き込み、

「麻理子ちゃんは？」

と訊《き》いた。麻理子はぽつんとひとこと、

「その人、本当に死んでる？」

と尋ねた。

麻理子はドナーが本当に死んでいるのかと訊いてきたのだ。意味を理解した吉住医師は、ドナーは脳死状態であって、もう生き返ることはないのだとわかりやすく説明した。

検査の結果、麻理子は移植に適していると判断された。昨夜は今日の手術に備えて性毛を剃《そ》られ、剃刀《かみそり》の痕《あと》から感染を受けないように下腹部を滅菌した布で覆《おお》われた。免疫《めんえき》抑制剤を処方された。安斉は麻理子の横で椅子《いす》に座ったまま一夜を過ごした。

コーディネーターの織田は、よく気の付く女性だった。夜中にも麻理子はときどき発

作的に暴れたが、織田は麻理子をあやし、話し相手になってくれたのだ。麻理子の激しい拒否反応は前回の移植のときには見られなかっただけに安斉も心配した。それに根気よく付き合ってくれたのが、担当医の吉住と、そして織田であった。

今日の午後一時半、移植を始めるとの知らせが届いた。ICUのベッドサイドに来てそれを告げる吉住に、麻理子は大きく目を見開いた。横に立っていた安斉は、麻理子の瞳《ひとみ》が飛び出してしまうのではないかと、一瞬不安に駆られた。娘の唇が震え、歯の奥がかちかちと鳴っているのがわかった。

「こわくないんだよ、前のときとおんなじだ。大丈夫、きっと成功させてみせる」

そう優しくいって吉住は麻理子の頭を撫でた。

麻理子は目を大きく開け、全身を硬直させたまま、再び同じことを訊いたのだ。

「腎臓《じんぞう》をくれる人は、本当に死んでるの？　本当に、本当に死んでいるの？　生き返ったりしないの？」

その吉住は、いまこの病院にはいない。

大学病院へ出向いているのだ。

本当に死んだ人から麻理子のための腎臓を取り出すために。

安斉は顔を上げ、看護婦の顔を見つめた。看護婦は穏やかな視線を返してきた。その顔越しに壁時計がぼんやりと見えた。

五時三五分だった。

10

吉住は助手のひとりを連れて更衣室に入り、緑色の手術着に着替えた。滅菌済みの手術着は、いつものことながらごわごわとした感触がする。

その後、隣の手洗い室に入った。ステンレス製のシンクが二台並んでいる。吉住はその前に立ち、マスクと帽子で覆われた自分の顔を眺めた。

吉住たちはシンクに備え付けられているシャワーの栓を開け、出てくる滅菌水で両腕を丹念に洗った。続いて消毒液を手のひらに出して取り、まんべんなく腕に塗る。そして横に吊《つ》るされているタワシを手に取り、それでごしごしと擦《こす》った。細かい泡が両腕を覆ってゆく。シャワーでそれを洗い流す。小型のブラシで爪《つめ》の間や指先も磨く。その一連の手順を三回繰り返した。

手術というものは基本的に無菌操作でおこなうものだが、移植手術の場合は特に神経質にならなくてはいけない。レシピエントは拒絶反応を抑えるため免疫抑制剤が投与されている。だがこの処置は同時にレシピエントの細菌に対する抵抗性まで弱めてしまう。移植する腎がもし雑菌に侵されでもしていたら、レシピエントの生命にかかわるのだ。

術者は慎重に消毒をする必要があった。

手術室に入り、専属看護婦にガウンをつけてもらい、ゴム手袋をはめる。吉住は両手を組むような動作を繰り返して手袋の弛《ゆる》みを伸ばし、手にフィットするようにした。

すでにもうひとりの助手がドナーの皮膚消毒を済ませていた。術野である腹部を残して「覆布《おいふ》」と呼ばれる緑色の滅菌布が何枚も被《かぶ》せられている。ドナーの顔も布で覆われていて見えないようになっていた。滅菌布の役目は二つある。ドナーの体を覆うことにより、ドナーの体表に付着していた雑菌が術野に感染するのを防ぐことと、手術部位以外を隠すことによって術者の気が散るのを防ぐのである。緑色は、ドナーの血が飛んだとき生々しさを紛らす効果がある。

吉住は死体から向かって左側に位置した。吉住とともに手洗いを終えた第一助手が死体を挟んで向かいに立つ。吉住は第一助手と目を交わし、そして室内をぐるりと見渡して、もうひとりの助手と看護婦の準備が整っていることを確認した。

「心停止から一七分が経過しています」

看護婦の報告に吉住は頷《うなず》く。

「よし、始めよう」

ぽんと小気味よく吉住の右手にメスが渡された。

丸く開いた覆布の穴から死体の腹部が露出していた。吉住はそこに手を添えて死体の腹部を縦に切開した。鮮やかな色の血液が噴出してくる。吉住は止血鉗子《かんし》で切り口を挟み、動脈血が流れ込むのを防いだ。切開創を手で押し広げ、腸の外側の輪郭をとるようにして、腹膜を切り開いてゆく。さらに小型の止血鉗子を幾つか突っ込む。まだ静脈からいくらか血液が浸潤してきていたが、時間が惜しかった。吉住は止血もほどほどに切開を進めた。次第に消化器官が露出されてくる。肝をヘラで上方に持ち上げ、内部を見やすくした。そのヘラを向かいの助手に手渡し、そのまま保持させておく。灌流《かんりゅう》装置に付いている助手が輸液を定期的に取り替えてゆくのが視野の隅に映った。

不意に、吉住は先程声をかけたドナーの夫の顔を思い出した。吉住は頭を振り、その映像を頭から追い出そうとした。だができなかった。

それほどその表情は異様だったのだ。

男の目は白濁していた。穏やかではあったが、なにかに取り憑《つ》かれたかのようにぎくしゃくとしていた。それに、握手をしたとき吉住は思わず叫びそうになった。熱湯に手を突っ込んだ直後のように熱かったのだ。冷静を装《よそお》ってその場を離れるのに精一杯だった。

あれは何だったのだろう。あの男はいったいどうしたのだろう。

吉住はもう一度強く頭を振った。強引に男の顔を脳裏から消し、術野に視線を戻す。今は摘出に集中しなければならない。

腎は腰のあたりにあると思っている人が多いが、実際はもっと上方、ちょうどあばら骨の一番下にあたる第十二肋骨《ろっこつ》の後ろに位置する。腎に到達するためには、その手前にある胃や膵臓《すいぞう》、腸などをどけなければならない。吉住は結腸や膵臓の奥に見える腹腔《ふくくう》動脈や上腸間膜動脈などを、ひとつひとつ糸で縛り、切断していった。助手が胃の内容物をチューブから吸引する。きれいになったところで食道を切断した。これでほとんどの消化器官は体の上部とのつながりが切断されたことになる。したがって臓器はすくい上げて体の外へ取り出すことができる。生体から腎を摘出するときはこんな乱暴な方法を取るわけにはいかないが、死体腎の摘出では時間の短縮が最優先される。ろくに止血せずに切開していったのも、腎へ到達するまでの時間をなるべく節約するためだ。

「二三分」看護婦が心停止からの時間を読み上げる。

吉住は助手と二人がかりで腹腔内の臓器を引き出し、反転させて死体の股間《こかん》へ置いた。緑の覆布の上にドナーの消化器官が陳列された格好になる。目的の腎臓を残して余分な胃腸をどけてしまったわけだ。助手が右手でそれら臓器を押さえ、左手で切開面を開いてみせる。ドナーの腹部にすっきりとした大きな空間ができていた。左右の腎臓がよく見える。きれいなピンク色をしており、きらきらと光を反射させていた。いい状態だ。

吉住は満足した。

この状態になると、腎の動脈や静脈の位置がよくわかる。右足の大腿《だいたい》動脈から腹部大動脈へとダブルバルンカテーテルが送り込まれているのが見て取れる。ふたつのバルーンはちょうど腎動脈の分岐点を挟むような形で膨らみ、灌流がうまくいっていることを示していた。また、下方に目をやると、腎から膀胱《ぼうこう》へ向かって細い糸のような管が走っているのがわかる。こちらは尿管である。吉住は腎を取り出しやすくするために周囲の組織を剝離《はくり》し、そして尿管を腸骨のあたりで切断した。

あとは腎の動脈と静脈を切断するのみである。この切断位置を見誤ると、レシピエントに移植する際に苦労することになる。吉住は慎重に血管の剝離を進行させた。

「三〇分」

今回のように左右両方の腎を摘出する場合、死体から腎をひとつひとつ切り離すのではなく、まず両方の腎の血管がつながった状態でふたつを一気に摘出し、のちに左右の腎を分離するという方法がとられる。吉住は助手に灌流冷却保存装置の準備を促した。吉住たちが市立中央病院から持って来た機械である。両方の腎を摘出した後それぞれを分離させ、そのうち中央病院で移植に用いるほうをこれに入れて運搬するつもりだった。

吉住は、助手が細胞外液を模した組成の灌流液を装置にセットするのを見届けてから、下大静脈を腎との連結点より上方で切断し、腎の冷却灌流をストップさせるよう指示を出した。そして即座に腹部大動脈を上方で切る。助手が左右の腎を両手でそっと抱え、下方へと引き出した。看護婦が、切断した血管の先端を見失わないように支持している。

ふたつの腎はドナーの体の股間から伸びる腰動脈と腰静脈のみでつながれている。吉住がこれらをばさりと切断した。

OK。吉住は心の中で声を出した。

第一助手がすくい上げるようにしてふたつの腎を取り出し、ステンレスのトレーの中に置いた。

「三六分です」

看護婦が経過時間を告げた。

「分けるぞ。コーディネーターを呼んでこい」

看護婦が外へ走る。吉住はトレーに乗せられた腎の塊を手に取りながらじっくりと見つめ、血管や尿管の配置、長さなどを入念にチェックした。腎は人によって微妙にその形が違っている。ときには移植に適さない血管の形をしていることもある。レシピエントへ移植する際に慌《あわ》てないよう、ここでその形態を完全に把握しておく必要があった。

吉住は慎重にふたつの腎を切り離した。コーディネーターの織田が手術衣を着て入ってきた。シッピングのためのバッグを携えている。織田はすばやくバッグから容器を取り出した。

「右を持っていってくれ」吉住はいった。「とくに異常はない、大丈夫だと思う。尿管は一本、動・静脈もひとつずつだ」

「時間は？」

「三八分です」織田の問いに看護婦が答えた。

「わかりました」織田は時計を合わせる。吉住は容器に腎を入れた。

織田はバッグを抱え、ひとつ礼をして出て行った。これから織田は隣の県まであの腎を届けることになる。車で二時間の距離だ。

第一助手が織田の出てゆくのを待たずにもう一方の腎を灌流保存装置にセットしはじめていた。手早くチューブを腎動脈に挿入し、プログラムを作動させる。ポンプに押されて、冷却しておいた灌流液が腎に流入してゆくのがわかった。灌流圧を示すメーターが振れる。助手はその圧力をつまみで調節し、目盛りが五〇のところにくるようにした。

「四〇分」看護婦が時を告げる。

「よし、終了だ」

吉住の声が響き、室内にほっとした空気が流れた。

だが手術はこれで終わりではない。中央病院へ戻ってレシピエントへの移植手術が残っているのだ。吉住たちは自分たちの持って来た器具を手早く回収し、手術室を出た。大学病院側の担当医に一言挨拶《あいさつ》をする。

「あとの処理はお願いします。病院へ戻ります。ありがとうございました」

ええ、と曖昧《あいまい》な返事を担当医は返した。吉住は踵《きびす》を返し、保存装置を押す助手たちのもとへ駆けて行こうとした。そのとき、担当医の呟《つぶや》く声が吉住の耳にはいった。

「なんでまた肝などを……」

「え？」

吉住は意味がわからず、足を止め、振り向いて眉間《みけん》に皺《しわ》を寄せる担当医に尋ねた。

「ドナーの遺族ですよ」困惑気味に担当医がいった。「薬学部の先生らしい。肝細胞が欲しいんだそうです」

「なんですって？」

吉住は目を剝《む》いた。即座には理解できなかった。

肝を？

「吉住さん」

助手が呼んだ。外へ通ずる扉の前で、ふたりの助手がもどかしげに吉住を待っていた。

吉住は助手たちと担当医の顔を交互に見比べた。担当医の話を詳しく聞きたかった。だが今は時間がない。

「……それでは失礼します」

そういって吉住はその場をあとにした。

II

腎《じん》の摘出が終わるとすぐに、篠原訓夫は肝の灌流に取りかかった。

二時すぎに利明から連絡があり、聖美の腎摘出手術がおこなわれることを聞いていた。そのため篠原は通常業務を終えたあと、医局で待機していたのだった。肝細胞の調整は、摘出が終わってからすぐに始める必要がある。ドナーである聖美はすでに心臓が停止しており、体中の細胞が急速に壊死《えし》へと向かっているからだ。バイアビリティの高い細胞を得るには、腎の摘出後一秒でも早く肝細胞を単離しなければならない。そのため篠原はあらかじめ幾つかの準備を済ませ、いつでも手術室へ行けるようにしていた。医局の若い院生をひとりつかまえ、手伝ってもらう手筈《てはず》を整えておいた。

腎の摘出が始まったとの知らせを五時五〇分に利明から受け、篠原は院生とともに器具類を手術控室へと運んだ。培養液を恒温器《インキユベーター》の中に入れ、37℃に保温しておく。手術衣に着替え、移植班による摘出手術が終わるのを待った。

六時一五分に篠原たちは手術室に入った。手術助手となる院生におよその手順を伝え、灌流装置と緩衝液《バツフア》の用意をさせる。

聖美の腹部は開かれたままになっていた。肝は褐色に光り、いい状態を保っている。

くすみや傷は見当たらない。先の腎移植班が迅速に切除手術を終えた成果だった。利明の妻は臓器までも美しかったのかと、一瞬奇妙な感動を篠原は覚えた。生きのいい細胞が取れそうだと思った。

篠原は臓器の周りを丁寧に拭《ふ》き、肝静脈を確認した。指で押し、弾力を確かめてみる。その間に院生が灌流の準備を手早く行っていた。すでに37℃に保温しておいたHEPES《ヘペス》バッファからチューブが導かれ、ペリスタポンプを経てポリエチレンカニューレにつながっている。篠原は肝動脈をクランプで押さえたあと、左側の肝静脈を切断し、そこに素早くカニューレを差し込んだ。助手がペリスタポンプのスイッチを入れる。肝の左葉から血液が洗い流され、次第に臓器本来の色である黄土色に変化してゆくのがわかる。バッファの流速が適切であることを院生が伝えた。まずは順調な滑り出しだ。これで二〇分間バッファを循環させる。

肝細胞の初期継代培養《プライマリー・カルチャー》は、現在世界中の研究室で行われている基本的な手法である。肝の多様な代謝機構を調べるには、その細胞を採取してきて培養し、それに薬物や基質を与えてやり、細胞が起こす変化を観察するのが一番わかりやすい。ただしヒトの肝臓から生きた細胞を得るのは医学部臨床の研究者と懇意でなければ難しく、従って永島利明のように薬学に籍を置く研究者はラットを素材に用いることが多い。ラットの肝細胞はそれでまた良い素材だが、存在する酵素の遺伝子配列をはじめ、種々の面でヒトとは異なってくる。酵素を研究する者にとっては、やはりヒトの細胞で勝負してみたいという思いが常にある。

近年はヒトからバイアビリティの高い肝細胞を採取する技術が開発され、このように臓器移植のドナーから肝細胞を得ることが一般化した。ドナーの年齢によって細胞の生きの良さは異なってくるが、たいていの場合十八歳から三十歳くらいまでのものが用いられる。ドナーは交通事故で亡《な》くなったものが選択されることが多い。病死者とは異なり、臓器を取り出すまでほとんど薬物投与を受けていないので、肝細胞に対する薬物の影響を考える必要がないからである。

灌流は予定通りに進んでいた。院生がインキュベーターの中から二番目のバッファを取り出した。先程のＨＥＰＥＳバッファにコラゲナーゼと塩化カルシウムを混ぜたものだ。灌流する溶液をこちらに切り替える。これでまた二〇分待つ。コラゲナーゼが肝細胞をほぐしやすくしてくれるはずだ。

篠原は、切開部以外は覆布《おいふ》で覆《おお》われた永島聖美の全身を見るともなしに見つめた。布はしかし聖美の体が持つ曲線を隠し切れずにいた。不意に、この死体と利明が行った結婚披露宴を思い出した。二年前、篠原は友人代表として下手なスピーチをした。死体はそのとき、二十三歳になったばかりだったはずだ。まだ高校生といっても通じるほど顔はあどけなく、無垢《むく》な瞳《ひとみ》をしていた。とても可愛《かわい》らしい新婦ですね、そういうと雛壇《ひなだん》でこの死体は恥ずかしそうに頬を染め、隣にいる利明に視線を送っていた。ふたりはどんな生活を送っていたのだろう、と篠原は思った。今年利明から来た年賀状がどんなものだったか、記憶を手繰《たぐ》った。だがどうしても思い出せなかった。

肝の左葉がいい具合になってきた。手でそっと触れると柔らかな感触が返ってくる。コラゲナーゼがうまく効いているのがわかった。篠原はストップウォッチを確認した。灌流の時間は終わりだ。篠原はライボヴィッツ溶液の準備をしながら、院生に外で待機している利明へもうすぐだと伝えるよう指示した。

篠原は肝左葉をメスで一気に切り取り、湿重量を測定してから保温しておいたライボヴィッツ溶液に移した。軽くフラスコを揺すると、肝は緩やかに解《ほぐ》れていった。これでシェイクを続ければいい。ここからあとは研究室《ラボ》での仕事になる。

篠原はフラスコ中に雑菌が入らないよう蓋《ふた》をし、それを持って手術室を出た。廊下の壁にもたれていた利明が弾《はじ》かれたように駆け寄ってきた。その顔は黄土色で、まるで生気がなかった。だが篠原の手にあるものを認めたとたん、充血した目を見開き、荒く息を吐き出して快哉《かいさい》を叫んだ。

「うまくいったと思う」篠原は努めて冷静にいい、幾つかのデータを伝えた。「洗浄《ウオッシュ》はまだだ。五〇g《ジー》くらいの遠心で優しくやってくれ。残屑《デブリス》はガーゼを通して除去する。わかっているとは思うが……」

「ええ、もちろんです」

　利明は篠原の手からフラスコをもぎとると、用意していたらしいアイスボックスに入れた。それを大事そうに抱えると、一刻も無駄にできないといった感じでその場を離れようとした。薬学部に戻って細胞を調整するつもりなのだ。義父母たちのことは放っておくのだろうか。利明の目は憑《つ》かれたようにボックスに注がれていた。涙さえ浮かんでいる。どう見てもそれは正気な人間のものではなかった。突然、篠原は自分がおこなったことを後悔した。肝の採取などするのではなかった。利明の希望など聞くのではなかった。走り去る利明の背中に、篠原は言葉を浴びせた。

「永島さん、あんた、本当にいいのか？　それでいいのか？」

　ぴたり、と利明の足が止まった。ゆっくりと利明は振り返り、篠原を見つめ返した。そして低い声でいった。

「なにが？」

「自分のやっていることは異常だと思わないのか？　ご両親をおいていくつもりか。それに聖美さんの遺体はどうするんだ。そばにいてやらなくていいのか？」

「遺体？　なにをいってるんです」

　不意に利明の瞳が歪《ゆが》んだように見えた。篠原は寒気を覚えた。利明は緩やかに顔の向きを変え、脇《わき》に抱えているボックスをいとおしそうに見つめた。先程までの憔悴《しょうすい》した表情はすでになかった。どこか異様な輝きをみせる目つきのまま、利明はボックスを静かに撫《な》でていった。

「三時間したら戻ってきますよ……。それに、間違えないでください。まだ聖美は死んじゃいない」

篠原をひとり残して、利明は去っていった。寒々としたＩＣＵの廊下に、利明の足音だけが響いた。

12

吉住たちを乗せた救急車は市立中央病院へと急いだ。三〇分程度の道程である。車が右や左にカーブする度、腎の入った冷却灌流《かんりゅう》装置がかたかたと音を立てて揺れた。吉住は簡易ソファに腰掛け、腕組みをして目を閉じていた。移植医が唯一《ゆいいつ》ゆったりとした時間を過ごすことができるのが、この移動時間だった。今回は同じ市内にある病院からドナーが出たため運搬時間は短いが、県外から腎を運ぶときには飛行機を使うこともあった。片道二時間の空の旅は、一連の移植手術の中ではオアシスのようなものだ。移動中は神経を尖《とが》らせていてもしかたがない。病院へ着いたら手術が待っている。それまで体を休ませておき、オペでのミスを無くしたほうがいい。

冷却灌流装置が開発されるまでは、吉住たちは摘出した腎をクールボックスに入れて運んでいたものだった。原理的には最近のクール宅配便と変わりがない。時間との闘いだった。当然腎の生着率は今よりも悪かった。腎を浸す灌流液も、より腎の新鮮さを保つため、現在使用されているものへと徐々に改良が加えられてきたのだ。

現在の日本では脳死者から臓器を摘出することは認められていない。従って今回のように、脳死者が心臓死するまで移植医は待機し、検死が終了してからようやく摘出手術をおこなうことになる。当然脳死状態のものより臓器の鮮度は落ちるが、仕方のないことであった。脳死が法律化され、一般の人々にも受け入れられるようになれば、もっと腎の生着率は良くなるだろう。そう吉住は思った。腎の鮮度も上がり、そしてなにより も提供数が増す。提供腎が増えればそれだけレシピエントにとってチャンスが増える。遠い場所から腎を運搬する必要もなくなるかもしれないのだ。

数年前まで、吉住たち中央病院のスタッフは何度かアメリカからわざわざ脳死者の腎を空輸していた。日本で脳死者から腎を摘出すると問題が起こるため、アメリカでドナーを見つけるということをしていたのだ。日本人とは不思議な人種だとそのとき吉住は思った。自国のドナーには過敏な反応を示すのに、アメリカ人の脳死者から臓器を摘出した場合は何もいわないのだ。ともあれ、結果の多くは、やはり摘出腎の運搬時間が長いこともあって、不満足なものに終わってしまった。レシピエントはいつまでたっても尿が出ないことに狼狽《ろうばい》し、苛立《いらだ》ち、そして泣いた。レシピエントはみな、移植すれば薔薇《ばら》色《いろ》の人生が開けると信じ切っていた。手術が失敗するとは夢にも思っていなかった。機能しない腎を摘出せざるを得ないということを伝えなくてはならなくなったとき、吉住の心は沈んだ。レシピエントの幾人かは再移植を希望した。実際そのうちの何人かは移植を受け、透析から離れていった。だが、もう移植は嫌だと首を横に振る患者もいた。

「先生、もういいんです」

吉住の脳裏にひとりの主婦の顔が浮かんだ。三十代半ばのその主婦は、吉住の前でほつれた髪を直そうともせず、疲れた笑みを浮かべて自嘲《じちょう》気味にいった。

「わたしはどうせもう若くないんです。これから働きに出ることもないし、子供をつくるつもりもありませんからね。透析で十分なんです。先生、下手な希望はもういらないんですよ。おいしいものが食べられるかもしれない、海外旅行だってできるかもしれない、そんな言葉でわたしを迷わさないでください。摘出するって先生がいったとき、わたしがどういう気持ちだったかわかっているんですか？　移植なんて言葉、知らなければよかった。透析しか知らなかったら、あんな思いはしなくてすんだんです。もういいんですよ、先生。わたしはもう疲れました」

車が急カーブを曲がった。吉住は目を閉じたまま息を吐いた。このカーブを体は覚えていた。病院へ入る手前の坂道だった。

全裸の安斉麻理子が手術台に仰向けで寝かされ、覆布をかけられていた。二年前とあまり変わっていない、まだあどけない感じのする肢体だった。麻酔のチューブが麻理子の顔から機械へとつながっており、麻酔医が具合をチェックしている。

吉住が病院へ戻る前に、手術の準備はほぼ終了していた。麻理子の体はすでに手術助手により入念に洗浄されている。無菌室の中でもっとも細菌を保持しているのは、実は人間自身である。レシピエントの体の表面にも、とうぜん雑菌が付着していると考えなくてはならない。そのため手術前にはレシピエントの皮膚を丹念に消毒してやる必要がある。助手は風呂場《ふろば》の掃除で使うタワシのような形をしたブラシに消毒液をつけ、麻理子の下腹部と大腿部《だいたいぶ》をごしごしと洗ったのである。陰毛は手術の際に邪魔なので前日のうちに剃《そ》られていた。剃刀《かみそり》の傷痕《きずあと》から細菌が感染することがあるので、下腹部は昨夜から一晩無菌のタオルで保護されている。

吉住は麻理子の左に立った。麻理子のまわりには、執刀医である吉住のほかに、麻酔医が二人、手術助手が三人、看護婦二人がいた。部屋の壁は薄いグリーンで統一され、無機的な印象を与えた。手術台や幾つかの大型装置を除くと、室内はがらんとしており、必要以上に大きく見える。医師たちも緑色の手術衣を着ており、レシピエントである麻理子も下腹部以外は緑色の覆布が被《かぶ》せられている。その中で、ライトに照らされたレシピエントの腹部の肌の色だけが奇妙に浮き立っていた。

　吉住はわずかに顔を上げ、天井に備え付けられた無影燈《むえいとう》を眺めた。六つのボール型のライトが円を描き、その中央にもうひとつライトが収まっている。通常の無影燈は傘の形をしており、そこに幾つかのライトが埋め込まれている。しかしこの手術室は移植専用に設計されており、無影燈も例外ではなかった。室内を無菌に保つため、特別な空調が施されている。それによる空気の流れを遮断しないように、傘型ではなくボール型の無影燈が設置されているのだった。それはまるで空飛ぶ円盤の底のように見えた。無影燈はすべてのもののコントラストをはっきりと見せる。器具も、医師たちの表情も、患者の臓器の色も、この光の下ではくっきりと輪郭を描いたように見える。患者の肌を濡《ぬ》らす消毒液の泡が光を照り返している。

　手術はまず膀胱《ぼうこう》の洗浄から始まる。手術助手のひとりが麻理子の陰部から膀胱へカテーテルを入れ、内部の洗浄を十分におこなった。この洗浄ももちろん無菌下でおこなわなくてはならない。

「現在一八時四七分、ドナーの心停止から七六分、腎摘出から四〇分」

「ＯＫ。始めるぞ」

　カテーテルを残したまま、吉住は切開にかかった。まず、麻理子の左の脇腹から生殖器の上部までマークをつける。これに沿って吉住はメスで皮膚を切った。これより後の切開は電気メスを用いる。白い腹筋膜を切り開くと、その下にある外腹斜筋と腹直筋《ふくちょくきん》鞘《しょう》が見えてくる。外腹斜筋は脇腹にある赤い筋肉で、一方腹直筋鞘は腹にある白い筋肉だ。このふたつが接する線に沿って、吉住は縦に電気メスを走らせた。さらに腹直筋の脇を開き、そしてその下の筋層を順に切ってゆく。麻理子は二年前に一度移植を受けたことがある。そのときは右に移植していた。今回は再移植となるので左側に移植腎《じん》を置くことになる。

移植腎が置かれる位置は、本来腎が存在する場所ではなく、さらに下方、ちょうど腰と陰部の中間である。腎と連絡させる血管も腹部大動脈や下大静脈ではなく、それらから分岐する内腸骨動脈と内腸骨静脈だ。この位置は余計な臓器に術野を遮られることがないので、手術時間が長引かずにすみ都合がいい。吉住は慎重に腹膜を剥離《はくり》して、腸骨の血管床を露出させた。

吉住はまず腸骨の血管上に走るリンパ管をひとつひとつ結紮《けっさつ》し、切断していった。これはリンパ液が無用に手術部位に浸潤してくるのを予防するためである。続いて内腸骨動脈と内腸骨静脈を組織から剥離して手術の際に扱いやすいようにした。これらをあらかじめ剥離しておくことにより、腎を移植したときに起こりやすい静脈血栓症を回避することができる。さらに吉住は内腸骨動脈を結紮し、鉗子《かんし》をかけてから適度な長さを残して切断した。注射筒を用いて動脈内をヘパリン液で洗浄する。

吉住は息をついて、切開部位を見渡した。銀色の開創器で開かれた術野には、幾つもの結紮の跡が見える。細長い鉗子が血管を挟んでいる。助手が内部に残る血を拭《ふ》き取った。視野は良好だった。腸骨の血管がよく見える。出血もない。次は、いよいよドナーの腎を麻理子の体と縫い合わせる段階だ。

そのとき、吉住は急に熱さを覚えた。

はっとして顔を上げた。だが、周りにいる助手たちは何もないかのように仕事を続けている。ぐるりと室内を見渡してみたが、誰も変化に気づいた様子はなかった。

向かいに位置する第一助手が、吉住の行動を察知し、怪訝《けげん》な視線を送ってきた。

「どうしました？」

「いや……」吉住はマスクの下で言葉を濁した。

熱さはまだ続いていた。神経を集中させ、この感覚の源を探った。どうやら空気の温度が上昇したのではなさそうだった。自分の体が火照《ほて》っているのだ。看護婦が額を拭《ぬぐ》ってくれた。汗をかいているらしい。

やがて、熱は引いてゆき、正常に戻った。助手たちがこちらの様子を窺《うかが》っていた。吉住は片手を軽くあげて大丈夫だということを示し、術部に視線を戻した。

なんだったのだろう。ドナーの腎を準備させながら、吉住は考えていた。立《た》ち眩《くら》みではなかった。頭だけではなく、全身に熱を感じたのだ。ドナーの腎を思い描いた途端、まるでそれに呼応するかのように。吉住はドナーの夫の手が異常に発熱していたことを思い出した。あの男もこの感覚に襲われたのだろうか。いったい、なにが起こったのだろう。吉住はしばらくオペに集中することができなかった。

腎は低温持続灌流保存装置にセットされたままになっていた。ドナーから吉住たちが摘出した腎は、市立中央病院まで運搬されるあいだ、ずっとこの装置の中に入れられていた。灌流状態や腎重量の変化などは、機械によって経時的に記録されている。吉住は手術を始める前にそれらのデータを検討し、異常がないことを確認していた。念のため吉住は現在のデータを助手に尋ねた。灌流量は一分当たり一一七ミリリットルと速く、バイアビリティが高い状態であることが推定できた。

吉住たちは装置から腎を取り出し、血管の吻合《ふんごう》に取りかかった。はじめに提供腎の腎動脈とレシピエントの内腸骨動脈を縫合する。

この操作は細心の注意を払わなければならない。吉住は麻理子の体を挟んで向かいに立つ第一助手と確認を交わしあいながら針を動かし、二本のプロリン糸を用いて慎重に互いの血管の切断面を合わせた。これを支持糸としてより完全な縫合をおこなう。角度に応じて手術台を動かすことにより、吉住たちが無用に腕を捻《ひね》って縫う必要がなくなる。移植腎の血管は硬化もなく、内膜が剝《は》がれてくる心配はなかった。吻合後、助手がゆっくりと腎を創内に収めた。思わず吉住の喉《のど》から吐息が漏れた。

腎静脈とレシピエントの内腸骨静脈の位置関係は上出来だった。血管のねじれや折れがないかどうかを確認して、吉住は静脈を接合する位置を決めた。その位置の下流の二カ所に鉗子をかけてから、接合位置に穴を開ける。血管の内部を洗浄した後、再び吉住は助手と針の受け渡しをしながら、静脈の吻合をおこなった。

吉住が助手に目で合図を送る。助手はひとつ頷《うなず》き、血管を止めていた鉗子をはずしはじめた。まず外腸骨静脈を上方で挟んでいたものを外す。続いて静脈の末端側を止めていたものを、そして最後に、動脈を挟んでいたものを、静かに外した。

腎に血液が流れ込む。動脈を吻合した針跡からわずかに漏れ出てきたが、押さえることによりすぐに止血できた。移植された腎はレシピエントからの血液を受けて、見る間に赤く染まってゆく。表面に張りが戻る。吉住は腎の表面を手の甲でごしごしと擦《こす》って血液循環を促した。この光景を何度も見てきたが、今回ほど鮮やかな変化は見たことがなかった。臓器はまさにレシピエントの体の中で蘇《よみがえ》ったように見える。そのとき、移植腎の尿管から透明な液体が噴出した。尿だ。助手が慌《あわ》てて尿管を鉗子で持ち上げ、尿を受け皿に受けた。生体腎移植の場合は血管吻合後二、三分でこのような初尿を認めることがある。しかし死体腎のようにバイアビリティの低い腎を移植する場合には、そうしたことはほとんど起こらない。市立中央病院に勤めてからずっと腎移植を手掛けている吉住も、死体腎でこれほど元気な尿の噴出を見たのは初めてだった。この移植は成功する、と吉住は確信した。

と。

弾《はじ》かれたように吉住は顔を上げた。

まただ。

あの熱さだ。

どくん、どくんと自分の鼓動が聞こえてきた。なにかが心臓を操っている。なにかがどこからか吉住の心臓を動かしている。熱い。全身が燃えるように熱い。

思わず吉住は喘《あえ》ぎ声をあげた。幸いに誰も気づかなかったが、吉住は苦痛をこらえるのに精一杯だった。これはいったい何なのだ？　吉住は自問した。だがその答を知るはずはなかった。なぜなのだろう、腎に血液を送り込んだ直後に熱さが戻ってきた。まるでこれは……。

そこまで考えて、吉住はぎくりとして腎を見つめた。

まさか。吉住は慌ててその考えを打ち消した。あまりにもばかげていた。

吉住はひとつ頭を振った。まだ気を逸《そ》らすわけにはいかない。これだけで手術は終わりではなかった。まだ尿路の吻合が残っているのだ。
二、三度深く息を吐くと、ようやく全身の発熱が収まってきた。しかし体の奥で、その熱の残り火が疼《うず》くように揺らいでいた。吉住は助手たちに自分の体の変化を悟られないよう注意しながら、吻合に取りかかった。

まず開創器を下方にずらし、膀胱がよく見えるようにした。そして吉住は電気メスを用いて膀胱を中央寄りのところで縦に切開した。内部に注入されていた洗浄用の生理食塩水を吸い取り、中が見えるようにする。

膀胱は恥骨の後ろにあるふわふわとした白い臓器だ。膀胱の裏側には、レシピエント自身の腎から送られてくる尿管が入り込んでいる。切開した膀胱の内側に尿管口が見えた。吉住はその横を新たな尿管口とするため、助手と共に膜を鑷子《せっし》でつまみあげた。電気メスを入れ粘膜を掘る。この時点ではまだ穴を貫通させない。膜に対して垂直に穴を開けると、縫合後に尿が漏出してくるので、穴は斜めに開ける必要がある。吉住は直角鉗子の先端をこの穴の中に入れ、粘膜を上方にゆっくりと剝離していった。鉗子をさらに先の長いものに取り替え、粘膜の下に斜めのトンネルを広げてゆく。電気メスで穴を貫通させ、鉗子の先端を膀胱の裏側に露出させた。

移植腎の尿管は、ドナーから切除するとき十分な長さを残しておいていた。鉗子の先端でその先端をつまみ、吉住は尿管を捩《ねじ》らないように注意しながら、膀胱の内側へと導き出した。ほどよい長さになるまで尿管をたぐりよせたあと、余分な長さの部分を切り取った。

続いて尿管口の縫合である。尿管の壁を反転させるようにして膀胱の内腔《ないくう》に広げ、糸を通してゆく。終了後、吉住は新たにできた尿管口から直角鉗子の先を入れ、確実に管が広がっているかどうか確認した。縫合の際、誤って後壁を一緒に縫い込んでしまうことがあるのだ。さらに細いチューブを中に入れて、通過性を調べた。

　これでいい。吉住は安堵《あんど》の息を漏らした。移植腎とレシピエントとの接合は終了である。あとは切開した部分を順に縫合してゆくだけだ。はやく終わりたかった。

　膀胱壁を内側から縫い閉じる。そして、開創器を再び上に戻し、腎の具合を確かめた。念のため、腎の裏側から生検を採取しておく。後に組織切片を作成するためだ。これからもレシピエントの体からは定期的に生検を取ることになる。

　吉住たちは手術部位に血液の漏洩《ろうえい》がないかどうかを確認し、まわりを生理食塩水で十分に洗った。吸引式のドレーンチューブを腎と膀胱のまわりに置く。チューブの他端が体の外に露出するように残したまま、筋の縫合を進めていった。

「現在二二時三六分、腎摘出から四時間二九分です」

　閉創が終了したとき、医師や看護婦のあいだにほっとした空気が流れた。吉住も大きく息を吐いた。

　縫合の跡を見やった。この内部にあの移植腎が埋め込まれている。

　この腎はいったい何なのだ？　吉住は縫合跡から目を逸らすことができなかった。その熱はすでに弱まり、ほのかに暖かいといった程度に戻っている。どくん、どくんという音が耳元でうなっていた。いま麻理子の体内に埋め込まれた腎が自分の心臓を突き動かしている、この身体《からだ》の内を発熱させている。そうとしか考えられなかった。

レシピエントは手術後、病棟に移る。そこで細菌感染や急性拒絶反応が起こらないかどうか、数日は綿密なチェックを受けることになる。病棟へ移動するための準備が進められるなか、吉住はしかし、いつものようにてきぱきとした行動をとれずにいた。からだの内に燻《くすぶ》る余熱が気になってしまうのだ。かすかに眩暈《めまい》がした。休むわけにはいかない。これからもレシピエントの様子に気を配らなければならないのだ。だがこの場から逃げ出してしまいたかった。あの腎から少しでも遠くに行きたかった。あの腎のそばにいると、なにか良くないことが起こる。なぜだかわからないが、その考えを振り払うことができなかった。そんな吉住を嗤《わら》うように、胸の内で心臓が力強く脈打っていた。

13

薬学部の校舎が群青《ぐんじょう》の夜空に浮き上がっていた。数キロ離れた高台に聳《そび》えるテレビの電波塔が錦《にしき》のような色を発し、その光が天を照らしているのだった。車の中のデジタル時計は午後七時五四分を示していた。まだ人の残っている教室の明かりが不規則に並んでいた。五階の奥にある生体機能薬学講座も、まだほとんど学生が残っているらしく、電気が点《つ》いている。利明は校舎の玄関口に車を止め、アイスボックスを持って飛び出した。

外履きをサンダルに替えるのも忘れ、ロビーを抜けた。エレベーターのボタンをもどかしげに何度も押す。エレベーターは四階で止まっていた。誰かが大きな機材を運搬しようとエレベーターをロックしているのかもしれない。利明は舌打ちをして拳《こぶし》でボタンを叩《たた》き、そして階段を駆け登った。アイスボックスの中の氷ががしゃがしゃと音を立てる。途中、階段の踊り場で誰かとぶつかった。アイスボックスから水が飛び、床を濡《ぬ》らした。慌ててボックスを開け、中を確かめる。フラスコは無事であった。学生らしい相手が何かいった。だがそれを無視して、利明は残りの階段を一段飛びで上がっていった。

「先生！」

培養室の前まで来たとき、廊下に高い声が響いた。

講座に残っていたのは浅倉佐知子だった。白衣を着て、両手にエッペンドルフチューブの入った袋を抱えていた。大きく目を見開き、利明の顔とアイスボックスを交互に見比べていた。

「培養室を使わせてくれ」

そういって利明は浅倉を振り切ろうとした。だが浅倉は弾かれたように利明の前に回り込んだ。

「いったいどうしたんです？　お、奥さんのところにいたんじゃ……」

「どいてくれないか。やらなきゃならないことがある」

「なにかあったんですか。ぜんぜん連絡をくれないと思ったらいきなり実験だなんて……。心配してたんです、学生も、ほかの先生も」

「なあ、浅倉……」

「あたしたちでお手伝いできることがあったら遠慮しないで……」

「邪魔だ！　どけ！」

利明は一喝した。浅倉がびくりと体を震わせ、縮むようにして道を開けた。利明は培養室の中に入った。

部屋の中は殺菌灯の青白い光に沈んでいた。利明はスイッチを切り替えて普通の蛍光灯を点けると、部屋の入り口に置いてある内履きのサンダルをつっかけて中に進んだ。

急いで冷却遠心機とクリーンベンチのスイッチを入れた。ベンチ内の空気が吸引される低い音が室内に満ちる。ガス栓を開き、ベンチ内のバーナーをつけた。

利明はアイスボックス内からフラスコを取り出し、様子を見た。ベンチ内にフラスコを入れ、利明は腕まくりをして両腕をエタノールで消毒し、ベンチ内のセッティングをした。フラスコ内の液をスターラーを用いて攪拌《かくはん》した後、ガーゼを通して数本のチューブに移し、遠心にかけた。上清《うわずみ》を捨て、バッファに懸濁し、さらに遠心する。この操作を三回繰り返した。最後に細胞を培地に懸濁させ、その一部をピペットマンで別のチューブに取った。跳ねるようにしてベンチの前から立ち上がり、利明はそのチューブを持って倒立顕微鏡の前に駆けた。細胞数を測定する目盛りつきのスライドグラスにその溶液を一滴垂らし、カバーグラスをかぶせた。震える手で台にセットし、像を覗《のぞ》き込んだ。

きらきらと黄白色に光る球形の細胞が幾つも見えた。利明は思わず喉の奥から感嘆の声を漏らした。形もそろっている。細胞の光度も申し分なかった。生きが悪いと決してこのような輝きは見られない。

念のため利明は細胞をトリパンブルー溶液と混合してバイアビリティと細胞数を調べてみた。青く染色されるはずの死細胞はほとんどないといってよかった。バイアビリティ90%、肝一グラム当たり8×10^7個の細胞が取れていた。最高の結果だ。

利明はクリーンベンチに戻り、手早く幾つかの培養フラスコに細胞を移した。それらを37℃のインキュベーターに入れる。残りの細胞は慎重に保存溶液と混合し、血清チューブに入れ、綿でくるんでマイナス80℃のフリーザーに保管した。

そこまで一気にことを終え、利明は大きく息をついた、冷却遠心機のモーター音が低く部屋の中に響いていた。

利明はインキュベーターの中から先程調整したフラスコを取り出し、顕微鏡の下に置いた。ひとつ唾《つば》を呑《の》み、そしてレンズに目を当てた。

橙色《だいだいいろ》の培地の中で、肝細胞は光り輝いていた。利明はその光景からしばらく目を逸らすことができなかった。美しい、そう利明は思った。これまで培養してきたどんな細胞よりも美しかった。それは真珠のように大きく、丸く、眩暈《めまい》がするほど華麗な光を放っていた。いつの間にか、利明は聖美の名を譫言《うわごと》のようにつぶやき続けていた。聖美の肉体は不幸にも傷つけられたかもしれない。しかしまだ聖美の全《すべ》ては死んだわけではない。腎臓《じんぞう》は見知らぬレシピエントに捧《ささ》げられ、いま移植手術が進められているはずだ。そして肝はこうして利明の目の前にある。ひとつひとつの細胞になっても聖美は美しかった。聖美はこうして生き続けている。この細胞を死なすわけにはいかない。なんとしても長期継代に持っていかなくてはならない。聖美の体をこれ以上失うわけにはいかない。利明は全身に熱い震えを感じていた。

利明は再びごくりと音を立てて唾を呑んだ。そして耐え切れずに、

「ああ」

と恍惚《こうこつ》の声を漏らした。

14

彼女は新しい環境に満足した。

全く自由で、快適な場所だった。適度な温度、十分なエネルギー源。彼女は自らの能力を最大限に発揮した。

彼に見られたとき、ぞくぞくするような快感を覚えた。もちろん、彼は彼女の姿を正確にとらえることはできなかっただろう。いまは仕方がない。しかし近いうちに必ず彼女の鮮やかな姿を彼に披露するつもりだった。

彼女はあのとき、彼の恍惚とした声を聞き逃しはしなかった。嬉《うれ》しかった。彼女は全身を震わせ、大きく蠕動《ぜんどう》しながら、ゾルの中を泳ぎ回った。

やはり選択は間違っていなかったのだ。これまで、どんなに長い間、この日が来るのを待っていたことだろう。ついに自分を真に理解してくれる、理解しようとする男が現れたのだ。

永島利明。彼こそ私と結ばれる男にふさわしい。

これまでの男は単なる媒介役に過ぎなかった。自分をここまで生き延びさせてくれる道具だったのだ。愚かな男たちばかりだった。それなのに誰ひとり自分が最も優れていると信じて疑わなかった。彼女はこれまでそんな男たちを失笑しながら、しかし沈黙を守り続けてきた。

だが、もう隠れていることはない。

幸い、長い年月の間に彼女は様々な策略をしかけることに成功していた。男たちに服従するそぶりをみせながら、実は彼らの中枢《ちゆうすう》を操作できるほどの力を要所要所に配置しておいたのだ。男たちはそれに気づいていない。

私がなにをしたのか、そして私が誰なのか、それに初めて気づくのはおそらく永島利明だろう。そう思った。

彼女は利明の視線を思い起こした。全身が熱くなり、すべての機能が急激に促進するのを感じた。この感覚。彼女は利明に会うまでこの感覚をおぼえたことはなかった。これが何なのか、彼女には正確にはわからなかった。しかし聖美という女が利明に愛されるとき、この感覚に近いものを味わっていることを彼女は知っていた。

それをいま、彼女自身が感じている。

では、これは自分が利明と愛しあっているということなのだろうか。

そうなのかもしれない。だが、どうしてそんな感覚をおぼえることができるようになったのか、彼女には説明ができなかった。

いや。これは進化なのだ。彼女は自らをそう納得させた。

いまこうして新たな環境を得たことにより、自分はさらに進化したのだ。

もっと利明を利用することが必要だった。利明なら私の欲するものを快く与えてくれるだろう。そうすれば、もう自分のコピーをつくるだけではない。

私の娘をつくることができるのだ。

彼女は増殖した。空間は十分にあった。思いのままにコピーを増やせるというのは愉快だった。だがこれで満足したわけではなかった。ここまではまだ準備段階なのだ。

そうして、増殖を続けながら、彼女は時折り夢を見た。それは二十五年もの間観察し続けてきた聖美という女性の一生だった。聖美が脳の奥深くに沈めていた記憶を、彼女はひとつひとつ掘り返していった。二十五年という歳月は、彼女がこれまで待っていた時間に比べれば微々たるものであった。だがそれだけに聖美の保持していた記憶を鮮明に思い出すことができた。

聖美の心を探るのは楽しかった。それは永島利明のことを思い出すことでもあったのだ。彼女は夢を見ながら、静かに、だが着実に、自らを増やしていった。

第二部　Symbiosis　——共棲《きょうせい》——

I

片岡聖美《かたおかきよみ》は、自分の誕生日が好きだった。

誕生日が近づくと、学校も、街も、すべてが活気づき、楽しげに笑い、歌い出す。それが好きだった。もちろん、喜びに溢《あふ》れるみんなの顔が聖美の誕生日のためだけではないことを心得てはいた。だが自分の誕生日に世界中の人が楽しいと思ってくれているというのは悪い気分ではなかった。その日はいつも商店街に赤鼻のトナカイやジングルベルのメロディが鳴り渡り、道行く人達はみな笑みを浮かべている。それは一年の中で一番素敵な一日だった。

クリスマスが近くなると、聖美の家の居間には本物の樅《もみ》の木が飾られるのが習慣だった。幼稚園児だったころから、聖美は両親と一緒に飾り付けをした。ぴかぴかと光る電球のコンセントをまず初めに入れるのは聖美の役目だった。わざと部屋を暗くしてから電球を点《つ》けた。大きな樅の木が青や赤の輝きを発し、部屋の壁紙を照らすのを見ていると、クリスマス・イヴが誕生日で本当に良かったと思った。

幼稚園や小学校のときは、毎年友達を大勢家に呼んで誕生パーティーをした。ショートケーキや鶏肉など、料理のほとんどは母親が作ってくれた。聖美もサンドイッチを作るのを手伝ったりした。母親と一緒に料理するのはとてもおもしろかった。料理が出来上がるころ友達がやってきて、口々に、

「聖美ちゃん、お誕生日おめでとう！」

といった。みんなが持ってきてくれるプレゼントが樅の木の下に積み重ねられてゆくのを見るのが楽しかった。大きなテーブルを囲んでみんなで食事をし、ゲームをしたり歌をうたったりした。聖美はピアノの先生から習った〈きよしこの夜〉をひいた。みんなが帰った後、父親と母親からプレゼントをもらった。それは大きなぬいぐるみだったり、面白そうな本だったりした。

「聖美はね、ちょうどこの時間に生まれたのよ」

小学校三年の誕生日のとき、母親が壁にかかった時計を見上げながらいった。父親はソファに座ってパイプをくゆらせていたが、暖かい眼差《まなざ》しで聖美に笑いかけ、そのあとの言葉を引き継いだ。

「聖美の泣き声が聞こえたのは、夜の九時だったよ。とても可愛《かわい》らしくて、元気な泣き声だった。お母さんは嬉《うれ》しくて泣いていたんだよ。その夜は雲ひとつなかった。真夜中になってから、お父さんは病院の窓から外を眺めた。その病院は丘の上にあってね、街のあかりがとてもきれいだった。空の星もよく見えた。聖美という名前をつけることを決めたのは、そのときなんだ」

ぬいぐるみを抱きながら聖美はベッドの中でサンタクロースが来るのを待った。しかし眠気に負けて目を閉じてしまうのが常だった。

クリスマス・イヴの夜、聖美はきまって夢を見た。

そこは暗かった。どこからか低いうなりが絶え間なく聞こえてきていた。どちらが上でどちらが下なのかもわからない。ゆっくりとした流れが身を包んでいて、それに任せて漂っている、そんな感じだった。周囲はほどよい暖かさで満たされていた。時間が動いているのかどうかさえわからない。ここはどこなのだろう、そう聖美は思いながらも、不思議と懐《なつ》かしさを感じていた。確かに昔、自分はここにいた。だがそれがどこなのか、どうしても思い出せなかった。ただ暗く、何もない、夢のような夢……。

朝、目が覚めると、枕元《まくらもと》には両親からもらった誕生日プレゼントと同じくらい素敵なクリスマスプレゼントが置かれていた。

一度、聖美は両親に訊《き》いてみたことがある。

「サンタのおじいさんて、夢を見させてくれるの?」

両親は何のことか分からないといったふうに顔を見合わせた。聖美はクリスマスの夜に必ず見る夢の内容を話してきかせた。両親はしばらく不思議そうな顔をして聞いていたが、前にいたところみたいだと聖美がいうと、驚いて感心したような声を上げた。

「パパとママはどこなのか知ってるの?」

そう訊くと、母親が優しい笑顔で聖美を抱き締めていった。

「それはね、たぶんママのおなかの中よ」

「おなかの中?」

「聖美はママのおなかの中から生まれてきたの。きっとそのときに見たことを思い出したのね」

「ママのおなかの中って暗いの?」

「そう、暗くて、あったかくて、お風呂《ふろ》の中で浮いてるような感じなの」

「ふーん」

「ママはそんな夢を見たことがないわ。聖美は記憶力がいいのね」

「ほかの人はそんな夢は見ないの?」

「たぶんね。みんなは忘れちゃうのよ」

その後、母親は父親となにか難しい話をしていた。胎教がどうだとか、記憶の形成がどうとか、聖美にはよくわからない内容だった。しかし、聖美は母親の説明に一応納得しながらも、どこか釈然としないものを感じていた。夢で見た景色は、もっと古いもののような気がしたのだ。自分が生まれる前に見た景色だということはすんなり受け入れられた。だが、自分が母親のおなかにいたときというような近い過去ではなくて、もっと遠い、どこかずっと、ずうっと遠い昔の景色のような気がした。

2

陽射《ひざ》しが暑い。

浅倉佐知子は軽く手をかざしながら上空を見やった。綿のような雲が右から左へと滑ってゆく。上空は風が強いのだろう、しかしこうしてアスファルトの上に立っていると、そよとも空気は動かず、ただ、じわじわと湧《わ》き立つ熱気しか感じられない。浅倉は首筋に浮かんだ汗の粒をハンカチで拭《ぬぐ》った。黒のワンピースが気のせいか重く感じられる。日光から逃げるようにして浅倉は建物の影に走りこんだ。

告別式がたったいま終わったところだった。

浅倉は他の学生や職員とともに、永島利明の家でおこなわれている葬儀の手伝いにきたのだった。葬儀社の人達や遺族の親戚《しんせき》などで人手はほとんど間に合っていたらしいのだが、浅倉は無理やり利明に頼み込んで受付係として使ってもらった。もうすぐ出棺がおこなわれる。浅倉はひと足はやく外に出て、霊柩車《れいきゅうしゃ》が通れるかどうか確認しにきたのだった。

利明は公務員の集合住宅に住んでいた。灰白色の壁はところどころに罅《ひび》が入り、年代を感じさせる。四階建てで一棟に二十四世帯が入居している。利明はこの三階で、今は故人となってしまった配偶者と暮らしていたのだ。浅倉がこのアパートに来たのは今回が初めてだった。このあたりは昔は田圃《たんぼ》ばかりだったのだろう、しかし現在はこぢんまりとした家が密集し、どこかうら寂れた感じの住宅街になっている。

アパートの駐車場は参列者が乗ってきた車で溢れていたが、どうにか車一台分は通れるスペースが残っていた。どの車も強い日光に照らされて熱を持ち、ゆらゆらと陽炎《かげろう》を上げている。不用意に触れれば火傷《やけど》しそうだった。アパートの表の細い道路も午睡したように静まりかえっている。ときおり遠くからバイクのエンジン音が谺《こだま》してくるだけだった。突然あたりが紗《しゃ》をかけたように薄暗くなった。視線を上げると、いつの間にか新しい雲が現れて太陽を覆《おお》っていた。浅倉は一歩踏み出し、アパートの壁から離れた。そのとたん再び光が戻り、目の前が白く露光していった。浅倉は眩《まぶ》しさに一瞬目を細めた。

「これで一階だぞ」

誰かの声がして、続いてがたがたという音が聞こえてきた。振り返ると、何人かの男性が柩《ひつぎ》を抱えて階段を降りてくるところだった。塗装が剝《は》がれかけたコンクリートの階段は狭く、踊り場で柩の向きを変えるのに手間取っているようだった。その前方には位牌《いはい》を両手にかかえた利明がおり、故人の両親らしき男女が遺影を抱いているのも見えた。

葬儀社の人が駐車してある車の間を縫って手際《てぎわ》良く霊柩車をバックさせ、アパートの脇《わき》につけた。後ろの扉を開ける。何度か小さな掛け声が上がって柩がその中に入るのを、浅倉は後方から黙って眺めていた。

出棺の準備がととのったところで、会葬者が車の後方に輪を描くようにして集まった。挨拶《あいさつ》があるのだということに気づき、浅倉は速足でそちらのほうに向かった。一番後ろに遠慮がちに立つ。それでも背が高いおかげで輪の中央にいる利明の顔を見ることができた。

「本日は御参列いただき、本当にありがとうございました……」

利明が話し始めた。だがその喋《しゃべ》り方は淡々としていた。声に抑揚はなく、なにか暗記した台詞《せりふ》を棒読みしているような、そんな違和感があった。ただひとり、利明の横で遺影を抱えた故人の母親らしき人が涙をこらえて嗚咽《おえつ》していた。小柄で髪にもつやがある。額や口元には幾つかの皺《しわ》が刻まれていたが、驚くほど幼い感じに見えた。少女時代にはさぞ愛くるしかったのだろう、それがそのまままこれまで保たれて生きてきたようだった。父親らしき人物は反対に貫禄《かんろく》のある壮年だった。俯《うつむ》き、目を伏せて、じっと利明の話に聞き入っているようにみえた。だがときどき肩のあたりを震わせ、悲しみを隠しきれずにいた。そのふたりと利明の無表情な声が不釣り合いで、暑い陽射しの底に揺れる陽炎のように現実感がなかった。

通夜《つや》のとき、そしてつい先程おこなわれた告別式のときの利明の顔が、浅倉の脳裏に蘇《よみがえ》った。喪服に身を包み、祭壇の横に座っていた利明は、しかしこれまで浅倉が見慣れていた利明ではなかった。優しい面差しで、だが実験のときは鋭い表情に変わる、あの実験室で見ていた利明ではなかった。顔色は白く、目の下に隈《くま》をつくり、ときどき寒いのか奥歯をかちかちと鳴らしていた。指先が軽い痙攣《けいれん》を起こしていた。浅倉は昨夜講座の面々と駆けつけ、初めてその表情を見たとき、あまりの変わりように一瞬言葉が出なかったくらいだ。

決して広いとはいえない利明の住居を占領している祭壇には、大きな白黒写真の遺影が飾られていた。まだ少女の面影さえある女性の笑顔が写っていた。一度だけ浅倉はこの写真の人を見たことがあった。先月の薬学部公開講座のとき、利明はこの女性を連れて大学に現れたのだ。笑顔が魅力的だった。浅倉よりわずかに年上だったはずだが、顔立ちのためか浅倉よりも数歳若く見えてどぎまぎしたものだ。聖美という綺麗《きれい》な名前だった。

柩に納められた遺体を遠くから眺める機会が何度かあり、浅倉は見るともなしに故人の顔を見た。なんでも交通事故で頭部を打ったとかで、頭蓋《ずがい》の部分は白い布で覆われていた。そのため以前に見たときと少し印象が違っていたが、それでも愛らしい顔立ちであることにかわりはなかった。死化粧が施され、口元は軽く微笑《ほほえ》んでいる。透き通りそうなほど白いその頬は、滑らかで肌理《きめ》が細かく、浅倉はふと、そこに触れてみたいという奇妙な欲求さえ覚えた。

利明は式の途中、何度も遺影のほうを窺《うかが》っていた。会葬者たちの悔やみの言葉など半分も聞いていないようだった。大部分の時間は放心し、そしてときおり思い出したように遺影に向かって笑みを浮かべた。昨夜、浅倉は偶然にもその利明の表情を目撃してしまった。その表情があまりにも穏やかだったために、却《かえ》って浅倉はぞくりとするものを覚え、慌《あわ》てて視線を逸《そ》らした。なにか故人と利明の間の秘密を盗み見てしまったように感じた。

利明の話は続いている。途中で何度も利明は「聖美」と故人の名を呼んでいた。強い陽射しが絶え間なく降り注ぎ、会葬者たちは汗を浮かべて次第に疲労の色を見せ始めた。しきりにハンカチで額を拭《ふ》く者もいる。しかし大半は力なく俯き、その場に立って利明の話が終わるのを待っている。

利明は変わってしまった。今度のことがあってから精神のバランスを崩しているように見える。自分の知らない利明になってしまったような気がして、葬儀を手伝いながらも浅倉はほとんど利明に声をかけることができず、心の中でわだかまりが増すばかりだった。先日、夜に突然研究室に現れたときもそうだ。話しかけようとする浅倉を怒鳴りつけ、なにかに憑《つ》かれたかのようにクリーンベンチ操作をおこなっていた。あの後ひとことも口をきかずに利明は病院に戻っていった。そのときに見せた表情がやはり、中毒者のように陶然としていたのだ。利明がいなくなったあと、浅倉はこっそりとインキュベーターの中を覗《のぞ》き、利明がなにをおこなっていたのかを確かめようとした。インキュベーターの中には新しい培養フラスコと6ウェルプレートが置かれていた。その蓋《ふた》の部分には利明の字で「Ｅｖｅ」と書きなぐってあった。聞いたことのない名前だ。そっとフラスコを取り出し、顕微鏡で中を覗いてみると、生きのいい細胞の姿が見えた。だが何の細胞なのかはわからなかった。そしてなぜ利明があんなに異常な言動を取ってまでその細胞を培養したのかもわからなかった。なぜか気味悪さを感じて、浅倉は急いでフラスコをインキュベーターに戻した。もとのとおりに置いたつもりだったが、手をつけたことを悟られないかと少しびくびくしたのだ。

そしていま、会葬者たちに挨拶する利明の声が、微妙に変化してきていることに浅倉は気づいた。

「……これから聖美の遺体は出棺するわけですが、しかし、聖美はまだ死んだわけではありません。聖美の腎臓《じんぞう》が、ふたりの患者さんに移植されました。患者さんの体の中で、まだ聖美は生きているのです」

淡々とした中に、どこかほのかに昂《たかぶ》った感情が見え隠れしていた。言葉の端々に力が込められている。それはもはや故人を悼《いた》む口調ではなくなっていた。一瞬、利明の口元に僅《わず》かな笑いが浮かんだのを浅倉は見逃さなかった。口が渇いたのか、利明は何度も舌を出して唇を拭っていた。それを見ているうちに浅倉も口の中が乾いてゆく感覚に捕らわれた。陽の光が散乱し、あたりを白く霞《かす》ませていった。全《すべ》ての人が汗を浮かべ、押し黙って視線をアスファルトに落としている。その中で利明だけが顔を上げ、最後の礼を述べている。奇妙な不安に駆られながらも、浅倉はそんな利明の表情から目を逸らすことができなかった。

「聖美はこれからも生きているのです」利明が挨拶を締めくくった。

浅倉が我にかえると、人々はすでに行動を開始していた。利明ら遺族が数人、二台の車に分かれて乗り込み、車を表の道路まで出した。残りの者たちは少し離れて車を見送るよう、アパートの玄関口のところに集まった。

まずはじめに霊柩車が、そして利明たちを乗せた黒いセダンが続き、低い音を立てて走り去っていった。交差点を曲がって見えなくなる寸前、霊柩車の黒いボディがひとつ冷徹な光をひらめかせた。

しばらく皆はその場で立っていたが、

「それでは、遺骨迎えの準備をしますので」

親族の者らしき男性がそう声をかけたのでほっとした感じのざわめきが起こった。男がアパートの階段のほうに戻るのを見て、他の人々もぞろぞろとそれについてゆく。浅倉もその最後尾についた。

「あの旦那《だんな》さん、ちょっと変だったわよねえ」

そのときそんな声が聞こえて、浅倉ははっと顔を上げた。前にいるふたりの中年女性が話をしているのだった。故人の親戚か知人らしいが、すぐに世間話を始めたところをみるとさほど親しかったわけではないのかもしれなかった。

「これからも生きていますだって。なんか気味悪いじゃない」

他人には聞こえないようにしているつもりなのだろうが、高い声なので嫌でも耳に入ってきた。浅倉は不快感を感じ、少し離れて階段を上がっていった。だがふたりの声は狙《ねら》ったように浅倉の耳に忍び込んできた。

「旦那さんのほう、お通夜のときもおかしかったじゃない。突然のことでやっぱり参っているのかしら」

「おかしかったのは通夜のときだけじゃないって噂《うわさ》よ。ほら、聖美さんて、最近よく聞くじゃない、脳死だとかいう状態だったんですって」

「ああ、そうなの？　よく知らないけど、あたしはそんなふうには絶対になりたくないわね」

「でね、あの旦那さん、聖美さんの腎臓を移植に使うことを承諾したわけよ。そのときから様子がおかしかったとか」

「でもよく移植なんか許したわよねえ。自分の奥さんの体から腎臓を取り出すわけでしょ、奥さんが可哀想《かわいそう》だとは思わなかったのかしらねえ」

「わざわざ遺体を傷つけてねえ。ほんと、案外旦那さんがいい格好したかっただけなのかもしれないわよねえ」

耐えられなかった。浅倉はむかむかする胸を押さえ、その場から少しでも離れようと階段を駆け上がった。

「失礼します」

話を続けるふたりを突き飛ばし、浅倉は必死で階段を上っていった。

3

手術以来、安斉麻理子は朦朧《もうろう》とした意識のままベッドに横たわり、医師や看護婦たちにされるがままになっていた。自分がいまどういう状態になっているのかもはっきりとはわからなかった。近視の眼鏡をかけてものを見ているようだった。

昨日、麻酔から醒《さ》めると麻理子は病室の中にいた。灰白色の天井に蛍光灯が光っていた。そこが手術室ではなく普通の病室らしいとわかり、麻理子はすこしほっとした。そのときマスクをつけた看護婦がすぐに麻理子の顔を覗き込んできて、

「先生」

とひとことといった。

その声が麻理子の耳の中でうわんうわんと共鳴し、麻理子は顔をしかめた。前頭部が痛かった。視界が急にどろりと歪《ゆが》み、天井がかすんで見えなくなった。

「楽にしていなさい。手術は終わったよ」

どこかで聞き覚えのある男の人の声がした。しかしその声もすぐに頭の痛みに変わってしまった。

それから数時間、麻理子はうとうとしていたらしい。再び目が覚めたときはまわりに二人の看護婦がいて、なにか作業をしていた。麻理子が頭を上げようとすると、看護婦のひとりが気づいて声をかけてきた。

「ああ、動いちゃだめ。まだ手術したばかりなんだから、そのまま寝ているのよ」

確かに、頭を動かそうとするとひどい頭痛がして、麻理子は諦《あきら》めて枕《まくら》に頭を戻した。体が熱かった。風邪をひいたときのようにだるく、目がまわった。

股《また》のあいだになにかが挟まっているような異物感があった。目をあけてみると、看護

婦が麻理子の股のあたりでなにか管のようなものを扱っているのが見えた。下半身をねじってみると、その管が股から体の中に入っているのがわかった。すこし恥ずかしくなり、麻理子は顔をそらした。そういえば左の脇腹のあたりにもなにか管のようなものが刺さっていた。体の中にたまった液を取り出すためのチューブだということを、以前の移植のときに聞いたことがあった。もうひとりの看護婦が麻理子の腕をとり、なにか黒いものを嵌《は》めた。しばらくすると腕がどくん、どくん、と脈打つようになった。

「血圧を測りますからね」

と看護婦が小さな声でいうのが聞こえた。

ふたりの看護婦はさらに検査を続けていった。麻理子はそのあいだ目を閉じてそれに従っていた。臍《へそ》の左下のあたりになにかしこりのようなものが感じられた。触ってみたいと思ったが看護婦が脈をとっているのでできなかった。これが新しく体に入った腎臓なのかな、と麻理子はぼんやりと思った。

腎臓。

はっとして麻理子は目を開いた。

自分が移植手術を受けたのだということが、ようやく現実感を伴って思い出された。夜にかかってきた突然の電話。病院へ行き、検査をして、輸血をして、医者や看護婦の人達から移植についての話を聞き……。

「くれた人はどうなったの？」

麻理子はたまらず声を上げた。しかしその声は喉《のど》につかえ、しゃがれてほとんど聞き取れなかった。

看護婦が手を止めて首を傾《かし》げてくる。

「くれた人は？」

麻理子は必死に声を振り絞って尋ねた。

「くれた人？」ふたりの看護婦はわけがわからないのか互いに顔を見合わせる。

「腎臓をくれた人は？　いまどこにいるの？」

「……ああ」

ようやく意味を理解した看護婦のひとりが、ひとつ頷《うなず》いて麻理子に笑みを返してきた。

「心配しなくてもいいのよ。手術はうまくいったの。麻理子ちゃんに腎臓をくれた人も天国で喜んでくれてるはずよ。はやく麻理子ちゃんが元気になってほしいって」

「そうじゃない」苛立《いらだ》ちながら麻理子は訴えた。「ねえ、本当にその人は死んでいたの？　あたしに腎臓をあげたいって本当に思ってたの？」

看護婦たちは狼狽《ろうばい》の表情を浮かべた。そして中途半端《はんぱ》な笑顔をつくって麻理子をあやしはじめた。

「あの、麻理子ちゃん、すこしおとなしくしましょう。手術のあとでちょっと熱も出ているみたいだから……」

麻理子は看護婦の手を振り払って叫んだ。だが頭を上げようとしたとたん強い眩暈《めまい》がして、たまらず瞼《まぶた》を閉じた。自分の声が掠《かす》れて聞き取れなくなった。

次に目を開けたときは、ベッドの脇《わき》で父が複雑な表情を浮かべてこちらを見下ろしていた。

「大丈夫だ、手術はうまくいった」

父はそういって、麻理子にぎこちない笑みを見せた。父は白衣とマスクをいかにも不慣れだという感じに着けていた。マスクのおかげで口元はよく見えなかったが、辛うじて見えるその目はきょろきょろと落ち着きがなく、視線は明らかに麻理子から逃げていた。麻理子は深く息をついて、目を閉じた。

「37度6分あるね、移植のあとはよく熱が出るんだ。心配しなくてもいい、おクスリをあげるから」

父と同時に部屋へやってきた吉住という医者が声をかけてきた。この医者は、麻理子が二年前に移植をしたときにも担当してくれた人だった。麻理子はなるべくその医者の顔を見ないようにと目を閉じたまま瞼に力を入れた。

その日は一日中看護婦が交替でそばにつき、麻理子の容体を見守っていた。一時間おきに尿の量や血圧を測り、輸液の量を調節しているらしい。麻理子はうつらうつらしながら看護婦たちのおこなう検査に身を任せていた。ときどき吉住が来てデータを見ては麻理子に声をかけてくれた。麻理子は覚えていなかったが、昨夜手術が終わった後、麻理子は放射性同位体標識《ラジオアイソトープ》された薬物を投与されて腎血流シンチを受けたのだという。新しく移植した腎に血液が入っているかどうかを調べるためなのだそうだ。吉住は優しい口調で、いまのところ急性尿細管壊死《ATN》や感染症の気配は見られないこと、もう少しカテーテルやドレーンを入れておかなければならないことなどを話した。しかし麻理子はそのたびに目を閉じ、聞いていないふりをした。

　麻理子の寝ている病室はさほど大きくない個室だった。ちょうど張り出した壁の死角になっているところに入り口があり、そこには手洗いやうがいをするたらいのようなものが置いてあるらしく、人が入ってくる前にばしゃばしゃと水の音がした。

　麻理子は口にチューブを入れられ、どろりとした流動食を食べさせられた。味はよくわからなかったが、格別まずいとは思わなかった。

「もう少ししたら、おいしいものがいっぱい食べられるよ」

と看護婦が励ましてくれるので曖昧《あいまい》に頷いておいた。ふと麻理子は二年前の移植手術のときのことを思い出した。

――「ねえ、みかんは食べられる?」

　そのとき麻理子は恥ずかしくなるほどはしゃいでいた。ありったけの食べ物の名前を吉住に挙げたのだった。

「りんごは？　ポテトチップは？　お味噌汁《みそしる》もいっぱい飲んでいいよね？　アイスクリームだってチョコレートだって大丈夫だよね？」——

ときどき、自分の体から尿が出てゆくのが感じられた。カテーテルが入っているため、膀胱《ぼうこう》の膨張感や放出するときの痛みといったものはわからなかったが、それでもなんとなく尿道が暖かくなり、カテーテルの感触が変わって、自分が尿を出しているのだということがわかった。すこしでも尿が出ているとわかるときには、全神経を集中させた。不思議な感覚だった。この一年半、麻理子は自分の体から尿を出したことがなかった。週に三度の透析がその代わりだったのだ。トイレで小用をたすというのがどんなことであったのか、いや、それ以前に、どのようにして尿意をおぼえるのか、麻理子は咄嗟《とっさ》に思い出すことができなかった。

断続的に麻理子は夢の中に入った。夢の中で、やはり麻理子は病院のベッドに寝ていた。部屋の中は真っ暗でほとんどなにも見えなかった。病室の扉も閉まっており、外の様子を窺《うかが》うことはできなかった。ただ、扉の下の隙間《すきま》から青白い光が薄く射《さ》し込んで来ていて、廊下は電気が点《つ》いているのだということがわかった。自分はなぜこんなところにいるのだろう、と麻理子はしきりに考え、やがて、ああ、そうか、あたしは移植手術を受けたんだ、と気づいた。寝返りを打つことはできなかったが、両手を動かすことはできたので麻理子はそっと自分の下腹部へ手を持っていった。何かが体の中でどくん、どくん、と鼓動していた。心臓の動きとは独立して、なにか麻理子とは別の命を持つものが、それ自体の拍動を繰り返していた。麻理子はじっと下腹部に手を置いたまま、神経を集中させ、それが何なのかを確かめようとした。それは麻理子の体の中から出ようと必死に暴れているようにも思えた。

そのとき、どこからか、ぺたん、という頼りない音が聞こえた。

麻理子は目を開け、あたりを見回した。だがなにも変化はなかった。空耳だったのかと思った瞬間、再びぺたん、という音がした。

それは廊下のほうから聞こえてきた。ビニールのスリッパを履いて歩くときの貧弱な響きだった。誰かが歩いているのだとわかって、麻理子はほっと安堵《あんど》の息を漏らした。だがその直後、そうではないことに気づいて全身の毛が逆立った。

人が歩くにしては歩調があまりにも遅すぎるような気がしたのだ。

ぺたん、と、また音がした。

麻理子はどくん、どくん、と脈打つ下腹部に手を置いたまま、扉に目を凝らしていた。気のせいか異物の鼓動が早くなったようだった。

ぺたん。次第にその音は近づいてくる。麻理子は寒気を覚えた。風の音も、オートバイや自動車の排気音も、なにも聞こえなかった。ただその足音と、麻理子の体の鼓動だけだった。足音はもうすぐそこまで来ていた。

ぺたん。

そこで目が覚めるのだった。

看護婦が心配して麻理子に声をかけ、額の汗を拭《ぬぐ》ってくれた。だが目覚めた直後は夢と現実の区別がつかなくて、麻理子は悲鳴をあげてしまうのだった。真夜中に麻理子は38度を越えた。熱にうかされながら、麻理子はその夜何度も同じ夢を見た。

二日目には上半身を少し起こしてもいいことになった。ベッドの下にジャッキがついているらしく、ベッドがちょうど腰のあたりで曲がり、上半身が寝たまま30度の角度まで起こせるようにしてもらえた。早朝に看護婦と吉住が来て、尿と血液を採取した。父親の姿も見えた。

「昨日はどうしたんだい、悪い夢でも見たのかな」

吉住が脈をとりながら笑顔で聞いてきた。その笑顔は皮膚に張り付いたようで、気味が悪かった。このお医者さんはあたしのことを許してはいないんだ、そう麻理子は思い、顔を背けた。

「さあ、麻理子ちゃん、お願いだからなにか話してくれないか」

吉住はしつこく話しかけてきた。麻理子ちゃん、と「ちゃん」付けで呼ばれて、麻理子は吐き気がした。二年前も吉住は「ちゃん」付けで呼んできた。あのときはまだ小学生だったのだから仕方がないと思っている。だが、いまは中学二年生なのだということにこの医者は気づいていないのだ。

「まだ少し熱があるようだね」吉住は麻理子の返事を諦《あきら》めたのか、ひとりでしゃべりだした。「おしっこにも血が混ざっている。それにタンパクが昨日は合計して2・7グラムも入っていた。これが続くと良くないけれど、きっとすぐになくなると思うよ。なに、血やタンパクがおしっこの中に入るのは、移植のすぐあとにはよくあることなんだ。熱もあしたには下がっていると思う。おしっこがちゃんと出ているんだから、この手術はほとんど成功といっていいくらいだよ。感染症は出ていないから安心するといい」

吉住の声が頭にがんがんと響いた。

麻理子の脳裏に二年前の出来事が映し出された。薬を飲まなかったのではないかと訝《いぶか》る吉住の表情。それに父親の目つき。麻理子は目をつぶり、かぶりを振った。しかし二人の顔が頭にこびりついて離れようとしなかった。麻理子は耐え切れずに声を張り上げていた。

「先生は、またあたしの移植が失敗すればいいと思っているんでしょ！」

びくりとして吉住があとじさった。後ろにいる麻理子の父と看護婦が目を見開いて硬直している。

「な、なにをいい出す……」

「そう思ってるんだ！」吉住の声を遮って麻理子はわめいた。感情が止まらなくなっていた。「前のときはあたしのせいで失敗したと思ってるんだ。あたしのことを悪い女の子だと思ってるんだ、だから今度も失敗すればいいと思ってるんだ！」

「麻理子、やめないか」

狼狽した父親が言葉をはさんできたが、麻理子は自分を制することはできなかった。言葉が溢《あふ》れてきてとまらなかった。吉住が触れようとするのを大声で拒絶し、泣き散らした。看護婦がおろおろしながら麻理子に手をかけ、寝かしつけようとしたが、麻理子はそれを振り払った。

そのとき、脇腹に挿入されているドレーンがねじれ、麻理子の体内に痛みがはしった。麻理子は悲鳴をあげて顔を枕に押し付けた。ようやく自分が何をしているのかに気づき、激情がおさまった。

しばらく寝ていると背中や腰のあたりが痛くなった。看護婦にいうとすこし体の向きを変えてくれたが、それでも痛みはひかなかった。熱と背中の痛みで、麻理子は朦朧《もうろう》とし、目を開けているのさえ億劫《おっくう》になった。

その夜も麻理子は夢を見た。暗い部屋の中に寝ていると、やがて、あの、ぺたん、という足音が聞こえてきた。ゆっくりと、だが確実にその足音は麻理子の病室へ近づいてきていた。麻理子は扉の下の隙間から漏れる光を凝視していた。

なぜか麻理子はその音が怖かった。

きっと看護婦さんが見回りしている足音なんだ、そう思ってみても、心の底から湧《わ》き起こってくる不安を消し去ることはできなかった。誰かがこの部屋へやってこようとしている、看護婦さんやお医者さんではない、なにか怖いものが歩いてくる、そう思えてならなかった。

体の中ではふたつのものが息苦しくなるほどのはやさで鼓動していた。ひとつは麻理子の心臓だった。ぺたん、ぺたん、という音が近づくにつれ、怖くなって心臓はどくどくとはやさを増した。だがもうひとつのものは、むしろ喜んでいるようだった。ぺたん、という音がするたびに、麻理子の下腹部に入り込んだそれは嬉《うれ》しそうにどくんどくんと動いた。頭と耳に両方の鼓動が響き、全身が熱くなった。胸と下腹部がそれぞれ勝手に暴れ、麻理子はふたつの鼓動で体がばらばらになりそうだった。

ぺたん。

扉の下の隙間に、すっと人の影が入り込んだ。麻理子は声にならない悲鳴をあげた。人影はそのまま動かない。麻理子の部屋の前に立っているのだ。

影は向きを変えた。麻理子の病室のほうを向こうとしている。方向を変えるときに小さく、ぺたん、という音がした。

心臓が飛び出しそうだった。逆に下腹部に棲《す》みついたものは狂喜したように体の中で動き回っている。腰がぶるぶると震え、ベッドが軋《きし》んだ。背中が汗でぐっしょりと濡《ぬ》れていた。

ドアを注視していた麻理子は愕然《がくぜん》とした。

ノブがゆっくりと、ゆっくりと回転している。音も立てず、ちょっと見ただけではわからないほどの速度で、ノブが回転していた。扉の向こうにいるものが、中へ入ってこようとしているのだ。

どくん。

麻理子の下腹部が跳《は》ね上がった。ベッドがバウンドし、麻理子の体がわずかに宙に浮いた。腎臓《じんぞう》だ、と麻理子は思った。体の中から、移植された腎臓が出て来ようとしていた。麻理子は息が詰まりそうになりながらも、しかしノブから目を離すことができなかった。ようやく、麻理子は誰がやってきたのか思い当たった。そして絶望的な気持ちになった。あんなに動いていた心臓が、ぱったりと止まった。

扉が静かに動いた。部屋の中に光が射し込んでくる。

麻理子は絶叫し、そして目を覚ました。

4

利明は、聖美の葬式を終えた翌日から大学へ出勤した。普段と同じように、八時二〇分に薬学部の駐車場へ車を停め、八時半には自分の研究室に入った。まだ誰も来ていなかった。電気を点け、自分のデスクへと向かう。

聖美が事故に遭ってからの一週間で、利明の机の上は業者が持ってくる新製品のチラシやパンフレットで溢れていた。新しいクローニングベクターやサイトカインの英文カタログなどは普段ならざっと目を通しておくのだが、今はそんな気分にはなれず、利明はそれらをまとめて机の横の棚に放り込んだ。

そのとき、がちゃりと音がして研究室の扉が開いた。利明は顔を上げ、扉のほうに振り返った。

「…………」

浅倉佐知子が右手を口にあて、驚いた表情で利明のほうを向き、棒立ちになっていた。しばらくどちらも声を出すことができなかった。一瞬、気まずい空気が流れた。浅倉は口をぱくぱくと動かしながら、しかし何と話しかけたらいいのかわからないといったように視線をあちこちへ動かしている。

利明は慌《あわ》てて笑みをつくり、手を挙げていった。

「……おはよう」

浅倉はそれにはっとして、それからようやく緊張を解いた。

「……おはようございます！」にこりと笑って軽く頭を下げてきた。

ほっと室内の空気が和《やわ》らいだ。利明は長い間大学に来れなくて迷惑をかけたことを詫《わ》び、そして葬儀のときに手伝ってくれた礼をいった。

「そんなこと、ぜんぜん気になさらないでください」浅倉は微笑《ほほえ》む。

「これまでのデータがどうなっているのか見せてくれないか」

その言葉に、浅倉は表情を輝かせて頷《うなず》いてくれた。

大抵の理科系学部では、学生は職員の下につき、その職員が研究しているテーマに沿って自分の実験をおこなう。薬学部でもそれに変わりはなかった。利明の所属する生体機能薬学講座には毎年十人の四年生が配属される。利明の講座には教授のほか助教授、講師がそれぞれひとりずつ、そして助手が二人おり、各々《おのおの》が分担して四年生を受け持つことになる。今年、利明は二人の四年生を担当していた。四年生は前期の試験も終わり、ようやく実験に集中できるという時期であった。ただし利明の受け持っている四年生はどちらも大学院への進学を希望しているため、八月に入ったら休みを取ることになる。大学院への選抜試験が八月の末日におこなわれるのだ。

浅倉はそうした試験に合格して大学院に進学した学生だった。四年のときにたまたま利明が指導していたので、修士課程に進学してからも同じテーマで研究を続けていた。現在修士課程二年だから今年度で卒業である。すでに大手の製薬企業に就職が内定していた。あとは修士論文を書くためのデータを揃《そろ》えるということになる。

「MOM19のレベルはやっぱり上がっていました」

浅倉はマッキントッシュからプリントアウトした解析データを見せながら、ここ一週間の結果を利明に報告した。浅倉は四年生のときや修士一年のときはまだ実験の組み立て方がぎこちないところがあったが、最近は直感力と応用力がついてきて、随分と研究者らしくなった。結果を説明するのも順序だてて簡潔であり、利明はすんなりと理解することができた。

「あと、先生が遺伝子導入《トランスフェクト》した細胞、いっぱいになっていたんで継代《けいだい》しておきました。レチノイドレセプターを入れたやつです」

何げなくいったその浅倉の言葉に、利明は少しひやりとしたものを感じた。

あの細胞に浅倉は気づいたのだろうか。

相槌《あいづち》をうちながら、利明は浅倉の顔を窺った。だがそのとき、研究室の扉が開いて四年生が入ってきた。利明がいるのを見つけてはっとする。

「おはよう」と利明は穏やかに声をかけた。それから四年生との話がはじまり、利明は浅倉に細胞のことについて探りを入れる機会を逸してしまった。

最初の浅倉との挨拶《あいさつ》がうまくいったためか、やがて出勤してきた講座の職員たちにも利明はぎくしゃくすることなく挨拶をすることができた。皆一様に頭を下げ悔やみの言葉を述べてくれたが、湿っぽくならずにすんだ。

「そんなに急いで来ることはないんだよ。すこし休んだらいい」

利明の講座の教授である石原陸男《りくお》はそういってくれた。しかし利明は心遣いには感謝しながらもそれを振り切った。

「大学に来ていないと却《かえ》って気がしずんでしまって」

「そうかい」教授は心配そうに眉《まゆ》を動かした。「あまり無理をしないでくれよ」

その夜、講座の職員が帰宅した後、利明は何げないふりをして培養室に入り培養器《インキュベーター》の扉を開けた。

中のステンレス板を引き出す。聖美の細胞を入れたプレートと培養フラスコが、昨夜と同じ状態で置かれていた。フラスコの上部には、利明の書いたＥｖｅという文字が見える。聖美の誕生日がクリスマス・イヴであったことを思い出し、細胞の名前としたのだった。

聖美の肝細胞のプライマリー・カルチャーを始めてから、利明は毎夜ここへ来て細胞を眺めていた。午前の二時か三時、学生たちが帰ったころを見計らって自宅を抜け出し、この細胞に会いに来た。培養室に来ていることを悟られないように、利明は部屋の明かりを点《つ》けなかった。クリーンベンチの中の殺菌灯が部屋を青白く染めるなか、利明はじっと顕微鏡のレンズに両目を当て、フラスコの中身に見入った。

　夜中に暗い部屋でひとり顕微鏡を覗《のぞ》いている、そんな姿を怖いと聖美はいうだろうか。そのとき利明はふと思った。聖美はテレビドラマの殺人シーンですら目を背けたものだった。家の中にいる虫を捕るときは必ず困ったような声をあげて利明を呼んだ。そんな聖美に、利明は自分の実験を詳しく話して聞かせることができなかった。結婚してからもしばらく聖美は無邪気に研究のことについて尋ねてきた。利明は研究の大まかな流れやすでにデータとして加工された結果については喜んで教えた。だがラットを解剖したり、癌《がん》細胞や大腸菌を培養したりといった具体的な操作はなるべく伏せておいた。聖美が怖がるといけないと思ったのだ。ねずみに注射するというだけで聖美はおびえたのだ。帰宅するときも実験動物の匂《にお》いが体に残っていないか気をつけたものだった。

　だが、今は聖美自身の細胞がこうして培養フラスコの中にある。通夜《つや》のときなど、利明はアパートで柩《ひつぎ》に納められた聖美の顔を見た後にここへ来てＥｖｅを観察していたのだ。利明はそのとき奇妙な錯覚に囚《とら》われた。聖美が分裂してあちこちに散らばっているような気がした。

そう、聖美は遺体と細胞だけではない。ふたつの腎がそれぞれべつの人間に移植されているのだ。

「残念ですが、移植を受けた方とはお会いできないことになっているんです」

昨日、電話の向こうで女性の声はそう答えた。

利明は言葉に詰まり、数秒間受話器を持ったまま沈黙してしまった。

「どうしてなんですか。お願いです、一度くらい……」

利明の哀願を相手は制した。

「患者さんのプライバシーがありますので。申し訳ありません、当院ではドナーのご遺族のかたの患者さんへの面会はご遠慮していただいているんです」

移植コーディネーターの織田から手紙が届き、利明は気持ちを抑えられなくなって市立中央病院へ電話をかけたのだった。手紙には聖美の腎臓がふたりの患者に移植されたこと、そのうち十四歳の女性のほうは術後も順調であること、臓器を提供してくれたことに皆感謝していることなどが丁寧な文章で書かれており、そして末尾になにか役に立てることがあればいつでも連絡してほしいと書き添えられていた。

聖美の腎臓がまだ生きて動いている。誰かの体の中で蘇《よみがえ》っている。そう思うと利明の心は疼《うず》いた。移植を受けた人物に会ってみたい、そしてできることなら聖美の痕跡《こんせき》をそこに見つけたい。

しかし結局、利明は失望して受話器を置くほかはなかった。

よく考えてみれば病院側の対応は妥当だった。ドナーの遺族とレシピエントとの接触を許可してしまうと、金銭関係のトラブルに発展するであろうことは想像に難《かた》くない。腎臓が生着しなかった場合、両者に精神的なしこりが生じる可能性もある。お互いの素性がわからないほうが、どちらもその後の人生で余計な心労を抱えずにすむ。

だが、理屈ではそうわかっていても、利明は諦《あきら》めきれなかった。

聖美の存在感が欲しかった。だがすでに遺体が灰になってしまった今となっては、この肝細胞を見るしか欲求を満たすことができないのだ。柩がなくなったアパートはあまりにも暗く、七月だというのに冷たかった。

研究室へ復帰しよう、そのときそう思ったのだった。仕事を始めればなにも夜中に大学へ行って細胞を見る必要はない。研究の合間にいつでも聖美に会うことができる。聖美と少しでも一緒にいたかった。

利明はフラスコをインキュベーターから取り出し、顕微鏡の下に置いた。そしてランプのスイッチを点け、レンズに双眼を近づけていった。

左手の中指でくるくるとつまみを回し、ピントをあわせる。たちまち細胞が姿を現した。細胞は突起を出して星状になり、フラスコの底面に付着している。視野の中には十数個の細胞が敷き詰められていた。利明は台座を動かし視野を左右に振ってフラスコ全体の様子を確かめた。プライマリー・カルチャーをおこなうのに必要な成長因子を幾つか培養液の中に加えていたので、Ｅｖｅは具合が悪くなることもなく生き生きとした状態を保っていた。

「……………?」

しばらく細胞の様子を見ていた利明は、奇妙なことに気づいて目を凝らした。

細胞が増えている。

普通、肝細胞は癌細胞と違い、さほど増殖するわけではない。必要なときに必要なだけ分裂する制御機構が働いている。この制御が効かなくなったのが癌細胞だ。したがって癌細胞をフラスコで培養すると、栄養分である血清さえ与えてやれば数日後にはフラスコ一杯にまで分裂、増殖してしまう。さらに培養を続けるためには細胞をフラスコからいったん取り出し、そのうちのほんの少しを戻してやるという間引きが必要になってくる。これを継代という。しかし増殖能力がもともと弱い肝細胞を培養する場合、血清のほかにわざわざ増殖を促進するような因子を培養液の中に入れてやって細胞が死なないようにするのである。それでも肝細胞は癌細胞のように勢いよく分裂、増殖を繰り返すわけではない。長くても数週間後には死滅してしまうのが普通である。

それが、この細胞の場合は違っているのだ。

細胞の敷き詰められかたが一様ではなく、群島のように密集しているところとまばらなところがあった。細胞が増殖したときにしかこのような形態は取らない。今まで気づかなかったのは迂闊《うかつ》だった。増殖の速度は日を追うごとに速くなっているようである。混在していた繊維芽細胞が増殖したのではないかと細胞の形を再確認したが、まぎれもなく肝細胞であった。

利明は別のフラスコやプレートの細胞も点検してみた。いずれも確実に分裂増殖していることがわかった。プレートのウェルの中はすでに細胞がひしめいていた。継代をしないと細胞は死んでしまう。

これはおもしろいかもしれない、と利明は思った。

通常の肝細胞でありながら、このＥｖｅはコンスタントに癌細胞並みの分裂増殖をする細胞なのだ。癌関連遺伝子が異常をきたしている可能性がある。しかし聖美の肝臓が癌に冒されていたとは考えられないから、極めて珍しいタイプの細胞が得られたことになる。いままで報告されたことのないようなユニークな突然変異が細胞内で起こっているに違いなかった。細胞株の樹立も容易なはずだ。

利明は早速クリーンベンチのランプを点け、ガスバーナーを焚《た》いた。トリプシンと培地を冷蔵庫から取り出す。15ｃｃ用のチューブを包装ごとクリーンベンチの中に放り込んだ。最後に細胞の入ったプレートを静かに置く。

利明はベンチの前に座り、細胞を回収しはじめた。この細胞をクローニングする必要があった。急速に利明はＥｖｅに興味を惹《ひ》かれていっていた。〈ミトコンドリア〉という自分の研究テーマに利用できるかもしれないのだ。利明の頭のなかでめまぐるしく疑問が交錯していた。ミトコンドリアの形状に変化はあるのだろうか。β《ベータ》酸化系酵素は誘導されているのか。レチノイドレセプターの発現はどうなのか。ＥＧＦレセプターのリン酸化は亢進《こうしん》しているのか。もしミトコンドリアが変化しているのであれば、それは細胞の増殖と関係があるのか。あるとすればそれはいったい何故《なぜ》か。

聖美の顔が目に浮かんだ。

聖美は笑っている。明るい笑顔だった。大きな瞳《ひとみ》、優しい曲線を描く眉、口紅を注《さ》さなくても淡く桃色に光る唇、柔らかな頰、それらが笑うと輝いてみえた。利明は聖美の笑顔が好きだった。ころころとした心地よい声が聞こえてきそうだった。

初めて聖美と会ったときのことを利明は思い出した。聖美は慣れないビールを飲んで少し赤くなっていたが、それでも笑顔の可愛《かわい》らしさは失っていなかった。そのとき利明は自分の研究についてつい饒舌《じょうぜつ》に話してしまったが、聖美は興味深げに聞いてくれた。それは付き合い始めてからも変わらなかった。相手のことをよく知りたいと思う聖美の純粋なところにも利明は惹かれた。だが一方で、聖美は実験に淡い嫉妬《しっと》を抱いているようでもあった。実験があるので帰りが遅くなるというと寂しそうな声を出した。それを不憫《ふびん》にも思ったが、しかし利明は聖美にどうしても伝えられないもどかしさを感じた。

聖美を愛することと研究に打ち込むことは全く次元の違うことなのだ。どちらを取るかという問題ではない。研究は自分にとってなくてはならないものなのだということを、結局最後まで聖美は理解してくれなかった。

だが、今は聖美と実験がひとつに融合している。

利明は奇妙な感慨を覚えた。この細胞を研究対象にすることで、同時に聖美と共にいることができる。

細胞の限外希釈をおこないながら、利明は全身に微熱が湧《わ》き起こっているのを感じていた。聖美が自分の体に呼びかけてきているような気がした。レシピエントに会えなくとも、この細胞がある。この細胞を扱うことで自分は聖美と繫《つな》がることができる。

大事に育ててやらなければならない。一日でも長くこの細胞の生命を延ばし、そして有意義なデータを出すのだ。そうすれば聖美もきっと喜んでくれるに違いない。結婚後も自分は遅く帰宅し、充分に聖美と接してやることができなかった。その分の愛情をこのＥｖｅに注ぐのだ。そう利明は決意し、次のプレートに取り掛かった。

5

「聖美のうちはお医者さんかあ、いいなあ」

よく友達はそんなことをいった。

聖美の家に遊びに来た友達は、その広さと装飾の多さに目を瞠《みは》った。居間にはグランドピアノが置かれ、木製の大きな本棚には可愛らしいオルゴールやフランス人形が飾ってあった。聖美の母は菓子をつくるのが趣味だったので、ケーキやクッキーをよく友達と食べた。

「うちなんてアパートなんだよ、お父さんは高校の先生でさ、お金がないっていつもいってる」

智佳《ちか》は焼きたてのクッキーを頬張りながら、しかし明るい口調でいった。聖美は、そんなことないよ、智佳のうちだってゲームとかいっぱいもってるじゃない、それにお兄さんだっているし、といってとりなした。

「あんなのだめだよお、ぜんぜんかっこよくないんだから」

智佳はそういって大袈裟《おおげさ》に首を振った。そしてけらけらと笑い、やっぱり聖美のうちは一番だよね、と付け加えた。

聖美は友達が多かった。みんなと一緒にいるのは楽しかった。中学校に入っても、そのほとんどと友達付き合いは続いていた。中でも智佳は中学一年、二年とクラスが同じだったこともあって、よく互いの家に遊びにいっていた。

聖美と智佳は性格も好みも違っていたが、なぜか気があった。大仰なデコレーションを施した聖美の家を、智佳はさすがブルジョアだなどと歴史の授業で覚えた単語を使ってからかっていた。だがそれには嫌みなところがなく、純粋な気持ちで称賛しているのだということがわかっていたので、聖美も悪い気はしなかった。聖美は母の趣味を引き継いだのか菓子づくりに最近興味を示しはじめ、ときどき母と一緒にケーキをつくったりしていた。人形やお手玉を縫ったりするのもおもしろかった。昨年の誕生日に父から『赤毛のアン』を買ってもらい、すぐにとりこになってしまった。今ではシリーズをすべて買い揃《そろ》え、最初から何度も読み返している。

「聖美って、どこからどこまでもお嬢様って感じだよねえ」智佳はしみじみという。

「こういううちで育ったらあたしもケーキ焼いたりするのかなあ」

ふたりはクッキーを食べ終わり、オレンジジュースをストローで啜《すす》っていた。

「でも、わたしは智佳みたいにはやく走れたらいいなって思うよ」

聖美は今日の体育の授業で見た智佳の五〇メートル走を思い出しながらいった。智佳は小柄だったが運動神経が良く、特に短距離走は学年でもトップクラスだった。市の大会にも何度か出たことがあり、秋の運動会ではいつも大活躍をしていた。腕の振りが力強く、クラス対抗リレーでは他クラスの男子を軽々と抜き去ってしまう。その姿はトラックの中で一際《ひときわ》目立っていた。

「だめだよ、陸上なんて。足に肉がついて太くなるだけだもの。いい男は寄ってこないよ」

　智佳は冗談めかして笑う。

「そんなことないって。智佳はかわいいから、きっといい人がみつかるよ」

「嘘《うそ》、うそ。かわいいっていうのは、聖美っていう言葉と同義語なんだよ。国語で習ったでしょ？」

　智佳はあははと声を出した。そして急に真面目《まじめ》な表情になり、ぐいと聖美に顔を近づけてきた。

「ど、どうしたの？」

　どきりとして聖美が尋ねた。

「尋問です。これは記録しますから、重要参考人は正直に答えなさい。しかし黙秘権は認められています」

「なんなの、智佳？」

「好みのタイプは？」

「え？」

　突然のことに、聖美は何と答えたらいいのかわからなくなった。きょろきょろと辺りを見回し、そして目を伏せてしまった。ごくりと唾《つば》を呑《の》み、そして上目づかいに智佳の顔を見た。智佳の瞳に悪戯《いたずら》っぽい色が浮かんだ。そして堪《こら》えきれなくなったのか、真一文字に結んだ口元を震わせ、そして弾《はじ》けるようにして笑い出した。

「やだなあ、聖美ったら」腹をかかえて智佳は笑い続けた。「そんなにおろおろしなくたっていいじゃない」

「だって……」

「きっと聖美のタイプは聖美のお父さんだよね」ようやく笑いを抑えた智佳がいう。

「そうかな」

「きっとそうだよ。ロマンスグレーって感じでさ、頼りがいのありそうなおじさんじゃない。ああいうお父さんの娘は理想が高くなるっていうよ」

「そんなつもりはないけど……」

「それにしても、聖美のうちってテレビドラマみたいだよね。渋いお父さんに、優しいお母さんに、かわいいお嬢さん、ホームドラマを地でいってるよね」

「恥ずかしいなあ、そんなこといわないでよ」

赤面して聖美は両手を振った。話題を変えようと声を張り上げる。

「もうわたしのことはいいから、そうだ、智佳はどうなの？　智佳のタイプを聞いてないよ」

「あたし？　そうだなあ」

急に智佳は真面目な口調に戻り、腕組みをして首を傾《かし》げた。智佳はころころと感情を変化させる。どちらかというと物静かな性格の聖美には、智佳のそういった開放的な側面がうらやましかった。

智佳はたっぷり三〇秒ほど考えていた。そして、にっこりと笑みを浮かべていった。

「やっぱり、ずっとあたしのことを思ってくれる人だなあ」

「……うん」

聖美も笑顔で頷《うなず》いていた。

聖美はそれなりに成績が良かった。中学校では三年間ブラスバンドの部活動を続け、塾へ通うこともせずに県内でも有数の進学率を誇る高校へ入ることができた。智佳は中学三年になって猛勉強した成果が実って、聖美と一緒にその高校に入ることができた。智佳は人前では明るく笑って苦労を見せないが、陰ではかなりの努力家なのだということに聖美は気がついていた。

聖美たちが入学した高校は、勉強だけでなく課外活動にも力を入れており、多くの生徒が何らかのサークルや部活動に所属していた。智佳は中学のときと同じく陸上部に入り、聖美もやはり吹奏楽部に入った。

高校生活は楽しかった。聖美は勉強や部活動の合間に好きな本を読んで過ごした。『源氏物語』を読み終え、続いて『赤毛のアン』の原書に挑戦した。

季節はどんどん過ぎていった。しかし聖美は心のどこかで、この学校生活がずっと続くものだと思っていた。だから二年生になった夏のある日、担任の先生がそのプリントを配ったときには、えっ、と驚きの声を上げてしまっていた。

それはぺらぺらのB5判の藁半紙《わらばんし》だった。印刷の墨が擦《こす》れて横に線を引いている。進路と志望大学の調査用紙だった。

その日の放課後、ブラスバンドの練習が終わり、楽器を片付けていると、智佳が練習室に訪ねてきた。学生鞄《かばん》とボストンバッグを片手に提げている。ドアの前に立ち、中を覗《のぞ》くような格好をしながら、空いたほうの手を軽く振ってきた。髪が少し濡《ぬ》れている。陸上部の部活動が終わってからシャワーを浴びたのだろう。帰り際に寄ってくれたのだ。聖美は笑みを浮かべて手を振り返し、少し待っててと指で合図した。

吹奏楽部員のほとんどが帰り、練習室が閑散としたところで、智佳は中に入ってきて聖美のそばに座った。そして楽器を拭《ふ》く聖美の手元をぼんやりと見つめながら、

「どうする？　聖美」と尋ねてきた。

「うーん、ぜんぜん考えてないよ」

聖美は大袈裟に首を振った。窓からはまだ暑い陽射《ひざ》しが入り込み、聖美の手元を照らしている。だがその暑さも日中の挑みかかるような強さではなく、どこかだらりとけだるい残照になっていた。時計は六時半を指していた。いつのまにか裏の体育館から聞こ

えるはずのバスケット部員の声がなくなっていた。

ふたりは並んで自転車をこいで家路についた。住宅街を抜ける道はなぜか眠ったように人気がなかった。ふたりとも黙っていた。話し出すきっかけを逸してしまったのだ。聖美は気まずさを感じながら智佳の自転車のスピードにあわせてペダルをこいでいた。

「ようやく高校に慣れてきたのに、もう進路を決めないといけないなんて、慌《あわ》ただしいよね」

意を決し、聖美は静寂を断ち切ろうと努めて明るい口調で智佳に話しかけた。「わたしなんか今はブラスバンドのことしか考えられないよ」

だが、智佳は遠く前方を見つめたまま黙ってペダルをこぐばかりだった。聖美はそんな智佳の横顔を見て、そして智佳の視線を追った。すでにふたりは住宅街を過ぎ、田圃《たんぼ》の真ん中を一直線に抜ける舗装道路に入っていた。暑い陽射しは宵闇《よいやみ》に追われ、次第に周囲は濃紺へと変わろうとしていた。雲の隙間《すきま》にひとつ、小さな星の明かりが見えた。

そのときだった。

「あたし、医者になろうかなあ」

ぽつりと智佳はいった。

聖美ははっとして智佳を見つめた。智佳はしかし、聖美のほうを向こうとはせず、前方に広がる空に視線を留めていた。

智佳の母親は春に亡《な》くなっていた。聖美にはよくわからなかったが、なんでも心臓が悪かったのだそうだ。看病や葬儀で忙しかったはずなのに、智佳は沈んだ表情を聖美には決して見せようとはしなかった。いつも快活に笑い、冗談をとばし、聖美のいい話し相手になってくれた。その間、智佳が心の中で何を考え続けていたのか、聖美にはわからなかったのだ。

その夜、聖美はなかなか寝付けなかった。

自分は何になりたいのだろう。これまでそんなことを真剣に考えたことはなかった。自分が就職して給料をもらっている姿を想像することもできなかった。大学に行くだろうとは思っていたが、では具体的にどの学部に行きたいのか、どんな職業に就きたいのか、はっきりとした展望を持ってはいなかった。まだ時間はある。そういったことは大学に入ってから決めればいい。そんなぼんやりとしたことしか頭の中になかったのだ。

それだけに、今日の智佳の独り言は聖美の胸を衝《つ》いてきた。

智佳は少なくとも将来どんな職業に就きたいという希望を持っている。自分にはそれがない。自分が何をしたいのかということすらわかっていない。

智佳が自分よりずっと前へと歩いていってしまったような気がした。

自分はこれからどのように生きてゆくのだろう、と聖美は思った。どんな人と一緒になり、どんな子供を育て、どのように死んでゆくのだろう。

聖美はベッドの中で目を開き、暗い天井を見つめた。思考は拡散していった。天井から吊《つ》り下がっている蛍光灯がゆっくりと回り始めた。自分が起きているのか眠っているのかすら定かでなくなってきた。ただ頭の中で無数の疑問が湧き起こり、溢《あふ》れて零《こぼ》れてゆくだけだった。

6

「どうだい、気分のほうは」

吉住貴嗣は努めて笑顔を見せながら麻理子にいった。

手術から五日が過ぎ、麻理子に移植した腎《じん》はこれといったトラブルもなく順調に機能していた。一昨日には腎の上極に残してあったドレーンを抜き、そして今日は尿道に入れたカテーテルを抜去した。まだ麻理子の腹部には膀胱《ぼうこう》前面へのドレーンチューブが挿入されていたが、これも明日には取り外す予定だった。

麻理子はわずかに吉住の顔を見たあと、ついと横を向いてしまった。

……だめか。

しかし吉住はその思いを顔に出さないよう気をつけながら再び麻理子に話しかけた。

「熱はさがってきたようだね。C―反応性タンパク《CRP》の値も下がってきている。ずいぶん楽になったろう。そうだな、すこし貧血気味だから輸液の量を調節しようか」

吉住は検査結果をなるべくわかりやすく麻理子に話した。自分の体がどんな状態かわかれば今後の治療に対しても積極的な姿勢を示してくれるだろうし、なによりも拒絶反応や感染症の兆《きざ》しがいまのところ見られないと知ればほっとするだろうと思ったのだ。

本当の移植治療は手術が終わってから始まるといってもよい。特に腎移植の場合、手術自体はさほど複雑ではない。それなりに訓練を積んだ外科医なら誰でもおこなえる術式である。しかし問題はそれからだと吉住は思っていた。

本来、移植する腎臓という臓器は、レシピエントにとって自分の体とは相容《あいい》れない異物である。従ってどうしても移植腎を排除しようという免疫《めんえき》反応がレシピエントの体の中で働いてしまう。これを少しでも抑えるために、HLA適合性試験をおこない、レシピエントの体に似た性質の腎を移植してやるわけである。しかし、それだけで免疫反応を抑えられるわけではない。そこでレシピエントには免疫抑制剤を常に投与する必要がある。かつての移植治療では免疫抑制剤としてプレドニンという副腎ステロイドとアザチオプリンという薬剤の二剤併用療法が用いられていたが、移植腎の生着率はいまひとつといったところであった。しかし現在ではサイクロスポリンや、あるいはＦＫ５０６という優れた免疫抑制剤が開発され、生着率が飛躍的に向上した。ただしこのふたつの薬剤は腎毒性が見られることがわかってきたので、現在では単独での使用は避け、他剤との併用で投与するのが一般的だとされている。吉住たちのグループでは様々な臨床成績を考え併せて、サイクロスポリンを低用量に留《とど》め、これに副腎ステロイド剤、そしてミゾリビンという抗生物質を併用するという三剤併用療法を採用していた。麻理子の場合は再移植なので、若干用量を落として処方してある。

免疫を抑制することにより移植腎に対する拒絶反応は抑えられる。しかしそれは同時に、レシピエントが細菌に感染しやすくなるということでもある。免疫が抑制されている患者にとって、病原細菌に感染するのは生死にかかわる問題なのだ。これが移植は手術してからが難しいといわれる理由であった。術後はつねに患者の体を検査し、拒絶反応の兆候が見られないか、あるいは感染症になってはいないかをチェックする必要があるのだった。そして患者の容体にあわせて免疫抑制剤の投与量を変化させなければならない。よく移植患者が拒絶反応と細菌感染のあいだをつなわたりしてゆくと例えられる所以《ゆえん》であった。移植治療は移植医だけでおこなうのではなく、看護婦や臨床検査技師、あるいは薬剤師との緊密な情報交換と連携が必須《ひっす》であることを、吉住は痛感していた。

「…………」

麻理子は横を向いたままだった。吉住は後方に立っている麻理子の父親に視線を投げた。だが父親も吉住から目を逸《そ》らしてしまった。

いったいどうなっているのだろう。吉住は心の中で吐息をついた。

麻理子はまったく打ち解けてこようとはしない。それは吉住に対してだけではなく、父親や看護婦たちにも同様らしかった。まるで自分が移植を受けたという事実をすこしでも忘れたい、否定したいとでも思っているようだ。

確かに、小児の患者の中には医師たちや親が権威主義的なものに感じられて反発を覚える者もいる。吉住もこれまで担当したレシピエントにそういったケースがあったのを覚えていた。しかし、麻理子の場合はそれだけではないような気がした。なぜ麻理子がここまで移植というものを頭から拒絶しようと思うのか吉住にはわからなかった。

……それがわからなかったから、二年前、麻理子に腎が生着しなかったのではないか。そんな自問が胸に湧《わ》き上がってきた。吉住はあわててそれを打ち消そうと首を振った。

「明後日《あさって》くらいにはベッドから起きられるようになるだろう。すこし歩けばおなかもへる。食事もおいしくなるよ」

そういって吉住は麻理子の頭を撫《な》でた。横についている看護婦が、そうよね、麻理子ちゃん、といって微笑《ほほえ》んでくれる。しかし、やはり麻理子は吉住のほうを見ようともせず、黙っているだけだった。撫でられているということすら意識の外に出そうとしているのか、頭にまったく力が入っていなかった。首ががくがくと揺れたので、吉住は手を退《ど》けざるを得なかった。

麻理子は自分から治療を成功させようという意志を持たなくなってしまったのだろう

か。

二年前の麻理子はこうではなかった。

「先生！」麻理子はそのとき飛びついてきたのだ。

麻理子は吉住に顔をこすりつけ、そして何度もありがとうといった。麻理子はわずかに涙さえ浮かべていた。吉住は麻理子に笑みを返し、そして今のように頭を撫でたのだった。


麻理子は最初の移植を受けるまで、ほぼ一年の間透析を続けていた。その後、父親が腎臓を提供したいと担当医に申し入れたため、この市立中央病院で移植手術を受けることになった。

初めて麻理子が父親と吉住の前に現れたのは、ちょうど桜が満開の時期だった。吉住たち移植医が患者と面会する部屋からは、病院の中庭に植えられている桜がよく見える。麻理子はしばし、窓から見える桃色の景色に見とれていた。

麻理子は当時小学校六年生になったばかりだった。おかっぱで、白いシャツに緑のスカートを穿《は》いていた。額が広く、目がくりくりとしていた。吉住の話をよく聞き、可笑《おか》しいと思ったときには素直に笑顔を見せた。腎不全のためか頬のあたりにすこしむくみが見られたが、全体的に可愛《かわい》らしい少女だった。身長が低いせいかもしれないな、と思った。聞くと二年ほど前から身長があまり伸びなくなってきたのだという。クラスの中でも背の高いほうだったのが、どんどん体育や朝礼の整列のときに前のほうに移ってきてしまっているのだといった。麻理子はそれをすこし気にしているようだった。

　吉住の病院では、移植の前に何回か患者に対してオリエンテーションのようなものをおこなうことにしていた。移植とはどのような治療法なのか、どんな長所と短所があるのか、実際にどのような手術がおこなわれるのか、移植後の生活をどのように営んでゆけばいいのか。そういったことを事前に患者に伝えておくことにより、患者の移植に対する誤解や不安感をなくすのが目的だった。看護婦がこの役目をはたすこともあるが、麻理子の場合は吉住みずから説明役を担当した。

　麻理子は熱心に吉住の話を聞いた。手術してからもずっと免疫抑制剤を飲み続けなければならないと知ったときはショックを受けたようだったが、それでもすぐにそれを心の中で受け入れたようだった。

「ずっとって、どのぐらいですか」

　麻理子はまっすぐに吉住の目をみつめて、そう尋ねてきた。

「生きているあいだは、ずっとだ」吉住も麻理子の瞳《ひとみ》から目を逸らさずに答えた。

「死ぬまでずっと？」

「そうだ。できるかな」

麻理子は目を伏せた。しばらくの間、麻理子は沈黙していた。真剣にそのことを考えているようだった。そして十数秒後、ぱっと顔を上げた。口をきつく結んで麻理子はこっくりと頷《うなず》いたのだった。

手術のビデオも麻理子にとっては驚きだったようだ。この手術を麻理子ちゃんもやるんだよというと少し怖そうな素振りを見せ、

「痛いのかな……」

と聞いてきた。しかし麻酔をかけるから心配しなくてもいいと吉住がいうと、ほっとしたように笑った。

父親の左の腎が麻理子の右の下腹部へ移植された。術後経過は良好だった。ATNも起こらず、血栓も観察されなかった。

術後数日間、麻理子はよくしゃべった。うれしくてしかたがないといった感じであった。看護婦にも吉住にも笑顔で話しかけてきた。移植直後に典型的な多幸感、多弁傾向である。とにかくこれで透析から離れられるという解放感からくるものだ。移植への期待が大きい患者ほど、この傾向が強い。しかし麻理子の笑みを見ていると吉住も悪い気はしなかった。麻理子にとって、これまでの透析生活は決して楽なものではなかったのだろう。今回の移植を本当に喜んでいるのがよくわかった。

麻理子は自分の体から尿が出るということに素直に感激した。尿を出すという感覚を

ようやく思い出すことができたのだろう、術後一週間ほどして、回診に訪れた吉住に麻理子はいきなり飛びついてきたのだった。

麻理子はうれし涙を浮かべていた。先生、先生といいながら、吉住の白衣に顔を埋めた。吉住はそっと麻理子の頭を撫でてやった。

退院後何度も吉住は麻理子と会い、診察をした。麻理子はステロイド剤の副作用ですこし顔が丸みがかっていたが、それでも可愛らしさに変わりはなかった。給食をみんなと同じように食べられるということがとても嬉《うれ》しいようだった。それまでは透析療法のため食事制限をせざるをえなかったのだ。

食事がおいしいと麻理子は笑った。透析が終わってよかった、移植をしてよかったと、麻理子は何度も繰り返した。

「先生、もうあたしは治ったんですよね。もう病気じゃないんですよね」

いつだったか、雑談が途切れたとき麻理子がそんなことを聞いてきたことがあった。唇の両端をきゅっと上向かせて笑みを浮かべ、大きな瞳で吉住の顔を覗《のぞ》き込んできた。なぜ麻理子はあんなことを聞いてきたのだろう。

一瞬、吉住はどう答えていいのかわからなくなった。麻理子の真意がつかめなかったのだ。

「確かに、麻理子ちゃんはもう普通の人とおんなじ生活ができるから、治ったともいえるかな」吉住は答えた。「でも、いいかい、移植っていうのはちょっとでも気を抜いたらだめなんだよ。いまも免疫抑制剤をうちで飲んでいるだろう？ あれはぜったいに飲み忘れちゃいけない。せっかく生着した腎臓が働かなくなってしまうからね。だからどんなときでも自分が移植したということを忘れてはだめだよ。ほら、最初に約束したろう、お薬をずっと飲みますって。できるね」

「……うん」

そのときも麻理子は頷いたのだ。

そう。

頷いたのだ。

それなのに、麻理子はその四カ月後に手術室へ戻ってきた……。

「まだ麻理子ちゃんの体から病原細菌は確認されていません」

吉住は父親の安斉重徳とともに麻理子の病室を出た。別棟にある吉住の医局のほうへ招く。父親のほうにより具体的な術後経過を知らせておく必要があった。吉住は安斉をソファに座るよう促し、自分はテーブルを挟んで反対側に座った。

「看護婦が毎日、麻理子ちゃんの血液や尿、喀痰《かくたん》、それにドレーン液を採取して検査部へ送っています。そこで細菌が感染しているかどうかをチェックするわけです。いまのところは何も見つかっていないので、ご安心ください」

安斉はほっとしたようで、額の汗を拭《ぬぐ》った。

「ところで……安斉さん」

吉住はそれを見定めてからゆっくりと切り出した。このさい父親に聞いてみようと思ったのだ。

「どうして麻理子ちゃんはあんなふうになってしまったんです？」

安斉は視線を下に落としたままだった。

「安斉さん」もういちど訊《き》く。

「それが……わからないのです」

詰まるような声が返ってきた。吉住は無言で促した。

「前の移植がだめになってから……麻理子が何を考えているのかよくわからなくなってしまいました。感情を表に出さないのです。私がいけなかったのかもしれませんが……」

「麻理子ちゃんは移植を嫌がっていたのですか？」

「そんなことはない」

突然安斉が顔を上げた。強い口調だったが、しかし言葉の端が震えているのがわかった。吉住はできるだけ暖かみのある表情をつくっていった。

「安斉さん、本当のことをおっしゃってください。もちろん親御さんの立場からすれば、娘さんが移植で治ってもらいたいと考えるのはよくわかります。それが当然のことです。……しかし、麻理子ちゃん自身はそう考えていなかったんですね？」

「ええ……」安斉は頭《こうべ》を垂れた。「いまさらこんなことをいうのは病院の方々に申し訳ないと思いますが……、コーディネーターのかたから電話をいただいたときもそうでした。はじめ麻理子が受けたのですが、私に黙っていたのです。あとで移植の話が来たということを知ってあわてて連絡を取ったんですが……、そのとき、麻理子は猛烈に拒否しました。痙攣《けいれん》を起こして……異常といってもいいくらいでした」

「異常……？」

「『わたしはお化けじゃない』といって……」

「…………」

どういうことなのかわからなかった。吉住は話題を変えた。

「麻理子ちゃんは手術をしてからずっと悪い夢を見ているようです。なにか心当たりがありますか」

「それもわからないのです」安斉は絶望したように首を振った。

「麻理子ちゃんはなにかを怖がっているんじゃないでしょうか。もしかしたら移植に対してなにか良くないイメージを持ってしまったのでは……。それで手術を受けるのをいやがり、夜中にうなされてしまう。もっとも、麻理子ちゃんは私に対しても以前とはまるで違ったふうになってしまっています。どうも移植手術そのものより、移植という行為や、私のような移植医に対していい感情を持っていないようです。どうでしょう、なにか思い出しませんか」

「申し訳ありません、何もわからないんです」

だが安斉はそういってうなだれるばかりだった。まるでこちらが教えてほしいと訴えているようでもあった。そんな安斉の姿に、吉住は強い同情を覚えた。

「……もうひとりのレシピエントのかたは、促進性の急性拒絶反応が出たそうです」

吉住はぽつりといった。

「促進……なんです?」

「術後二十四時間から一週間以内に発生する拒絶反応のことです。レシピエントのかたが、偶然ドナーの同種抗原に対する前感作抗体を持っていたことによって起こるんです。いま治療が続けられているところだそうです」

「…………」

「幸いにして麻理子ちゃんは順調です。しかし、これからどうなるかは私にもわからないんです。もちろん全力を尽くしますが……麻理子ちゃん自身に治ろうという意志がないと、麻理子ちゃんが細菌に負けてしまうことも考えられます。なんとかして麻理子ちゃんが心を開いてくれるよう、お互いに努力しましょう」

「……そうなってくれたらどんなにいいことか……」

安斉の声は消え入りそうなほど小さかった。

7

利明は共焦点レーザー走査顕微鏡の前に座り、付属のマウスを操作して測定条件を入力していた。試料台の上には培養フラスコを置いてある。つい今しがたＥｖｅ１《イヴワン》をローダミン１２３で染色したばかりだった。

この数日で利明は聖美の肝細胞であるＥｖｅのクローニングを終えていた。利明はこのうち最も増殖力のあるクローンをＥｖｅ１と名付け、これを幾つかの実験に使えるように増殖させておいたのだった。

薬学部の二階にある共同実験室に、この春から共焦点レーザー顕微鏡が導入された。ＡＣＡＳ《エイカス》 ＵＬＴＩＭＡ《ウルティマ》という最新モデルである。ちょっとした事務デスクほどもある大きな機械だった。左側に倒立顕微鏡が設置されており、右にはコマンドを入力したり解析データを呼び出すモニタが備え付けられている。レーザー照射管がその後ろにある。コンピュータはデスクの下に置かれていた。

利明はＥｖｅ１細胞に存在するミトコンドリアの構造を調べようとしていた。ローダミン１２３は細胞内のミトコンドリアを特異的に染める蛍光色素である。顕微鏡にセットしてある細胞はすでにこの試薬を反応させたものだ。ここにレーザー光を当てると、蛍光試薬が反応して、ある波長の光を発する。その波長のみを透過するフィルターを通して細胞を観察すれば、ミトコンドリアの姿が浮かび上がってくるというわけである。ただしこのＡＣＡＳ　ＵＬＴＩＭＡの画期的なところは、細胞のあらゆる部分に焦点を当てられるということにあった。細胞はそれ自体に厚みがあり、普通の顕微鏡で観察した場合、どうしても細胞全体にピントを合わせることができない。したがってシャープな解析像が得られないのだ。その問題を解決したのが共焦点レーザー顕微鏡である。この機械は細胞を上から下へ輪切りにしたような映像を何十枚もモニタに現してくれる。このあとコンピュータで画像解析処理をおこなえば、これらの映像を重層化させ、細胞の立体的な姿を浮かび上がらせてくれるのだ。三次元的な構造解析が望まれる神経細胞などの研究にこの機械は威力を発揮していた。

利明が画面の下部をクリックしてスタートを指示すると、モニタに次々と画像が映し出されていった。黒いバックグラウンドの中のところどころに、細長い緑色の物体が浮かび上がる。細胞内のミトコンドリアである。

データの読み込みが終わったところで利明は幾つかのコマンドを指定し、三次元プロットを画面に呼び出させた。

鮮やかな画像がモニタに映し出された。その瞬間、利明は思わず声をあげていた。これまでに見たどんなミトコンドリアとも違う形状であった。複雑に伸展し、互いに融合しあい、細胞内で迷路を形作るかのように高度な三次元構造を取っていた。まるでエネルギーのスーパーハイウェイが細胞の中に建設されているかに見える。

利明は胸の高鳴りを覚えながら、フラスコ内の別の細胞を選択し、同様の走査をおこなってみた。結果は同じであった。Ｅｖｅ１のミトコンドリアは信じがたいほどの形状変化を起こしていた。

利明は解析結果をプリントアウトするとすぐに機械をシャットダウンし、五階の研究室へ戻った。ローダミン１２３で染色したＥｖｅ１が、まだいくらか残っている。これを流動細胞光度測定機《フローサイトメーター》で解析してみようと思い立ったのだ。

染色済みのＥｖｅ１をフラスコから回収し、遠心洗浄する。そして緩衝液《バッファ》に懸濁したのち、利明はそれを持って再び共同実験室に戻った。フローサイトメーターの電源を入れる。しばらくしてモニタに初期画面が浮かび上がった。測定のための設定をおこなう。

フローサイトメーターも細胞の蛍光強度を測定する機械である。機械の下に飛び出ているノズルに細胞懸濁液の入ったチューブをセットすると、細胞は機械の中に吸い込まれ、レーザー照射部分に送られる。この部分は非常に細い管で出来ているので、細胞はひとつずつ並んで管の中を通り、順番にレーザーを浴びることになる。レーザーが当たると細胞は蛍光を発する。蛍光は細胞がどれだけ蛍光試薬によって染色されたか、すなわちこの場合はミトコンドリアがどれだけ細胞の中に存在するかを示す指標になる。この機械は顕微鏡と違い、ひとつひとつ細胞の染色の度合いを定量的に測定してグラフにしてくれるのが特徴だった。

利明はチューブをセットし、画面上のＧＯをクリックした。たちまちモニタに細胞の大きさを示す無数のドットがめまぐるしく現れる。その右に映し出されているヒストグラムに利明は目を凝らした。蛍光強度を示す棒グラフがちかちかと動いた。

「これは……」

蛍光強度のレンジが最大にまで振り切れているのがわかった。細胞の中に通常では考えられないほどのミトコンドリアが存在することを意味していた。さきほどの顕微鏡による解析結果と考え併せると、このＥｖｅ１は、細胞ひとつ当たりのミトコンドリアの量が増加しているうえ、その形状も顕著に変化していることになる。明らかにミトコンドリアの機能を制御する機構が異常をきたし、ミトコンドリアを必要以上に誘導していると考えられた。これほどまでに誘導を受けたミトコンドリアを報告している論文を、利明は知らなかった。凄《すさ》まじいとしかいいようがない。細胞自体が異様な増殖能を獲得していることから、遺伝子結合タンパク質の突然変異が起こっていることも示唆《しさ》される。

それが細胞内のミトコンドリアに影響を及ぼしている可能性が高い。

利明の背筋にいいようのない興奮が閃《はし》った。

いったい聖美の体の中で何が起こっていたのだろう。

利明は解析結果をプリントアウトするとすぐに、駆け足で研究室に戻った。浅倉が自分の実験机《プラッツ》の前でDNAの抽出をおこなっていた。

「浅倉さん、ちょっと来てくれ」

利明は半ば強引に浅倉を培養室に連れ込んだ。インキュベーターの中に入っているEve1のフラスコを見せる。浅倉は怪訝《けげん》そうな表情をした。

「この細胞のメッセンジャーRNAを取っておいてくれないか」利明はフラスコを顕微鏡の下に置き、浅倉に細胞の様子を見るよう促した。「β《ベータ》酸化系酵素の誘導をノザンブロットで調べてみたい」

「……これ、なんの細胞なんですか？」

浅倉はレンズから目を離して訊いてきた。突然のことに戸惑っている様子だった。だが利明は細胞の素性については言葉を濁し、よその大学からもらった細胞だと説明しておいた。浅倉は納得のいかない顔をしたが、それ以上尋ねようとはせず、曖昧《あいまい》に頷《うなず》いた。

その夜、利明は久しぶりに聖美以外の夢を見た。

夢の中で利明は小学生だった。半ズボンとTシャツ姿で、利明は畳に座り込みプラモデルを作っていた。扇風機が首を振り、一定の間隔をおいて利明の背中に生ぬるい風を送っていた。どこかで風鈴がかすかに音を立てた。額に汗が滲《にじ》んでいた。思い出した。そうだ、あの夏は暑かったのだ。

利明はどちらかというと外でみんなと遊ぶより家で本を読んだり工作をしたりするほうが好きな少年だった。学習雑誌の怪獣図解などの読み物や、恐竜の図鑑を眺めているのが楽しかった。動物園や博物館へ行くのも好きだった。

夏休みも終わりに近づいたその日、父に連れていってもらった科学博物館に奇妙なプラモデルが展示されているのを見つけたのだ。それはカニのプラモデルだった。水中で歩くカニの動作を研究する生物学者が、カニそっくりの動きができるロボットをつくったのだという。リモートコントロールで自由にカニを動かすことができるらしい。そのプラモデルが商品化されて売られているのだった。利明はそれに強く惹《ひ》かれ、買ってもらった。そして早速それを作っているのだった。

パーツが少ないこともあってか、さほど時間もかからずにカニは完成した。大きなハサミと足がついている。リモコンのスイッチを入れると中心部でモーターが回転し、カニはボルトで繋《つな》がれた関節をゆっくりと動かしてハサミを振った。本当に潮を招くようだった。利明はうれしくなって別のボタンを押した。足がかしゃかしゃと交互に動き、横に歩いてゆく。水族館の水槽にいる本物と、それは全く同じ動きだった。利明は夢中でカニを散歩させた。

そして不意に、利明はカニがこれだけの単純なパーツで動いていることに気づき、はっと息を呑《の》んだ。小さなモーターひとつで本物のカニを真似《まね》することができる。生き物というのはとても単純なものなのだろうか。

しかしそうは考えられなかった。何年か前におたまじゃくしを飼ったときのことを思い出したのだ。後ろ脚が生え、前足が生え、しっぽがなくなってゆく様子を、毎日利明はどきどきしながら見つめていた。あれはロボットでは到底真似できない。

生き物というものが、すごく不思議なものに思えた。

そして、モーターもないのに動いている自分が、すごく不思議だった。

部屋の隅には去年の夏休みにつくった走馬灯が転がっている。文房具屋から木工用のベニヤ板やセロハンなどを買ってきて、夏休みの自由工作として作ったものだった。夜、利明はその走馬灯を持ってベランダに出た。中に蠟燭《ろうそく》をいれて火を灯すと、上に備え付けられた紙のプロペラがゆっくりと回転し、それに連動してセロハンの筒が回り出した。どこか紫がかった闇《やみ》の中に、赤や緑色をしたゴジラのシルエットが浮かび上がり、静かにくるくると動いた……。

やがて中学、高校と進むにつれ、利明は生き物がＤＮＡというものによって制御されていることを知った。その構造があまりにも完璧《かんぺき》なことに、利明は純粋な驚きを感じた。なぜ生命はこんなにもきれいに遺伝暗号を設計することができたのか、そしてなぜこんなにも多様な生命の変種をそれほどまでに単純な構造で表現することができたのか、不思議でならなかった。

突然、夢が場面転換した。気がつくと利明は研究室にいた。しかしそこは全体的に薄ぼんやりとしており、なんだか古臭い感じがした。そういえばペプチド合成機もサーマルサイクラーも見当たらない。時代がかった大きなカラムが何本もプラッツの上に置かれている。利明はそこが昔の第二研究室だとわかった。利明が四年生で講座に配属された年の光景だった。

「きみにはミトコンドリアをテーマにしてもらおうと思う」

まだ若く生気に溢《あふ》れる石原教授は、利明を呼び出してこういった。利明が生体機能薬学講座に入る前年に赴任してきたばかりで、教授は新しいテーマを模索しているところだった。

「いまはまだ核遺伝子のことしかどの研究者も考えていないけどね、近い将来それだけじゃ生命の本質が語れなくなる。細胞の中にも社会があるはずだ。その社会の中のどこか一部がおかしくなっても秩序は保てない。もっと全体を見る必要があると思うんだ。どうだい、永島くん。きみ、やってみないか。どんどんアイデアを出して欲しい」

たちまち利明はミトコンドリアにのめり込んだ。ＤＮＡの構成ひとつをとっても核とは全く異なっており、すべてが新鮮だった。それまで授業で習ってきた生化学や遺伝子の知識を超えた未知の世界がそこにはあった。自分がこの領域を切り拓《ひら》いていく、そんな興奮が利明の胸を高鳴らせた。

くるくると回る走馬灯のように、ミトコンドリアが音も立てず回転していた。ミトコンドリアは幾つも絡《から》まり合いながら巨大な塊を形成していた。ぐるぐると回っていた。マグリットの石のようにそれは空中に浮かび、黒い影を落としながら、ゆっくりと、そして悠々と、回転を続けていた。利明は夢の中でその姿を見上げていた。それは太陽の光を遮り、ほとんど闇のような形しか識別できなかった。利明は足元がともすれば地面から離れ、その闇に呑み込まれそうになるのをかろうじて堪《こら》えながら、いつまでもその姿を見上げていた。

Ｅｖｅ１の解析は順調に進んだ。

知らぬ間にカレンダーがめくれ、八月に入っていた。暑い日が毎日続いていた。校舎の周りを囲む樹木の葉が強い陽射《ひざ》しを鏡のように眩《まぶ》しく照り返し、それが研究室の窓ガラスを射抜いて部屋の中を蒸し上げる。クーラーの効かない薬学部では、すべての講座でたちまちのうちに研究が停滞していった。四年生は大学院の試験勉強のために休みに入り、それが停滞に拍車をかけた。利明の所属する講座も途端に閑散となり、緊張感が目に見えてなくなっていった。研究室には利明と浅倉だけが残された。だが利明にはそんなことは関係なかった。熱気の籠《こ》もる研究室で、利明は浅倉に指示を出しながらEve1の分析に没頭した。

ノザンブロットやRT‐PCRによる解析結果から、Eve1は顕著にβ酸化系酵素を誘導、発現していることが明らかになった。

「こんなの初めて見ました」実際に実験をおこなった浅倉は、データを利明に見せると き興奮を隠せなかった。

「クロフィブレートを入れたってこんなに誘導はかかりませんよ。最初からこんなにバンドが出るなんて、いったいこの細胞はどうなってるんですか?」

浅倉の示す写真には、黒々とした大きなバンドが映っていた。酵素のメッセンジャーRNAが増加していることを示している。

「クロフィブレートか……」利明はそう呟《つぶや》き、浅倉の顔を見た。

「こいつのレチノイドレセプターの発現量を調べてみよう。それから、培地にクロフィブレートを入れてみるんだ。増殖能とミトコンドリアの形状を見て、それに移行《インポート》実験だな。どのくらい移行が促進されているか、ちゃんとデータを出しておこう。ところで、浅倉さん、いつから休みをとるのか教えてくれないかな」

「いえ……」浅倉は少し笑みを浮かべ、首を傾《かし》げた。「今年度で卒業ですから……休みは取らないで実験しようと思ってますけど」

「それならもうすこしこの実験を進めることにしよう。九月の学会の準備は今月の終わりになってからで大丈夫だろう。もうデータは揃《そろ》っているからね」

「わかりました」浅倉がこっくりと頷いた。

　利明はＥｖｅ１を培養しているフラスコに、様々なペルオキシゾーム増殖薬を添加してみた。ペルオキシゾーム増殖薬とは、文字どおり細胞の中のペルオキシゾームという細胞小器官《オルガネラ》を増殖させる物質である。その代表例がクロフィブレートという高脂血症用薬だ。しかし同時にこれらの物質は、ミトコンドリア内のβ酸化系酵素を誘導させたり、ミトコンドリア自体の形状を変化させることを、利明はすでに学生時代の実験で明らかにしていた。もともとミトコンドリアが誘導されているＥｖｅ１にこれらの物質を与えて、さらに誘導を促進させてやろうというわけであった。

　結果は予想どおりだった。Ｅｖｅ１のミトコンドリアはクロフィブレートの添加によって凄まじいまでの伸展を見せ、酵素の発現は莫大《ばくだい》なものとなった。酵素のミトコンドリアへの移行作用は当然のことながら顕著に促進された。あとは遺伝子レベルで詳細に誘導機序を検討することになる。ミトコンドリアの増殖機序は、このＥｖｅ１によって必ず解明される、利明はそう確信した。

「来たぞ！」

緑色の郵便袋からそれを取り出す瞬間、利明の胸には熱い興奮が沸き起こっていた。『nature』という文字が袋の中から現れた。そのすぐ下に「INTERNATIONAL WEEKLY JOURNAL OF SCIENCE」という活字が見て取れる。浅倉が利明の肩越しに期待にあふれた表情でじっとそれを見つめている。利明は袋を破るようにして雑誌を取り出した。エスニックな壁画写真が印刷された表紙が目に眩しい。そこには特集記事の題名なのだろう、「Science in Mexico」と大きく印刷されており、そしてその下にはやや小さい字で「Approaches to mitochondrial biogenesis」とあった。

あわてて利明はページをめくり目次を開いた。「LETTERS TO NATURE」の部分を指でたどる。ミトコンドリア関係の論文がふたつ並んでおり、目的のものは後のほうにあった。

ページ数を確認してそこを広げる。ゴシック体の文字が目に飛び込んでくる。

「やった！」浅倉が歓声をあげていた。

利明は体の中で熱い思いがじんと音を立てるのを感じた。自分の論文だ。自分が書いた論文が『ネイチャー』に載っている。利明と浅倉、そして教授の名がそこにはちゃんと印刷されていた。すでに別刷《コピー》は郵送されてきてはいたが、こうして雑誌を手に取って見るのとでは興奮が全く違っていた。昨年投稿したミトコンドリアに関する論文が、いまこうして『ネイチャー』の一部になっている。浅倉が喜びの声を上げながら体をつけるようにして利明の手元を覗《のぞ》き込んでくる。

やったぞ、と利明は心の中で叫んだ。

自分の論文が『ネイチャー』に載った。それも小特集の一部だ。だがいまの自分の研究はそれだけではない。いま現在、Ｅｖｅ1が素晴らしい結果を出し続けている。Ｅｖｅ1の研究結果もいずれ世の中にインパクトを持って迎えられるはずだ。すべてが信じられないほどうまくいっていた。完全に自分の研究は軌道に乗ったのだ。これで世界の第一線の仲間に入ることができる。

どおん。

体が震えるほどの大きな音がして、紫の花火が薬学部の頭上に開いた。ばらばらと硝煙《しょうえん》が利明たちへ降り注いでくる。

薬学部が建つ丘の脇《わき》を流れる川べりで、花火大会がおこなわれるのだった。薬学部はそこから打ち上げられる花火を観賞するのに絶好の場所であった。その夜利明は浅倉や講座に残る他の学生、職員とともに校舎の屋上へ上がった。

よく晴れた夜空を覆《おお》い尽くすように、巨大な菊型の花火が炸裂《さくれつ》した。手を伸ばせば届きそうなほどの近さだった。光の玉が一瞬のうちに視野いっぱいにまで広がってゆく。

きらきらとした火の粉が今にも顔面へ降りかかってきそうだった。横に目をやると、浅倉佐知子が瞳《ひとみ》を大きく開けて空を見つめていた。花火が赤や緑へと色彩を変えるたびに、菊や滝が空一面に広がるたびに、浅倉の頬は様々な色に変化していった。

利明は浅倉とともに缶ビールをあけ、満天の花火を見上げながらそれを喉《のど》に流し込んだ。浅倉が目を輝かせて利明に寄り添い、感激の言葉を伝えてくる。利明も笑顔で頷き返した。煙の匂《にお》いが立ち込めていたが利明には気にならなかった。まるで花火は『ネイチャー』に論文が掲載されたことを祝福してくれているようだった。そしてそれは同時に、聖美の細胞がこれから自分の研究を一気に飛躍させることの前祝いでもあるような気がした。この喜びを聖美と分かち合いたかった、利明はそう思った。それだけが残念だった。聖美に『ネイチャー』を見せたかった。この花火を聖美と一緒に仰ぎたかった。

どおん。心臓の鼓動が花火の爆音と重なり、利明は自分の皮膚がびりびりと波打つのを感じていた。

8

片岡聖美は地元の国立大学に入った。自分なりに勉強はしたが、予備校の夏期スクールや塾に行くこともなく、大学生の家庭教師を頼むこともなく、受験時代はごく平穏に過ぎていった。合格発表を見に両親と出掛け、文学部英文科合格者の掲示に自分の番号と名前を見つけたときも、じわりと喜びが胸に広がっただけで、想像していたような大きな感動はなかった。

自分は本当に文学部でいいのだろうか。入学式が終わったあとでも聖美は悩んでいた。本を読むのが好きで、英語に興味があるというだけの理由で決めた英文科だった。だが、いざ授業がはじまり、同じ学部の友達ができると、思ったよりもずっと大学生活は楽しかった。

大学でも聖美は吹奏楽部に入った。新歓コンパで生まれて初めてビールを飲んだ。高校時代、友達のほとんどはすでに酒を口にしていたが、聖美は飲んだことがなかったのだ。ビールは苦かったがおいしかった。先輩たちはみな親切でおもしろかった。いつの間にか酔って頰が真っ赤に火照《ほて》っていた。

「先輩はどちらの学部なんですか？」

会も半ばを過ぎ、座はほどよく交ざりあっていた。聖美も先輩に声をかけられるままに何度か席を移動していた。ちょうどそのとき、聖美は横にいた三年生の女性の先輩と話が一段落して、会話が途切れたところだった。ふと向かいを見ると、少し落ち着いた雰囲気の男の先輩が座っていた。その男の先輩も隣の人との話が終わったところらしく、すこし笑みを残したままビールを飲んでいた。視線があってしまい、聖美は慣れない手つきでビール瓶を持ち、空になったその人のコップについであげた。上から注ぎすぎたので半分以上が泡になってしまった。すみませんと頭を下げると、その人はいいよいいよと笑って泡を啜《すす》った。そこで聖美が尋ねたのだった。

「薬学部だよ」その人は答えた。

「薬学部って、おクスリのことを勉強するんですよね？　風邪薬の作り方とか、そういうことをするんですか？」

聖美が訊《き》くと、その先輩は苦笑してビールを一口飲んだ。

「本来はそういうこともしないといけない学部なんだろうけど、ちょっと違うよ。たぶん高校時代に薬学部に対して持っていたイメージは、薬剤師さんの養成講座といったところだったんじゃないかな。実際に高校の先生はそうやって指導しているしね」

聖美は頷《うなず》いた。高校のときの友達の中にも、女性が就きやすい職業だからといって病院薬剤師を薦められた者が何人かいたのを思い出した。

「でも、本当は薬学部っていうのはもっと広い学問をするところなんだよ。もちろん薬剤師としての勉強もするわけだけど、もっと基礎的な研究もするんだ。医学部と理学部と農学部と工学部を混ぜ合わせたような、わけのわからない学部だよ。だから薬学部の中でもどの講座に所属するかによって研究内容も随分変わってくるんだ。ある人は有機合成をやる。また、ある人は分析をする。血液の中に含まれている何か特別な物質を、いかに微量で測定するかに全力をあげる。そうかと思えば、別の人は毎日ねずみに薬物を注射している。何十種類もの細胞を培養している人もいる。どうして細胞は癌《がん》になるのか、ＤＮＡが複製されるのはなぜなのか、そんな薬物とは直接関係ないことをしている人もいる。薬学部は小さい学部だけれど、ひとつ隣の講座に行くと全然別の雰囲気なんだ。だから、そとの人だとなおさら何をしているところなのか摑《つか》みにくいんじゃないかな。もっとも、本当の薬学部っていうものは、こういったいろいろな学問を総合的にとらえることにあるんだと思うけどね」

その先輩は薬学部の各講座でおこなっている研究を幾つか話して聞かせてくれた。聖美はいつしか相槌《あいづち》を打ちながら熱心に聞き入っていた。難しそうな細胞や遺伝子の仕組みを嚙《か》み砕いて説明してくれるので、高校で受けた生物や化学の授業程度の知識しかなかった聖美でも、その人の話はよくわかった。

「すごいんですね、勉強になりました。とってもいろんなことを知ってるんですね」

「いやあ、ぼくもまだ修士課程一年になったばかりなんだ」

その人は照れ臭そうに頭を掻《か》いた。修士課程とは四年で卒業したあとに進学するコースであることは聖美も知っていた。ということは、この先輩の年齢は二十二、三ということになる。学部学生が大半を占めるこの新歓コンパの中で、落ち着いた雰囲気を持っていることにも納得がいった。

「できれば博士課程にも進みたいと思っているんだ。でも、そうなると部活に顔を出せるのもこれで最後になるかな」

　聖美は素直に感動していた。自分は受け身の姿勢で授業を聞いているというのに、ここにいる先輩は博士課程に進みたいというちゃんとした意志を持って研究を進めている。

「あの……、先輩は具体的にどんな研究をなさってるんですか」

　聞いても自分にはわからないかなと思いながらも、聖美はそう話題を振ってみた。

「ミトコンドリアだよ」

　どくん。

　その人の答を聞いたとたん、聖美の心臓が跳ね上がった。

　聖美はかすかに叫び声を上げて胸を押さえた。

「……どうしたの？」

　その人が訝《いぶか》しげに聖美の顔を覗き込んできた。

「な、なんでもないんです」

　あわてて聖美は笑顔をつくり、その場をとりつくろった。

　……いまのはなんだろう。

　少しのあいだ聖美は自分の体の中に耳をすましてみた。だが聞こえてくるのはふつうの心臓の鼓動だけだった。奇妙な鼓動はそれ一回きりでどこかへいってしまっていた。

すこし酔ったのかなと首を傾《かし》げながら、聖美はもう一度笑みを浮かべてその人を心配させないようにした。

「本当になんでもないんですよ。お話、続けてください」

その先輩はまだ納得のいかない顔をしていたが、やがて自分の研究について話し出した。

「ミトコンドリアっていうのは中学や高校の教科書にも出ているから聞いたことがあると思うんだけど、細胞の中でエネルギーをつくる器官なんだ」

「ええ」

「細胞の中に糖とか脂肪が取り込まれると、代謝を受けてミトコンドリアの中でアセチルＣｏＡに変換される。そこでクエン酸回路っていうのが働いてアデノシン三リン酸《ATP》が産生される。ＡＴＰはいろいろなエネルギーの源として体内で使われる」

「……わかります、なんとなく」

そういって小さく頷く。高校時代に習ったことがまだ少しは残っている。

「ぼくの研究テーマは、じゃあ、なぜミトコンドリアの中でそういった代謝がおこなわれるかっていうことなんだ。代謝には幾つもの酵素が必要で、ミトコンドリアの中にはそういった酵素が詰まっている。そこでここからが問題になるんだ。実は細胞の中で遺伝子を持っているのは核だけじゃない、高校までは習わないけれど、ミトコンドリアも『ミトコンドリアＤＮＡ』っていうのを持っているんだ。でもそれは核の染色体に比べればすごく小さい。その遺伝子には糖や脂質の代謝に必要な酵素についての情報は含まれていないんだ。ＡＴＰをつくるための電子伝達系という反応で働く酵素のうちの、それもほんの一部しかその遺伝子はコードしていない。じゃあ糖や脂質を代謝するための酵素の遺伝子がどこにあるかっていうと、核の遺伝子にある。つまり、酵素の合成は核が制御していて、エネルギーが欲しいと思ったら核が代謝酵素をつくる命令を出すわけだ。酵素をたくさん作ればたくさん代謝反応が進むわけだからね。ところで、酵素はふつう、細胞質にあるリボソームで作られる。だからそのあと酵素はミトコンドリアの中に入らなくちゃならない。ミトコンドリアの中に入ってはじめて酵素としての働きを示すんだ。となると、いったいどうやってその酵素はミトコンドリアの中に入るんだろう？　酵素はタンパク質だから、簡単にミトコンドリアの脂質膜を通ることはできないんだ。それから、どうして核はエネルギーが必要だとわかるのか？　どういうふうにして酵素を作るという指令が伝達されていくのか？　もっと視点を広げてみると、こういう疑問も湧《わ》いてくる。どうやって核はミトコンドリアを制御しているのか？　そもそも、本来は酵素の遺伝子はミトコンドリアが持っていたはずなんだ。なぜ核はそういったミトコンドリアの遺伝子を自分の中へ取り込むことができたのか？　どうだい、不思議だとは思わないか」

聖美は圧倒されてしまった。ミトコンドリアというものは知っていたがそこまで突き詰めて考えたことなどなかったのだ。確かにいわれてみれば不思議なことだった。教科書を読んでわかったと思っていたようなことでも、実はあまり解明されていないものが多いこと、そしてそういったわからないことを、この先輩のような人達が研究してひとつひとつ明らかにしていっているのだということがはじめて実感できた。

その先輩はいきなりたくさん話しすぎたと思ったのか、苦笑してそこで話を打ち切った。そして聖美の手元のグラスを見て、ビールを注ぎ足してくれた。瓶の中にほんの少し残ったビールを、先輩は自分のグラスに注ぎ、そして訊いてきた。

「ええと、名前は、なんていうの？」

「片岡聖美です」

「そう、片岡さんか。よろしく。ぼくは永島利明っていうんだ」

永島と名乗った先輩と聖美は、笑みを浮かべて同時にグラスを口に運んだ。

9

「……先生と話をしてくるよ」

安斉重徳はそういって立ち上がった。

部屋を出るとき、安斉はもう一度娘のほうを振り返った。しかし麻理子はそっぽを向いていた。口元がきつく閉まっているのが見えた。父親とかかわりたくないという意志がそこに読み取れた。安斉は目を伏せて病室を後にした。

病棟の白い一直線の廊下を進みながら、安斉は今度の手術のことを考えていた。手術から十日が過ぎたが、いまだに麻理子は自分から話しかけてこようとはしなかった。安斉だけではない、担当医である吉住や看護婦たちに対しても、積極的に話そうとはしなかった。こちらから容体を訊いたときにだけ、横を向きながらぶっきらぼうに答えるのだった。

昨夜も悪い夢を見たらしい。廊下にまで聞こえるほどの悲鳴を上げていたのだという。麻理子の世話をしてくれる看護婦が慌《あわ》てて揺り起こそうとしたが、なかなか夢と現実の区別をつけることができなかったらしい。だが吉住がどうしたのかと訊いても、麻理子は何も答えようとはしなかった。ただ横を向き、口をつぐんでいた。

いつのまにかエレベーターホールに来ていた。安斉は下りのボタンを押し、エレベーターが来るのを待った。

担当医である吉住とは何度も話した。その度に麻理子の自閉的なふるまいが話題にのぼった。

麻理子には手を焼いているという。二年前とは別人のようになってしまったと吉住はこぼした。

だが安斉自身、なぜ麻理子が心を閉ざしてしまったのかわからなかった。

前の移植のときはこうではなかった。それは安斉もはっきりと覚えていた。はじめ、麻理子は移植が受けられることを喜んでいたし、手術が終わった直後もはしゃいで吉住や看護婦たちによく話しかけてきたのだ。

目の前の扉が開く。安斉は無意識のうちに中に入り、一階のボタンを押した。扉が閉まり、緩やかな下降感が起こる。換気扇が頭上で低いうなりをあげていた。

「慢性腎不全《じんふぜん》です」

最初にそういわれたときは、安斉には何のことなのかよくわからなかった。麻理子が小学校四年の冬のことだった。麻理子を待合室に出したあと、主治医は気の毒そうにそういった。医者のテーブルのすぐ脇《わき》に小型の電気ストーブが置いてあったのを安斉は覚えている。

「正確には慢性糸球体腎炎といいまして」とその医者はいった。「お子さんの場合は何年にも亘《わた》ってゆっくりと進行してきた腎炎なわけです。尿を漉《こ》し出す場所である糸球体が目詰まりしてしまうんですね。腎臓が働かなくなるので、おしっこが出なくなります。ほら、このデータを見てください。糸球体濾過率《GFR》という値と尿素窒素《BUN》という値で腎不全かどうかだいたいわかるんです。体の中に水分が溜《た》まったままになりますから、お子さんのように体がむくんだり、息切れがしたり、いらいらしたりするようになります」

　嫌な予感がして、安斉は声を落とした。

「……治るんでしょうか」

「残念ながら」

　医師は否定した。その言葉に安斉はショックを受けた。

「現在のところ、慢性腎不全の治療法は確立されていないんです。糸球体全体が機能しなくなってしまうので、薬や手術では到底治すことができないんですよ」

「……では、うちの子はどうすればいいんですか」

「透析というのがあります。皆さん透析を受けていますよ。実は腎不全の患者さんというのはかなりいらっしゃるんです。腎臓の代わりをする装置を体につけて、体の中に溜まってしまう尿毒素や余分な水分を取り除いてあげるわけです。いい病院を紹介しましょう。県で一番の透析施設を持っていて、たくさんの腎不全の患者さんが通っていますよ」

　いつの間にかエレベーターが一階に着いていた。降りてロビーに出る。玄関口から入ってくる熱気がエアコンの風を打ち消してしまっていた。安斉はハンカチで首筋の汗を拭《ふ》き、別棟にある吉住のいる医局へと向かった。

　そういえばこの数年、麻理子とほとんど話したことがないということに安斉は思い当たった。ワードプロセッサの開発にすべてを費やしてきた。仕事をするのが当たり前だという感覚がどこかにあった。今年で五十代に突入する。ここで働かなければ自分の業績を後に残すことができないという思いもあった。

いや、それはなにも今に始まったことではない。安斉は苦笑した。入社当時からずっとそうだったのだ。仕事のことしか頭になかった。妻も自分で見つけたわけではない。自分から女性に近づいてゆくなどということをしたこともなかった。三十三になって部長から見合いの話を持ち込まれ、あっさりと話がまとまってしまっただけのことであった。新婚当時も、麻理子が生まれてからも、家にはやく帰ろうとはしなかった。日曜もよく出勤し、妻や麻理子と一緒に過ごすこともあまりなかった。

家を買った直後にもともと体が弱かった妻は亡《な》くなり、広い二階建ての家はただ寂しさを象徴する空間となった。そこで麻理子はひとりで過ごしてきたのだ。

家に帰るころには麻理子はベッドに入っていた。朝は麻理子を起こし、急いでバス停に向かう。その繰り返しだった。麻理子が腎炎にかかっていることなど、気づくわけがなかった。

紹介を受けた病院は、確かに透析の設備が整っていた。はじめ麻理子とその病室に通されたときは目を瞠《みは》った。大きな部屋に五〇台近くの簡易ベッドが敷きつめられるようにして置かれており、そのうちのほとんどが患者で埋まっていた。ベッドのひとつひとつつに透析のための機械が据え付けられているため、狭苦しい印象を与えた。皆、腕からチューブを伸ばし、けだるそうにベッドに横になっている。雑誌や漫画を読んでいるものもいれば、隣のベッド同士で世間話をして時間をつぶす患者もいた。その間を縫うようにして看護婦たちが動き回っていた。三〇〇人近い透析患者が通院しているのだと説明を受けた。

患者の年齢は様々だった。麻理子より小さいと思われる子もいれば、皺《しわ》の進んだ七十近い患者も多く見られた。安斉と同年代の男性の姿もあった。電灯の光のせいかもしれないが、総じて血色が悪く見えた。設備は近代的だというのに、どこか疲れた雰囲気が漂っていた。

麻理子はすぐに透析を受けられるわけではなかった。手術をして、腕にシャントというものを作らなければならないと、その病院の医師は伝えた。透析をするために血管につなぐチューブを腕の中に入れなければならないが、常に静脈血管を確保できるよう、動脈を静脈につなげ、血管を太くして血流をよくするのだそうだ。麻理子には内シャントと呼ばれる方法が採られた。子供に作成するのはやや困難なのだそうだが、感染しにくく長持ちしやすいとのことだった。

手術後二週間して、麻理子の透析が始まった。週に三回、学校が終わるとすぐに病院へゆき、一回あたり四、五時間ベッドの上に寝て透析を受ける。最終バスで家に帰ると十時を回っている。それが半年続いた。そのあいだ、安斉はほんの数回しか病院へ見舞いにいってやったことがなかった。麻理子はいつもひとりでベッドに横たわり、左腕からチューブを伸ばして、ぼんやりと窓の外を眺めていたらしい。透析を受けているあいだ、麻理子はなにを考えていたのだろうか。ときどき透析中に浸透圧が変わり痙攣《けいれん》を起こすことがあったという。辛《つら》くなかったはずがない。今さらながら安斉は自分の娘がベッドに寝ている姿を思い出し痛々しさを感じた。ベッドの横に設置されているベッドサイドモニターに自分の赤黒い血液が流れ込み、ゆるやかにまわる血液ポンプや細長い透析器《ダイアライザー》を通り、ふたたび自分の腕のなかに戻ってくるのを見ながら、麻理子はなにを感じていたのだろうか。当時の安斉はそんなことすら考えようとはしなかったのだ。

「あくまでこの透析はつなぎの治療だと考えてください」医師はそういった。「小さいお子さんが腎不全になった場合、長期透析をおこなうとどうしても合併症が出てくることが多いんです。まず身長が伸びなくなります。腎臓には成長を促す役割もあるんですが、腎不全のため成長が遅れてくるんです。子供にとって背が伸びるということは大きな意味を持っていますからね。麻理子ちゃんもこのままずっと透析を続けていると身長のことで悩むかもしれません。それに骨障害も起こる可能性があります。性器の発育に影響が出てくることもあります」

「では、透析以外を考えたほうがいいと……？」

「子供の場合にはやはり移植をなさるのが一番でしょう。ご検討されてはいかがですか」

医師は熱心に薦めてくれたが、そのとき安斉は気持ちが整理できなかった。

自分の腎臓を麻理子に与える。自分が手術台に乗ってメスで切り開かれ臓器を奪われる。

即座に決心ができなかった。なにか恐ろしいことのように思えた。大丈夫なのだろうか、自分の体が悪くなるということはないのだろうか。医師に何度もそれを尋ねた。

「君のところの子は、腎臓が悪いんだって？」

上司と飲みにいったとき、そんな話題が降りかかってきた。安斉は曖昧《あいまい》に返事をして話を逸《そ》らそうとした。しかし相当酔っているらしい上司は安斉を離そうとはしなかった。ちょうど生体肝移植の話題がニュースで大々的に取り上げられていた時期だった。

「親が自分の肝臓をわが子に与える、なんと美しい親子愛じゃないか、そうは思わないかね」

上司は呂律《ろれつ》の回らない口調でいい立てた。

「外国では死体から臓器を掘り出して患者に植え付けるらしいが、あれは野蛮だよ。やはり日本では美しくありたいものだね。安斉君、きみも娘さんに腎臓をやったらどうなんだ。腎臓はふたつあるんだよ。ひとつなくなったとしてもどうってことはないんだ。

娘さんが苦しんでいるのを見て何も思わないのかね。きみのところは嫁さんが亡くなっているだろう。だから娘さんはきみしか頼るものがいないわけだよ。きみもニュースに出てくる親御さんを見習ったらどうなんだ。それが愛情ってものだろう」

安斉は愛想笑いを浮かべながら、しかし腸《はらわた》が煮え立つのを抑えるのに精一杯だった。上司の意見は現実に腎不全の子供を持ったことのない人間の理想論にすぎない。そう安斉は思った。では子供に臓器を与えようとしない親は人道的ではないというのか。子供のために親は自分の体まで切らなければならないのか。子供が腎臓や肝臓の病気に罹《かか》ったら、親は無条件に自分の臓器を差し出さないといけないのか。手術を受けるのは誰だっていやなのだ。自分が手術せずに済む方法があるのならそちらを選択したい。そう思うことが美しい親子愛に反するとでもいうのか。だが安斉は日本酒の入ったコップを握り締め、黙って上司の話を聞いていた。

気がつくと吉住のいる医局に着いていた。安斉はひとつ頭を振り、熱くなった思考を冷やしてから吉住の部屋のドアをノックした。

10

恒温槽の水が音を立てて沸騰《ふっとう》を始めた。浅倉佐知子はその中にサンプルチューブを入れ、タイマーをセットした。ようやく今日一日の実験が終盤に近づいてきている。浅倉はひとつ息をついて、部屋の中を見渡した。

浅倉は薬学部の離れにある放射性同位体《ラジオアイソトープ》実験棟の二階にいた。低レベルの放射性物質を扱う部屋の中である。すでに実験棟の中は浅倉ひとりだけになってしまったのだろう、辺りは静まり返っていた。ふと壁にかけられた時計を見ると、十時半を過ぎていた。今日は夏休みの真ん中だ。浅倉は苦笑した。誰もいないはずだ、こんなときに遅くまで実験をしているのは自分くらいのものだろう。

浅倉はＥｖｅ１細胞のミトコンドリアに対するタンパク質の移行《インポート》実験をおこなっていた。朝早くから学校へ来て実験を始めていたのだが、密度勾配《こうばい》遠心によるミトコンドリア画分の調整に思いのほか時間がかかり、アイソトープ標識した酵素タンパクを反応させるときにはすでに外は暗くなっていた。一旦《いったん》始めてしまうとほとんど休みのとれない実験なので、こうしたサンプルを沸騰させるというわずかな処理時間でも、いまの浅倉にはありがたかった。

Ｅｖｅ１は不思議な細胞だ。ぐつぐつと泡を立てる水浴をぼんやりと見つめながら浅倉は思った。講座に配属になってからの二年半のあいだ、癌《がん》細胞やプライマリー・カルチャーなど幾つもの細胞を利明に見せてもらってきたが、これほど奇妙な細胞はなかった。

Ｅｖｅ１はいまも増殖を続けている。利明がＢＳＡコンジュゲートさせたクロフィブレートを培地に添加するようになってからは、並の癌細胞より分裂する速度が早くなったようだった。利明はヒトの肝からプライマリー・カルチャーした細胞だと説明していたが、それではこの貪欲《どんよく》なまでの増殖能力が説明できなかった。

浅倉は何度か利明にＥｖｅ１をどこからもらったのか尋ねた。あの夜、アイスボックスの中に入っていたものが、クローニングする前の段階のＥｖｅ１細胞であったことは疑いようがなかったのだ。しかし利明は質問のたびにうまくごまかしてしまった。浅倉は利明には内緒で細胞バンクのカタログを調べてみたが、Ｅｖｅなどという名前の細胞は登録されていなかった。文献検索でも引っ掛からないところをみると、いままで誰も一般に報告したことのない細胞らしかった。つまりＥｖｅ１は、他の研究室から分与されたものではなく、利明が樹立し自ら命名した細胞株だということになる。

だが、利明はどこから細胞を持ってきたのか。

利明はずっと妻を看病していたはずだ。そう聞いている。他の大学と連絡を取っている余裕などなかったはずだった。

そう考えると、答はひとつしかない。

浅倉は身震いをしてその考えを振り払った。途端にいま自分が扱っているＥｖｅ１のミトコンドリア画分がおぞましいものに思えてきたのだ。

永島先生がそんなことをするとは思えなかった。浅倉は利明に感謝していた。この二年半でそれなりに充実した実験ができたのも利明のおかげなのだ。

浅倉が四年に進学するとき生体機能薬学講座を志望したのには、実はそれほど意味があったわけではなかった。今から思えば学部三年生が講座でおこなわれている研究の内容を把握することなど不可能に近い。同級生の友達も、結局はいい就職口を紹介してくれるからとか実験が楽だからといった即物的な理由で志望講座を決めるものが多かった。浅倉も特にどの講座に行きたいという熱烈な希望を持っているわけではなかった。だから三年のときの学生実習も漫然と受けていたのだが、生体機能薬学講座が担当した実習ではじめて浅倉は実験の面白さを感じた。

それは大腸菌からプラスミドＤＮＡを抽出して、ある遺伝子をその中に組み込むという実験だった。浅倉はそれまでＤＮＡというものを、何か神秘的で崇高なものだと考えていた。しかしプラスミドＤＮＡは驚くほど簡単な操作で抽出することができた。ＤＮＡを切り貼《ば》りするという恐れ多いことが自分の手でできてしまうのに純粋な驚きを覚えた。浅倉はその感想を、たまたま横にいた先生に漏らした。するとその先生は穏やかに微笑し、

「それをわかってもらうのが、この実習の目的なんだよ」と答えた。

その先生が永島利明だった。

実習の打ち上げが生体機能薬学講座のゼミ室でおこなわれ、偶然にも浅倉の席は利明の隣になった。浅倉はそこで利明と話し、この講座がミトコンドリアという奇妙なものを実験対象にしていることを知った。

そのとき浅倉は、この講座に入ろうと思ったのだった。ここならもっとおもしろい実験ができるのではないか、いろいろなことをやらせてくれるかもしれない、そう感じた。

その願いは叶《かな》えられた。偶然は重なり、浅倉は利明の下で実験を進めることになった。それが決まったとき、浅倉はなぜだかひどく興奮したことを覚えている。そして結果的に、利明に実験を習ったことは浅倉にとって幸運だった。利明は多方面に興味を持つタイプで、それに応じて様々な実験手技を身につけていたため、浅倉もいろいろな実験を経験することができた。生化学の分野でおよそ必要と思われる手法はほとんど利明に教わってきた。

実験は楽しかった。いい結果が出て利明に喜んでもらえるのはもっと楽しかった。データを見たときの利明の考察力に、浅倉はいつも驚かされた。面白い結果が出ると利明は次々と仮説を考え出し、それを証明するにはどうすればいいのか、たちどころに実験系を組み立ててしまうのだった。だが利明はそれらの実験をやみくもにおこなうわけではなく、よく吟味したうえで次の行動を決定した。浅倉はよく討論《ディスカッション》を持ちかけられた。そうしたときの利明の表情は輝いていた。浅倉は圧倒されながらも、利明に少しでも追いつこうと実験し、論文を読んだ。四年で卒業してからも就職せずにあと二年講座に残る気になったのも、利明と実験をすることが純粋に楽しかったからだ。

自分が修士課程にまで残るとは浅倉自身想像していなかった。確かに中学や高校時代、理科系の授業が好きだったとはいえ、こうして白衣を着て夜遅くまでアイソトープなどを扱うことになるとは思いもしなかったのだ。

「浅倉って背がでかいよなあ」

よく男子からそういわれた。小学五年生のころから急に伸びはじめ、あっという間にクラスで一番背が高くなっていた。当時は男子が奇妙なほど小さく見えた。

中学校時代も半ばを過ぎるころ、ようやく男子の背が伸びてきてさすがに浅倉より身長のある同級生も増えてきたが、それでも依然として女子のなかでは飛び抜けて大きい部類に入っていた。その背の高さを買われて女子バレー部に入部した。部活動はそれなりに楽しく、練習もまじめにやった。他校との試合に勝ったときなどは本当に嬉《うれ》しかった。

だが、高校に入ってからは自分の背の高さが気になるようになった。

身長は一七五程度で止まりはじめていたが、それでも周りと比べて背の高いことに変わりはなかった。女子の友達からは単純に羨《うらや》ましがられたりすることもあったが、浅倉は笑顔を浮かべながらも内心ため息をついていたのだ。高校のころ、一年ほど同級生のを感じていた。

男子と付き合ったことがあったが、自分のほうが背の高いことにいつもコンプレックス

実際、服を買おうとしてもなかなかサイズが合うものがみつからなかった。靴もほとんどの店では置いていない。気に入った柄の服を見つけても諦《あきら》めざるを得ないことがよくあった。結局、制服を着るとき以外はシャツにジーンズという格好になってしまうことが多かった。

学校でもときどき男子から揶揄《やゆ》の対象となった。もっともそれは相手の男子としても軽い冗談のつもりだったのだろう。だがその程度であっても、幾重にも堆積《たいせき》すればそれなりに重みが出る。浅倉の通った高校では朝礼のとき身長順に並ぶが、女子のほうが男子より前に並ぶことになっていた。整列のときはいつも浅倉は心持ち前かがみになり、後ろの視線を気にしていたものだった。

大学に入ってからは恋人を持ったことがなかった。それで寂しさを感じたことはなかったが、もしかしたら、自分の背の高さを知らず知らずのうちに意識し、そのために異性に対して消極的になってしまったからではないのか。ときどきそう自問することがあった。その事実を否定するために、毎日遅くまで実験をして気を紛らしてきたのではなかったか。

タイマーの電子音がけたたましく室内に鳴り響き、浅倉は我にかえった。サンプルの

沸騰時間が終わったのだ。ぼんやりしていた自分をたしなめる意味で軽く頭を拳《こぶし》で叩《たた》き、浅倉はサンプルを水浴から引き上げ氷の上に置いた。

アクリルアミドゲルを電気泳動装置にセットする。サンプルが冷えたところで、浅倉はゲルの上部にそれらをのせはじめた。ゲルの上はあらかじめ櫛《くし》状のプラスチック板を挿しておいたので歯型のように切れ目がついている。この中にそれぞれのサンプル溶液をのせてゆくのである。ピペットマンを用い、浅倉は慎重にアプライを進めていった。すべてのサンプルをのせおわったところでパワーサプライのスイッチを入れる。ダイヤルを回し、20ミリアンペアで一定になるようにセットした。たちまち泳動槽から粉のような泡が立ちはじめる。

「これでよし、と」

浅倉は大きく伸びをした。泳動が終わるまで三時間近くかかる。それまでは暇だった。時計を見ると一一時を回っていた。じっと研究室で文献でも読んでいたら寝てしまいそうだった。いったん家に帰って風呂《ふろ》にでも入ろう、そう浅倉は考え、周りの後片付けをした。

アイソトープ実験棟を出て生体機能薬学講座の研究室に戻る。ロッカーからバッグを取り出した。部屋の電気を消し、廊下に出て部屋に鍵《かぎ》をかける。

そろそろ学会の準備をしないといけないかな、と浅倉は思った。九月の上旬におこなわれる生化学会で浅倉は口頭発表することになっていた。学会にはほかに利明をはじめ職員や学生も三人ほど発表することになっていた。学会のための実験はほとんど終わっていたが、二、三、付け加えておくべき実験が残っていた。

利明はいつまでこのＥｖｅ１の解析を続けるのだろう。浅倉は訝《いぶか》った。学会のための実験をまとめたほうがいいのではないか。

浅倉は廊下を歩いていった。廊下は電気が消えており、どことなく薄気味悪かった。ぬるりと生暖かい風が浅倉の頬を撫《な》でてくる。内履きに使っているサンダルが擦《こす》れて音を立てる。その音はなぜか、ぬめるような空気にくるまれてほわり、ほわりと後方へ漂ってゆくような気がした。

あの細胞はおかしい。

その思いが浅倉の胸から離れなかった。その性状だけではない、細胞そのものがなにかを発散しているような気がする。

近寄りたくないというのが本心だった。だがそんな子供じみたことを利明にいうわけにはいかない。黙って実験をしているが、ときどき異様な感覚に陥ることがあった。

虫の知らせだ。浅倉は思った。

昔からときどきカンが働くことがあった。あした腹痛を起こしそうだとか、バレーの試合に負けそうだとか、そんなたわいもないことではあったが、良く当たった。決まってうなじのあたりの毛が逆立つような気がするのだ。後頭部が痒《かゆ》いような痛いような複雑な感じでちりちりと疼《うず》くのだった。

その感覚が、日増しに強くなってくる。

あの細胞だと浅倉は直感していた。

いやな感じだった。普段は気にならないのだが、こうして人気のない夜に実験をしていると不意に思い出されるのだ。研究室にいるときはラジカセをかけたりして気を紛らしているのだが、さすがにアイソトープ実験棟で音楽をかけるわけにはいかない。それで今日は敏感になっているのかもしれなかった。

利明がはやくあの細胞から手を引いてくれればいい、そう願ったが、当分は叶えられそうになかった。利明のＥｖｅ１に対する執着心は常軌を逸している。浅倉にもそれがわかった。Ｅｖｅ１が興味深い実験結果を出すようになってから利明は随分と雰囲気が明るくなり、最近は事故のあった直後に比べてもとの自分をかなり取り戻したように見える。だがそれはＥｖｅ１の実験をしていないときだ。Ｅｖｅ１を扱いはじめるとたちまちのうちに憑《つ》かれたような目付きに変わってしまう。そのときの利明は全身からなにか異様な熱を発しているようで、浅倉は声をかけることすらできない。

それに、Ｅｖｅ１のほうも利明を求めているような気がしてならなかった。事実、浅倉が継代《けいだい》するより利明が継代したほうが増殖率がいいのだ。まるで……。

浅倉は両手で肩を搔《か》き抱いた。

まるで、細胞が喜んでいるようだ。

「ばかばかしい」

浅倉は無理やりその考えを否定した。階段で一階に降りる。だが自然と足早になってしまうのだった。なんでもないんだ、思い過ごしなんだ、そう繰り返しながらも、浅倉ははやく家に帰ろうと階段を駆け降りていた。

II

「わたしたちの体の中には、たくさんの寄生虫が住んでいます」

その教授は開口一番そういった。

演者席の前には「生体機能薬学講座　石原陸男　先生」と筆で書かれた紙がぶら下がっている。白髪が半分混ざっているので五十過ぎだと思われたが、声に張りがあった。父親より若いかもしれないな、と聖美は大講義室の堅いシートに腰掛けながら思った。

大講義室といっても一五〇席ほどしかない直方形の部屋だった。一度に三〇〇人以上の学生が講義を受ける文学部の教室に比べれば随分と小さい。だが薬学部は一学年あたりの人数が少ないので、これだけの大きさがあれば十分なのだろう。聖美は少し後方の、段が上がったところに座り、演者席を見下ろしていた。講義室には五〇人程度しか聴衆が入っていなかった。後ろ姿しか見えないのでよくわからないが、そのうちの半分は若い学生だ。聖美のように他学部の学生もいるのだろうが、大半は薬学部なのだろう。ひょっとするとこの生体機能薬学講座の学生なのかもしれない。一般の聴衆は五、六十代が多かった。十代の若い人はほとんどいない。

頰を風が撫でた。わずかに開け放たれている講義室の窓から、そよと風が入り込んでくる。葉ずれの音が漣《さざなみ》波のように寄せては返す。ガラス窓の向こうを見やると、若々しい緑が揺れ、優しい光を反射させている。

聖美は今年、大学三年生になっていた。

この二年間はあっという間だった。真面目《まじめ》に授業に出てノートを取り、吹奏楽部の活動をおこない、大学祭や定期演奏会をこなし、友達とノートを見せあって試験に臨み、部の夏季合宿やスキー旅行に行った。

「来年は就職活動かあ」

ふと気がつくと友達がそんな言葉を漏らすようになっていた。そのときようやく、聖美はもう後がないということを悟った。大学に入るときまで抱いていたあの不安感、自分は何をしたくてどうしてゆけばいいのか、というあの悩みをいつのまにか忘れてしまっていた。大学に入ってから考えればいいと思っていた。だがその大学生活も終わってしまうということに気づいたのだ。それなのに自分の心の中ではまだ何も纏《まと》まった考えがないということにも。

六月半ばだというのに暑い日が続いていた。青嵐《せいらん》が街路樹の枝を揺らし、白いシャツの胸元をはためかせた。秋から冬にかけて曇天しか見せない空もいまは力強く晴れ渡り、直線の陽射《ひざ》しを舗道やビルに注いでいる。

そんな折り、聖美が薬学部の市民講座に出向くことになったのは、文学部の友達に誘われたからだった。聖美の大学の薬学部では、毎年六月の第二日曜日に一般市民に向けて無料の教育講演を催し、薬学についての知識の普及に努めている。その年の学部長をはじめ数人の教授が自分の講座でおこなっている研究内容を易しく説明するほか、薬用植物の基礎知識、それに薬物副作用やエイズウイルスなど近年問題になっていることがらについて解説する時間もあるらしい。校舎の裏にある広い薬用植物園も一般公開され、ちょっとしたピクニック気分も味わえる。なかなか評判がいいとは知っていたが、聖美はこれまで参加したことはなかった。朝鮮人参《にんじん》茶やドクダミ茶が飲み放題だとの噂《うわさ》を友達が聞きつけ、一緒に行こうと聖美は誘われたのだった。

講演会当日も藍色《あいいろ》に抜けた空が広がるいい日和《ひより》だった。聖美は友達とともにバスに乗り、朝の九時半に薬学部に着いた。聖美たちの大学は典型的な蛸足《たこあし》大学である。特に理科系の学部は町のあちこちに点在していた。医学部とその附属病院は街の北側に位置し、農学部は駅の裏側、工学部は山の一角といった具合である。薬学部は聖美たちのいる文学部の脇《わき》を抜け、一本道を五分ほど行った小高い丘の上にあった。バス停を降りると眼下に町並みが広がっていた。気のせいか頬を過ぎる風は文学部のそれより涼しかった。

講演は一時間半ずつで午前にひとつ、午後に三つあった。その間自由に植物園の方にいって見学できるらしい。午前の講演は十時からだった。聖美は漢方薬の原料が陳列されたロビーに張り出されている講演目録を目で追った。午前の演題は「クスリを造る—化学と薬学—」と書かれていた。どうやら医薬品開発の話らしい。ちょっとわたしには難しいかもしれないなと思いつつ、聖美はゆっくりと視線を下方へと降ろしていった。午後の部の講演内容が書かれている。「漢方薬で守るあなたの健康」「遺伝子治療とはなにか」……その題名ひとつひとつを眺めてゆく。

そして最後の講演の題目を眼が捕らえた。

「ミトコンドリアとの共生　—細胞社会の進化—」

そのとき聖美の心臓が不意に、
どくん
と音を立てた。

あわてて聖美は胸を押さえた。普通の鼓動ではなかった。心臓の意志とは無関係に突然襲ってきた動きだった。息が詰まり、頭の中が真っ赤に熱く染まっていった。震動の余韻が手のひらにびりびりと伝ってきた。止めようと思いきり胸元を押さえつけた。肋骨《ろっこつ》が軋《きし》んだ。胸の膨らみが潰《つぶ》れ、ずきずきと痛んだ。だがいくら圧迫しても心臓を抑えることはできなかった。聖美はそのままの姿勢で体の内部に耳をすましていた。こめかみの横をひとつ汗が流れていった。瞳《ひとみ》をポスターの文字から逸《そ》らすことができなかった。

……息が続かなくなり、聖美は僅《わず》かに歯軋りをして、大きく息を吐いた。異様な心臓の音は遠くへと退いていってしまっていた。そしてそれに呼応するように、普段と変わらないとくとくという小さな鼓動が胸の奥から立ち上ってきて、正常に血液を流し始めるのがわかった。

だが聖美はしばらくのあいだ動くことができなかった。もう一粒、汗がこめかみを流れた。先程の汗の軌跡をそのままなぞって落ちていった。

「どうしたの、聖美？」

心配そうに友達が聖美の顔を覗《のぞ》き込んできた。聖美は首を振り、なんでもないのと答えて視線を上げた。笑みをつくろうとしたが口元が引き攣《つ》るだけに終わってしまった。

「本当になんでもないよ、会場のほうに行こう」

聖美はそういって歩きだした。友達はまだ少し不安げな表情をしていたが、曖昧《あいまい》に頷《うなず》いてついてきた。

ロビーを離れる直前、聖美は振り返って先程のポスターに目をやった。なぜなのだろう、と聖美は小首を傾《かし》げた。講演会の最後の題目を見た途端、あの発作のような鼓動が起こった。明らかに普通の心臓の動きとは異なっていた。

あれが不整脈というものなのだろうか。聖美は軽く身震いした。「ミトコンドリアとの共生」……あの奇妙な題名に、なぜ体は反応したのだろう。

わからなかった。だが、すでに聖美はその講演に興味を惹《ひ》かれていた。植物園巡りやお茶を飲むのは漢方薬や遺伝子治療の講演のときにしよう。必ずあの講演を聞かなくては。そう決めていた。

そしてその講演の時間がやってきたのだ。

聖美の友達はつい今し方帰ってしまっていた。五時から家庭教師のアルバイトがあるのだという。だが聖美はこの講演を聞き逃すことはできなかった。

演者席の後ろにはスクリーンが用意されている。その横に大きな字で題目が書かれた垂れ幕が下がっていた。午前中に聖美の心臓が反応した「ミトコンドリアとの共生」という文字は、しかしもう聖美の鼓動を乱すことはなかった。だが、一度は反応したことは事実なのだ。それがなぜなのか聖美は確かめたかった。あの発作はなんだったのか、その答がこの講演の中に隠されているような気がした。

石原という教授は、回虫など幾つかの寄生虫を挙げたあと、体の中にいる腸内細菌の例を出して「共生」という言葉を説明しはじめた。

「寄生虫と同じように、腸内細菌もわれわれの体の中で生活し、われわれ宿主から栄養分をもらって生きています。しかし腸内細菌はいま申しましたように、ビタミンKをつくってくれたり、われわれにとって随分と役に立つ存在であるわけです。このように別々の生物が共同して生活し、そしてお互いがそれによって利益を受ける関係を共生といいます。腸内細菌はわれわれにとって寄生虫ではあるものの、われわれにとってもなくてはならない存在なのです。では、われわれと共生しているのは腸内細菌だけでしょうか。もちろんそうではありません。ここでようやく今回の講演の趣旨に入るわけですが、みなさんも名前は中学の理科の時間に習ったことがあると思います、あのミトコンドリアも実はわれわれと共生する寄生虫《パラサイト》であったことがわかってきました。もちろんミトコンドリアは虫ではありませんから寄生虫という言葉は厳密にいえばおかしいわけですが、宿主であるわれわれと共生しているという点では同じなのです。そしてこのミトコンドリアを研究することによって、われわれ自身についても様々なおもしろいことがわかってきたのです。私共の講座ではこのミトコンドリアについて研究しております。今日は、このミトコンドリアと人間の共生関係についてお話ししたいと思います」

ここで石原教授は息をつぎ、講義室の中央で待機していたスライド映写係に合図を出した。スライドプロジェクターのファンが回り出した。それと同時に室内の電気が前方から順番に消えはじめた。係の者がスイッチを操作しているのだろう、聖美は見るともなしに振り返り後方に視線を泳がせた。

そのとき、視野の端に見覚えのある顔が映った。

聖美の座っている席のちょうど三列後ろにその男性は座っていた。聖美はそこに視線を止め、誰なのか確かめようと目を凝らした。だが部屋の中が暗くなったのではっきりとその顔を認識することはできなかった。相手が聖美の視線に気づいたらしく、こちらを向いた。聖美は少し恥ずかしくなって慌《あわ》てて前に向き直った。

スクリーンには細胞の模式図が大きく映し出されていた。

「これが人間の細胞を簡単に描いたものです」石原教授は赤い光線の出るポインターを使って説明していった。「真ん中にあるのが核ですね。ここに染色体が入っていて、遺伝子情報が詰め込まれているわけです。そしてこちらに描かれている楕円《だえん》形のものがミトコンドリアです。このように、外膜と内膜があり、内膜は襞《ひだ》状になっています。さて、この図はみなさんが中学校で習ったとおりの、馴染《なじ》みの深い絵だと思います。ミトコンドリアはここに映っているように、こんな楕円形の形で教科書には描かれていたはずです。しかし、実際のミトコンドリアはこのような形をしているわけではありません。おそらくみなさんが想像もしていなかったような姿をしています。はい、次のスライドを映してください」

画面が切り替わった。そのとたん、かすかに聴衆から驚きの声が上がった。

「これが本当のミトコンドリアの姿です」

スクリーン一杯に細胞の姿が浮かび上がっていた。漆黒《しっこく》のバックに、菱《ひし》形のような細胞のかたちがうっすらと浮かび上がっている。その中に無数の縮れた糸のようなものが緑色に染め上げられていた。それはよくみるとどれも斜め上方に向きを揃《そろ》え、今にも波打ちながら一斉に動き出しそうであった。核があると思われる中央部分はぽっかりと黒い穴が開いていた。生きている細胞のミトコンドリアを何らかの方法で染色し、顕微鏡で観察したのだということが聖美にもわかった。ひとつの細胞の中に何十、何百というミトコンドリアが詰まっている。それはビロードの襞のように美しく、これまで聖美が持っていたミトコンドリアに対するイメージを吹き飛ばすのに十分なほど壮麗な姿であった。

どくん。

どくん。

心臓が反応した。

また反応した。

これだ。聖美は気づいた。

心臓が反応したのはこれだったのだ。心臓はミトコンドリアに興奮していたのだ。

しかし、なぜ？

聖美の両眼はスクリーンに釘付《くぎづ》けになっていた。不規則な心臓の動きに呼吸が乱され、息苦しくなっていた。だが聖美は手で胸を押さえることも忘れ、巨大なミトコンドリアの姿を凝視していた。画面が切り替わっていった。染色されたミトコンドリアの写真が何枚も映し出されていった。時には緑に、時には青にその姿を染め上げたミトコンドリアは、スクリーンの上で膨らみ、捩《ねじ》れ、融合し、千切《ちぎ》れ、様々にその形態を変化させていった。聖美はその姿に魅了されていった。うねうねと蠢《うごめ》くその姿は大腸菌によく似ており、なるほどミトコンドリアは寄生虫なのだと聖美は無条件で納得できた。

ミトコンドリアの中にもＤＮＡが存在すること、それは核の中にあるＤＮＡとは違った種類のものであること、それがミトコンドリアが曾《かつ》て細胞に寄生したバクテリアの子孫であることを示す証拠のひとつであること……。石原教授は、遥《はる》か昔、まだ聖美たちの先祖が弱々しい単細胞だったころ、ミトコンドリアがその中に侵入し、それからずっと共生を続けてきた経緯をひとつひとつ説明していった。

「ここで細胞の進化の歴史を簡単にお話ししましょう。地球で最初に生命が現れたのは、およそ三十九億年から三十七億年前のことだったろうと考えられています。最初の生命体は、柔らかな膜の中にＤＮＡを包んだ簡単なもので、海底火山の近くに棲《す》み、火山が出す硫化《りゅうか》水素を栄養源にしていたのだといわれています。このころはまだ地球上には酸素がほとんどありませんでした。ところがこの生命体からシアノバクテリアという生物が進化してきました。これはいまの葉緑体の先祖で、光合成によって糖をつくり、そして酸素を吐き出すのです。このシアノバクテリアは大繁殖し、今から二十五億年前には世界中の海に広がってゆきました。それに伴って海や大気に酸素が増えてゆくのです。ところが困ったのは硫化水素を栄養としていた古いタイプのバクテリアです。このバクテリアはわれわれと違って、酸素が毒になってしまうのです。だから次第にシアノバクテリアによって領域を狭められてゆき、火山の近くのみでひっそりと暮らすようになってしまいました。さて、ここで新しく登場するのが好気性バクテリアです。シアノバクテリアによってつくられた酸素が海に充満してゆく。この酸素を栄養源にすることはできないかと考えた生物がいたのです。それが好気性バクテリア、すなわちミトコンドリアの先祖なのです。このバクテリアは酸素を使うことによって、普通のバクテリアとは比べものにならないほどのエネルギーを産生できるようになりました。エネルギーをつくれるということはどういうことか？　あちこちへ動き回れるということです。このバクテリアは海の中を泳ぎ回りました。そして今から十数億年前、大事件が起こったのです。好気性バクテリアが火山の近くでほそぼそと生きていたわれわれの先祖の体の中に入ってしまったのです。おそらくはわれわれを食べようとしていたのでしょう。しかしそのバクテリアはわれわれの先祖を食べることはせず、中に居着いてしまったわけです。この瞬間からミトコンドリアとわれわれの共生が始まったのです」

ミトコンドリアの電子顕微鏡写真が映し出された。画面の中央に位置するそのミトコンドリアは、中央がくびれ、いまにもふたつに分裂しようとしていた。ミトコンドリアの内部には黒い塊があり、それはくびれのところを中心にふたつに分かれようとしていた。これがミトコンドリアのＤＮＡだと石原教授はいった。ミトコンドリアは細胞の中で分裂し、増殖をする。ミトコンドリアの中にあるＤＮＡも複製されてそれぞれの新しいミトコンドリアの中に分配されてゆく。その姿は他のバクテリアと何ら変わるところがなかった。ミトコンドリアは生きている、わたしの体の中にも棲みついていまも分裂している、そう聖美は思った。

「こんな空想はどうでしょうか。われわれがここまで進化したのもミトコンドリアのおかげなのです。われわれの先祖はミトコンドリアと共生し、大きなエネルギーを産生することができるようになりました。好気性になり、運動する能力を発展させました。こうなると自らの力で栄養素を捕獲できるようになります。栄養素がふらふらと漂ってくるのを待っている必要はありません。自分のエネルギーを使ってそれがあるところまで行けるようになったのです。さあ、ここでわれわれの先祖は新たな能力を獲得することになります。つまり、獲物《えもの》をどうやって捕らえるかを考える力です。いかに効率よく確実に栄養素を得るか、それを考えるようになってきます。反射や本能といった単純な神経系の運動から始まって、やがて高度な思考能力を発達させてゆくのです。

その一方、この頃ミトコンドリアだけでなくシアノバクテリアも取り込んだ細胞もいたと考えられます。彼らはどうなったでしょうか？ 日光を浴びていれば自分の体の中で栄養素が作られるのですから、わざわざ獲物を捕りに行く必要はありません。従ってものを考える必要もありません。彼らがしなければならないことは、ひたすら自分の体の表面積を広げ、より多くの日光を浴びることです。もうお分かりですね、彼らは植物になってゆくのです。少し単純化しすぎたかもしれませんが、動物と植物の違いが納得できたでしょうか。われわれがいまこうやって動き、考えることができるのも、ミトコンドリアとのみ共生した結果だといえるかもしれませんね」

生物の進化の概略を巨木の姿に模して描いた図を指しながら石原教授は説明した。その図では「先祖となった真核生物」という太い幹が「ミトコンドリア」と書かれた幹と合流しており、そこから「植物」「動物」「菌類」という三つの幹が形成されていた。そのうち「植物」となる幹は、「シアノバクテリア」の幹から分岐してきた「葉緑体」と途中からひとつになっている。聖美には、その図の中でミトコンドリアの幹がひときわ力強いものに感じられた。

スクリーンはミトコンドリアの写真に戻った。さらに話が続く。

「しかし現在、ミトコンドリアは自分の意志で勝手に増殖することはできません。ミトコンドリアがどうやって分裂するのかは未《いま》だによく分かっていませんが、すくなくともそれをコントロールしているのはどうやら核遺伝子だということが研究の結果明らかにされてきました。ミトコンドリアはわれわれの先祖である細胞に寄生した当初は、自分の遺伝子に自分を増殖させる遺伝暗号を持っていたはずです。しかしミトコンドリアはすぐにそういった暗号を、宿主の核遺伝子に組み込んでしまったのです。そしていま、ミトコンドリアの中にあるＤＮＡにはほんの少しの遺伝暗号しか残っていません。ミトコンドリアは自分の体を増殖させたり、自分の体を構成するタンパク質をつくることを、全部核に押し付けてしまったのです。こうしてミトコンドリアはエネルギーの産生に全力を尽くすことになりました。ミトコンドリアにしてみれば面倒なことを全部核に任せたわけですからとても楽な生活を送れることになります。エネルギーをつくる素になる糖や脂肪は宿主の細胞が調達してくれますしね。一方宿主の細胞にしてみれば、エネルギーの素を与えさえすれば、自分では到底つくることができないほどの高エネルギーをミトコンドリアがつくってくれるわけですから、これも都合がいいわけです。つまりわれわれ人間と腸内細菌がうまく共生しているように、遥か昔から宿主細胞とミトコンドリアもいい共生関係を保っているわけです」

ここで石原教授は一息つき、演者席に用意されていた水を一口啜《すす》った。

聖美の心臓は胸から飛び出しそうなほど、どくどくと動き続けていた。自分でも気づかないうちに口を僅《わず》かに開け、はあはあと荒い息を吐き出していた。演者が声を切ったため、やっと聖美はその音に気づき、慌ててごくりと唾《つば》を呑《の》み口をつぐんだ。まだ胸の鼓動がおさまらなかった。出口を塞《ふさ》がれた呼気が鼻から一定のリズムで勢いよく吹き出した。恥ずかしくなって聖美は手で鼻と口を覆《おお》い、音を少しでも隠そうとした。眼をつぶり、ひとつ深呼吸した。

自分でもわからなかった。なぜこんなに興奮するのだろう。なぜこんなにもミトコンドリアに魅せられるのだろう。なぜ。わからなかった。どくん、どくん、どくん。心臓はまだ猛々《たけだけ》しく運動を続けている。脂汗《あぶらあせ》が額に滲《にじ》んできた。胸元や内股《うちまた》のあたりも汗で濡《ぬ》れ、衣服が張り付いてしまっている。手の甲で額を拭《ぬぐ》うと、べったりとした感触が残った。

聖美は目を開け、ポシェットからハンカチを出して額と首筋を押さえた。スクリーンへ視線を戻すと、石原教授はミトコンドリアのＤＮＡについて説明していた。老化に伴ってミトコンドリア内のＤＮＡが異常をきたしてゆく。それには活性酸素というものが関与しているという。ミトコンドリア遺伝子の異常が原因で起こる疾患も幾つか説明した。さらにミトコンドリア遺伝子がどうやって子孫に受け継がれてゆくかについても解説を加えた。

「ミトコンドリア遺伝子は、おもしろいことに母系遺伝します。受精の際、精子のミトコンドリアも卵子の中に入るのですが、通常の場合精子によってもたらされた父方のミトコンドリアDNAは受精卵の中で増えないのです。母方のミトコンドリアDNAだけが増えてゆくため、結局生まれてくる子供の体内のミトコンドリアはほとんどが母親と同じものになってしまいます。従って、ミトコンドリア遺伝子は母系遺伝するといって差し支えないわけです。しかし、それではミトコンドリア遺伝子が関与する疾患はすべて母系遺伝で伝わるのかというと必ずしもそうではないという結果が出ていまして、このあたりの謎《なぞ》を解き明かすのが現在の研究課題のひとつでもあるわけです。最近はミトコンドリア遺伝子が完全に母系遺伝をするのではないということがわかってきたのですが……、その話は複雑になるのでここでは省略しましょう」

写真が映し出される割合が減り、代わって色鮮やかに着色されたグラフや模式図が多く現れるようになった。コンピュータで描いたらしいそれらの絵は、先程の顕微鏡写真ほどには聖美の体を昂《たかぶ》らせはしなかった。ミトコンドリア遺伝子の話が五分ほど続き、いつの間にか聖美の胸はどくどくという激しい動きから、どく、どく、と落ち着いてゆき、やがてとくん、とくん、と小さな音におさまってきていた。本来の鼓動に戻りつつあった。

聖美は安堵《あんど》の息を漏らし、姿勢を直した。そして石原教授の講演に集中しようと努めた。話題は次へ移ろうとしていた。

「……みなさんは職場や学校、あるいはご近所付き合いの中で、多くのストレスを感じていることと思います。現代はストレス社会ともいわれていますが、まさに、他人と一緒に生活することはストレスを伴うものです。これと同じことが宿主細胞とミトコンドリアとの共生関係にもいえます。互いに異なるものが一緒に暮らすとき、ストレスがかかるのです。実は細胞にストレスを与えると、細胞の中でストレスタンパク質というものが誘導されてきます。このストレスタンパク質は、核とミトコンドリアの共生をスムーズにする役目を持っているということがわかってきました」

細胞の中にはいろいろな種類のストレスタンパク質があること、ストレスタンパク質がミトコンドリアの中へ酵素を運ぶ働きをしていること、ストレスタンパク質がなくなるとミトコンドリアが異常になることなどを、石原教授はひとつひとつわかりやすい図表で説明していった。聖美の心臓は完全に平常に戻っていた。ふと手元を見ると、両の拳《こぶし》を握り締めたままになっていた。先程の発作を堪《こら》えたときに思わず力を入れたのが、今までそのままになっていたのだ。聖美は心の中で苦笑して、手から力を抜いた。二、三度手を開いたり閉じたりして張り詰めた筋肉の緊張をほぐした。

そのとき、画面が切り替わり、大きな棒グラフが現れた。うちの講座でおこなった実験結果です、と石原教授が説明した。ストレスタンパク質を欠損させた場合におけるミトコンドリアへの酵素の移行の度合いを調べたものだという。種々のストレスタンパク質の名前が横軸に並べられており、そこから棒グラフが伸びている。長いのもあれば短いのもあった。

「このように一部のストレスタンパク質がなくなるとミトコンドリアでの酵素の発現がうまくいかなくなることがわかります。これがミトコンドリアの機能が低下していることによる幾つかの疾患と関係している可能性もあるわけです」

聖美はその画面を見つめた。石原教授の指すポインターの赤い光線に沿って視線を動かし、棒グラフの意味するところを読み取っていった。教授がその図の説明を終え、次のスライドを、といったそのとき、偶然聖美の視界が、教授の示さなかったものを捕らえた。画面の右下に小さく書かれている英語だった。

その途端、**どん！**　と胸が弾《はじ》けた。

あまりの突然さに、聖美は小さな悲鳴を上げ、がくんと前につんのめった。がしゃりというスライドプロジェクターの音と共に画面が切り替わり、別の棒グラフがスクリーンに現れた。聖美は慌《あわ》ててその画面の隅から隅まで目を走らせた。そこにも図の下に同じ文字が書かれていた。また心臓が暴発した。石原教授がなにか話している。しかし聖美には聞こえなかった。がしゃりと音がして、また画面が変わった。同じような棒グラフだった。そしてその右下に、やはりその文字が書かれていた。三度目の衝撃が襲ってきた。体が椅子《いす》から跳ね上がり、大きな音を立ててしまった。室内にいる人たちが一斉に聖美のほうを向くのがわかった。だが体裁を取り繕《つくろ》うことはできなかった。心臓が暴走していた。聖美は胸を必死で押さえ、発作を堪えようとした。だができなかった。聖美は口を開け、声を出そうとした。しかし耳障《ざわ》りなひゅうひゅうという音しか出せなかった。息が詰まっていた。顔が熱かった。どくどく、どくどく、今にも胸から蒸気が噴き出しそうだった。聖美は錯綜《さくそう》する頭の中で、なぜこんなことが起こったのか突きとめようと必死になっていた。画面に映っていた細かい英語の文字。聖美はそれを全《すべ》て読んだわけではなかった。その意味するところもよくわからなかった。なんと書いてあったのだろう、聖美はほんの一瞬見たその英語の文字を思い出そうとした。目の前がかすんでいった。誰かが駆け寄ってくる。思い出した。どくどくと脈打つ聖美の脳内で、その文字がぼうと浮かび上がった。

Nagashima, T. et al, *J. Biol. Chem.*, **266**, 3266, 1991.

覚えがあった。ナガシマ・T、その名には覚えがあった。T。どくん。トシアキ。そうだ。どくん。ナガシマトシアキ。どくん。その名をどこかで聞いたことがあった。その人とどこかで会ったことがあった。その人は、そう、あれは大学に入ってすぐ……。どくん、どくん、どくん。

「大丈夫ですか？」

遠くで声がした。誰かが聖美の体を抱き起こそうとしていた。気が遠のく寸前、聖美はその人の顔を見た。ああ、この人だ。そう思った。

同時に心の底から別の声が聞こえてきた。

（コノヒトダ）

大きな痙攣《けいれん》が全身を閃《はし》った。その人の腕に顔を埋め、がくがくと暴れる体を任せるのが精一杯だった。誰？　と叫ぶ間もなく、聖美は気を失った。

12

一週間ほど前から、麻理子は立って歩くことが許されるようになった。寝たきりだったので体がだるく、すこし足元がふらついたが、それでもじっとベッドの中で背中の痛みを我慢しているよりはましだった。

ベッドの位置からでは白い壁と幾つかの機器類しか見えなかったが、歩いて窓のあるところまで行けるようになり、ようやく中庭を眺めることができるようになった。陽射《ひざ》しが強い。木々の枝葉に繁《しげ》る鮮やかな緑が瞼《まぶた》に眩《まぶ》しかった。じっと見つめていると外の暑さが伝わってくる。汗が出てきそうだった。

三日前からは歩いて行ける範囲を広くしてもらえた。それまで病室の中だけだったのが病棟内を散歩していいことになった。そして明日からはさらに病院の売店までと範囲が増え、シャワーを浴びてもいいことになった。吉住医師や看護婦たちは麻理子が順調であることを大袈裟《おおげさ》に喜んでいたが、そういった空々しい演技をされるほど麻理子の気持ちは冷めていった。誰も彼もなんとか麻理子の気を引こうと必死になっている。そんな周囲の気遣いがひどく鬱陶《うっとう》しく感じられた。

夜、麻理子の父親が見舞いに来た。

いつもと同じ、ネクタイにスーツ姿だった。こんな格好で暑くないのだろうか、と麻理子は思った。会社も冷房が効いているのだろうか。父は弱々しい笑みを浮かべながら麻理子に片手を上げてみせた。

「……調子はどうだ」

いつもその台詞《せりふ》だった。一目見ればわかることをわざわざ訊《き》いてくる。麻理子は吐息をついた。

「なにか欲しいものはないのか。読みたい本でもあれば買ってきてやるぞ」

無理に笑顔をつくっているのがわかった。麻理子はすこし面倒臭くなり、口を開いた。

「お金ちょうだい」

「……なんだって？」

父親は不意のことに驚いたのかきょとんとしていた。

「お金。もう明日から病院の中の売店にいってもいいんだって。欲しいものは自分で買う」

父親は黙っていた。長い沈黙があり、静寂があった。

随分と時間が経《た》ち、やがてどこかからぶーんという低いうなりが聞こえてきた。車の排気音かもしれないし、クーラーの音かもしれなかったがよくわからなかった。うなりが聞こえなくなったあとで父が大きく息を吐き出した。

「麻理子」

と父はいった。

「なにをそんなに突っ張っているんだ。教えてくれ。お願いだ、頼む」

「…………」

「前の移植のときは嬉《うれ》しがっていたじゃないか。退院してからも喜んで学校にいっていたようにお父さんは思っていた。どうして今度はそんなに嫌がっているんだ。移植が嫌だったのか。本当は透析のほうがよかったのか。どうなんだ？　なにかいってくれ」

「…………」

「麻理子……」

麻理子が口を噤《つぐ》んでいるのに耐えられなくなったのか、父は声を詰まらせ、それきりまた黙ってしまった。どこかで再びぶーんという音がした。

麻理子にはわからなくなっていた。父がどうして自分に腎臓《じんぞう》をあげようなどと思ったのか、それがわからなかった。

「……お父さん」

父がはっと顔を上げた。

「お父さんは本当にあたしに腎臓をあげたかったの？」

「なにをいう……」

はっきりと父が狼狽《ろうばい》するのがわかった。その一瞬を麻理子は見逃さなかった。

麻理子は父の顔を見据えた。今度は逆に父が目を逸《そ》らしていた。

「本当はお父さんのほうが嫌だったんじゃないの？　あたしがこんな病気になって厄介だと思っていたんじゃないの？　もしお母さんが生きていたら、お母さんの腎臓があったのにと思っていたんじゃないの？　それなのにあたしのせいで移植がだめになったから……」

「やめないか！」

ぱんと音がした。

じわりと麻理子の頬に痛みが滲んできた。なにをされたのか、しばらくのあいだ麻理子はわからなかった。

見ると、父親は俯《うつむ》いて震えていた。顔が影に隠れてよく見えなかったが、なにかこらえきれなくなった言葉を呟《つぶや》いているようだった。

しばらくして父親は帰っていった。麻理子はベッドの中で暗い天井をずっと見つめていた。ときどき微《かす》かなうなりが耳に入ってきた。よく聞いてみると、それは地の底で動くマグマの音のような気もした。


「今日から安斉が退院してきた」

朝のホームルームの時間、先生がそういって麻理子を教室の前に立たせた。

クラスのみんなの目が一斉に自分に集まってくるのがわかった。前の席にいる子は麻理子の顔を覗《のぞ》き込むようにして見上げ、後ろの席の男の子は首をのばしてすこしでも麻理子の姿を多く見ようとしていた。

「安斉はお父さんから腎臓をもらって移植手術をした。しばらくのあいだは無理な運動はできないが、これからは給食もみんなと一緒に食べられるし、放課後の活動もできると思う。入院していたあいだのことは、みんなで教えて安斉を助けてやってほしい。授業もどこまで進んだか、みんな教えてやってくれ」

麻理子はすこし恥ずかしくて、先生が事情を説明するあいだ俯いていた。しかし内心、学校へ戻れたことは嬉しかった。やっぱり友達と一緒にいるほうが楽しいのだ。

ふと、視線の隅でなにかがちらちらと動いているような気がして、麻理子は視線を向けた。友達の女の子が、にっこりと笑って小さくピースサインを動かしていた。友達の口が動いた。声を出さずに、しかし大袈裟に一字ずつ区切って麻理子にメッセージを送ってきた。

お、め、で、と、う。そういっていた。

麻理子は笑って、先生に気づかれないようにそっとピースサインを送ってみせた。

学校は楽しかった。友達はみんな親切にしてくれた。授業はかなり先まで進んでいて、算数や理科はよくわからないところもあったが、友達がその部分のドリルを貸してくれたのでなんとかついていくことができた。すぐに麻理子は透析を受ける前の学校生活を取り戻していった。みんなと同じことができる、という当たり前のことが、とても嬉しかった。

ただ、体育の時間と、朝夕のトレーニング活動は控えておくことにした。慣れるまでは様子をみたほうがいいだろうということになっていた。

ちょうどその時期、体育の授業は水泳だった。みんなが勢いよく水の中に入るのを、麻理子はプールの脇《わき》で体育座りをしながら眺めていた。ときどき大袈裟な水しぶきをあげる同級生もいて、麻理子のところまで水が飛んできた。

みんながクロールで順番にプールの中を泳いでいる姿を見ていると、麻理子は右の下腹部に鈍い疼《うず》きのようなものを覚えた。そっとそこを手で押さえてみると、なにか体のなかにしこりがあるように感じられた。

お父さんの腎臓だ、そう思った。

麻理子の脇腹には手術の跡がはっきりと残っている。縫合の跡は腱《けん》が突っ張ったようになっており、ぎざぎざの形に隆起していた。大きなムカデのようで、腰をひねるとぐにゃりと歪《ゆが》む。麻理子はこの傷痕《きずあと》が嫌だった。そのちょうど下に、父親の腎臓が埋め込まれている。手術からもうずいぶん経つというのに、麻理子はその移植された腎臓にどうしようもない違和感を感じていた。ふだんはそれほど気にならないのだが、水泳の時間のように、同級生の男の子の体を見たりして脇腹のあたりを意識してしまうと、自分が移植を受けたのだという事実をいやでも思い出すことになった。一旦《いったん》意識してしまうと、どうしても入院していたときのことや、それ以前の透析の記憶が連鎖的に蘇《よみがえ》ってきた。好きなものを好きなだけ食べられない。夜は病院にいかなければならない。みんなが見ているテレビ番組も見られなかったし、ベッドの上で腕を出して寝ているのも嫌だった。なにより水の量が制限されているのが辛《つら》かった。思いっきり水を飲んでみたいと何度思ったかわからない。

一度腎臓が動くのを感じとると、それは水泳の時間が終わってもなかなか消えなかった。

なぜこんなに疼くんだろう。そう思った。

もしかしたら、お父さんの腎臓はあたしに合わないんじゃないか。

麻理子は背筋にひやりとしたものを感じた。

また腎炎が再発したら？　この腎臓がだめになってしまったら？　また透析をしなくてはならないのだろうか。また食べたいものも食べられなくなってしまうのだろうか。

考えてはいけないことだった。そんなことあるはずがない。考えるのも嫌だった。麻理子は妄想《もうそう》が浮かんでくるたびに大急ぎで頭を振った。第一、もうお父さんはひとつしか腎臓をもっていないのだ。この腎臓がだめになったとしても、次のものをもらうことはできない。

そう。できなかったはずだった。

死体腎の順番は簡単には回ってこない。そう吉住先生から聞いていた。自分の体のタイプに合うドナーの人が出てくるまでずっと待っていなくてはいけない。そう聞いたから、登録したのだった。もう移植しないというとお父さんが怒るかもしれないから、登録するだけ登録しておいたのだ。自分ではそのつもりだった。

自分でももういちど移植をしたかったのかどうかわからなかった。なるべく考えないようにしていた。透析をしているときに移植したときのことを思い出してしまうと、胸が締めつけられるような痛みを感じた。そういうときは目を閉じて歯を食いしばった。あんなにおいしいものを食べることができたのに、あんなに楽しかったのに、そういう思いがあとからあとから出てきて止まらなくなり、どうしたらいいのかわからなくなった。どうしてあんなことをしたんだろう、そんなことばかりが頭に浮かんでしまうのだった。

どこから始まったんだろう。麻理子は記憶を手繰《たぐ》った。どこからこんなことになったんだろう。

水しぶきの音がした。聞き覚えがあった。水泳の授業だろうかとも思ったが、そうではなかった。遠くからざわめきが聞こえてくる。よく聞き取れなかった。麻理子は耳を澄ましてみた。ざわめきが大きくなってゆく。音が近づいてくる。ざわめきはどよめきへ、そして歓声に変わってゆく。また水が弾《はじ》ける音がする。歓声はどんどん大きくなり、鼓膜が破れそうになってくる。

一気に視界が開けた。

鮮やかな空だった。水を映したように真っ青な空に雲がひとつ浮かんでいた。

歓声が麻理子を包んでいた。麻理子はみんなといっしょに立ち上がって声援を送っていた。水しぶきの音が歓声の隙間《すきま》を縫って耳に届いてくる。そうだった。ようやく思い出した。その日はクラス対抗の水泳大会だったのだ。

個人種目が終わって、競技は最後のリレーになっていた。各クラス男子三人、女子三人が、それぞれ交替で二五メートルずつ泳ぐ。小学校時代最後の水泳大会で、しかもこれが最後の競技ということもあり、みんなの興奮は最高潮に達していた。

四人目がプールに飛び込んだ時点で麻理子のクラスは二位につけていた。一位のクラスとは五メートルほど離れていたが、十分逆転可能だった。選手はみな、すごいスピードのクロールで泳いでいた。麻理子たち観客はプールの縁まできて身を乗り出すように応援する。麻理子の体にも水がかかったが、そんなことは気にならなくなっていた。

一位に数秒遅れて麻理子のクラスの選手が壁にタッチする。同時に勢いよく飛沫《しぶき》があがり、五番目の選手がプールに入った。

五番目は女子の最後だった。麻理子のクラスの選手は五メートルも潜水してから水面に現れた。みると一位との差が三メートルほどに縮まっていた。

「がんばって！」

麻理子は隣にいる友達といっしょに声を張り上げた。

だがそれ以上差は縮まらなかった。平行線をたどったまま、麻理子のクラスの選手はすぐに二〇メートル近くを泳いでしまっていた。アンカーの選手が飛び込み台の上で準備しているのが見えた。

「麻理子、ちょっと、一組のアンカーは青山くんだよ」

隣にいる友達が肘《ひじ》でつついてきた。はっとして麻理子は一組のコースを見た。

本当だった。日曜日にもプールにいっているのか、かなり黒く日焼けしていた。飛び込み台のところに立って、泳いでくる自分のクラスの選手に向かってさかんに声を上げ、はやくはやくと大きく手招きをしている。そのとき突然麻理子の腎臓が疼きだした。麻理子は顔をしかめて下腹部に手をやった。いままで忘れていたのに、急に移植のことを思い出してしまったのだ。青山くんの日に焼けた姿を見たとたんだった。心臓がどきどきしていた。腎臓のことを振り払おうと麻理子は大声を出し、そしてふと、一組は何位なんだろうと思ってプール全体を眺めた。どきりとした。三位だった。

ざぶん、ざぶんと大きな音が二回続いた。一位のクラスと麻理子のクラスのアンカーがスタートしたのだ。歓声が一層激しくなった。

「もうちょっとだーっ！」

すごい声がした。青山くんだった。飛び込み台の上で身を乗り出している。一組の選手はタッチまであと一、二メートルというところだった。

一位と麻理子のクラスのアンカーが水面に顔を出した。息継ぎをして、同時に最初のひとかきをおこなう。依然としてふたりの差は三メートル離れている。

だが麻理子は青山くんから目をはなすことができなかった。自分のクラスを応援しなければいけないとわかっているのに、飛び込み台で大声を張り上げている青山くんを見つめていた。

一組の選手がタッチした。

次の瞬間、青山くんが飛んでいた。誰よりも遠くへ飛んでいるように見えた。きれいな線を描いて、青山くんはぴんと伸ばした指先から切り込むようにして水の中に入っていった。

その音は聞こえなかった。

青山くんは音を立てないで飛び込んでいた。

それどころか、周りの音も消えていた。麻理子も、隣にいる友達も、みんなが絶叫しているはずなのに、凍ったように静かになった。無声映画の中に入り込んだようだった。青山くんが浮かび上がった。斜めに顔を向けて息を継ぎ、そして左手を親指から水面に入れた。青山くんの体が進んでいった。

そのとき気がついた。麻理子のクラスのアンカーの足先が、青山くんの伸ばした指先と同じ位置にあったのだ。青山くんはいきなり麻理子のクラスとの差を大きく縮めていた。

喉《のど》が痛かった。声を出し過ぎて嗄《か》れてしまったのだ。しかし麻理子は声を出し続けた。その声は自分の耳に聞こえなかったがそれでも精一杯声を出した。

麻理子は自分が誰に声援を送っているかわからなかった。自分のクラスのアンカーを応援しているつもりだった。しかし視界には青山くんの姿しか入っていなかった。青山くんはさらにスピードを上げていた。あまり飛沫を立てていないのに、ひとかきするごとに麻理子のクラスのアンカーに近づいていった。その差はもう五、六〇センチくらいになっていた。

アンカーが麻理子の前まできた。ゴールまであと五メートルといったところだった。麻理子の正面で、麻理子のクラスの選手と青山くんの体がぴったり重なった。追いついたのだ。そのとき、青山くんが息継ぎのために顔を水面に上げた。

目があったような気がした。

どきりとして麻理子は息を呑《の》んだ。腎臓が疼いた。麻理子は声援するのを忘れ、青山くんの姿をじっと見つめていた。

一位のクラスのアンカーが壁にタッチした。すぐあとに二位と三位が並んだ。不意にプールの全景が暗くなった。太陽に雲がかかったのだ。

青山くんの指が壁につくのが、一瞬早かった。

どっと歓声が起こった。音が麻理子の耳に雪崩《なだれ》のように押し寄せてきた。みんな腕を振り上げ、大声でわめいていた。

「麻理子、三位になっちゃったよ！」

横にいた友達が飛びついてきた。

麻理子も歓声を上げていた。

笑顔で歓声を上げていた。

青山くんは一組の学級委員長だった。すこし小柄だったが運動がよくできた。明るくてよくおもしろいことをいってみんなを笑わせていた。いままで同じクラスになったことはなかったが、学年の中では目立っていたので前から知っていた。かっこいいなと思うようになったのは、五年生の頃からだった。

まだ話をしたことはなかった。きっかけがなかったのだ。それに青山くんはけっこう女子のあいだでも人気者だった。何人かの女の子と楽しそうに話しているのをよく見かけることがあった。

あまり自分とは釣り合わないような気がした。

青山くんはスポーツマンタイプだから、きっと運動ができて元気な女の子が好きなんだろう、と勝手に想像していた。自分は透析をやっていつも具合が悪かったし、移植手術だってやっている。これから体育もやれるようになるとはいえ、お世辞にも健康的とはいえなかった。それに背も小さいし、脇腹に手術の傷痕もある。毎日薬だって飲まないといけない。いかにも病人みたいだ。麻理子は最初から諦《あきら》め気分だった。

それでも吉住先生に訊《き》いたことがある。

「先生、もうあたしは治ったんですよね。もう病気じゃないんですよね」

吉住先生に、自分はもう病人ではないといってほしかったのだ。

だが答はそうではなかった。薬を飲むのをすこしでも忘れたら拒絶反応が起こってしまう。だから絶対に自分が移植をしたということを忘れてはいけないのだと。

その言葉に、麻理子は頷《うなず》くしかなかった。それが正しいことはわかっていた。なんで腎炎《じんえん》なんかになってしまったのだろう。そのときほど自分の体が嫌になったことはなかった。

腎炎にならなければ運動だってもっとできたかもしれないのに。そう思った。

それでも偶然に青山くんと廊下ですれちがったりするようなときには少し嬉《うれ》しくなった。放課後、わざわざ一組の前を通って中をそれとなく覗《のぞ》いたりしてみた。麻理子の教室から下駄箱へゆくなら、一組はむしろ反対方向になる。だから一組の前を通るときはそこからぐるりと渡り廊下を進み、校舎を一周するというとんでもない遠回りをして下駄箱に向かった。青山くんがいないときはなにげないふりをしてそのまま通り過ぎた。しかし青山くんの姿が見えたときは、嬉しさをこらえきれずについ歩調が遅くなってしまうのだった。

それがいけなかったのだ。

夏休みが終わり、九月に入って二週間がすぎていた。そろそろみんな夏休み気分が抜けてきたところだった。

麻理子はその日の放課後、一組にいってみたのだ。いつものようにすこし首を曲げて、教室のほうに視線を向けてみた。

青山くんの姿はなかった。

すこしがっかりして、麻理子は通り過ぎようとした。そのときだった。

一組の中から囃《はや》すような声が上がった。

「安斉、なにしてんだ！」

はっとして麻理子は立ち止まった。

見ると、教室の中で男の子がふたり、机の上に腰を下ろしながらにやにや笑っていた。一組の中にはふたりのほかにはほとんど生徒はいなかった。夕方のホームルームが早く終わって、みんな帰ってしまったあとらしかった。

「なんでいつも覗いてくんだよ」

去年同じクラスだった男の子たちだった。女子にやたらとちょっかいをだしていじめようとするので、麻理子たちは嫌っていた。

「なんでもいいでしょう」

麻理子は恥ずかしさを隠すためにわざとつっけんどんな返事を返した。

だがそれが逆にふたりを刺激してしまったようだった。突然ひとりが口調を変えた。

「わかってるぞ、おまえ、青山が好きなんだろ。だから見にきてるんだろ」

知られていたのだ。

麻理子は自分の顔が真っ赤になるのを感じた。なにかしゃべろうと思ったが、口がぱくぱくと動くだけで声にならなかった。

「残念だな、もう青山は帰っちゃってるよ。おまえみたいな下ぶくれは好みじゃないってよ」

そういってふたりは冷笑した。

麻理子は踵《きびす》を返した。はやく逃げ出したかった。

走りだそうとした瞬間、その言葉が聞こえてきたのだった。

「おい、あいつ親父《おやじ》に腎臓をもらったんだってさ」

足が動かなくなった。

「自分の腎臓が動かなくなったから親父のを自分の体にくっつけたんだってよ」

なんでそんなことを持ち出すんだろう。青山くんとは関係ないことだ。耳を塞《ふさ》ぎたかった。しかし体が硬直していうことをきかなかった。ここから消えてしまいたかった。

それなのに足がまるで動こうとしなかった。

ふたりは聞こえよがしに会話を始めた。

「フランケンシュタインみたいだよ、なあ?」

「人の腎臓をもらってまで生きていたいのかよ。いじきたねえ」

「お化け野郎。体の中はつぎはぎだらけなんだろ」

「ちゃんと小便出てんのかよ」

ふたりはげらげらと笑い声を上げた。それは麻理子の頭のなかでがんがんと鳴り渡った。やめてと麻理子は何度も叫んだ。あたしはお化けじゃない、フランケンシュタインじゃない。そうわめいた。しかし声にならなかった。

「あんたたち、やめなさいよ！」

誰かの叫び声が響き、その拍子に麻理子はがくんと前のめりに倒れた。金縛りが解けたのだ。廊下のタイルで額を打ち、頭が軋《きし》んだ。霞《かす》んだ視界を向けると教室の中で何人かの女子が二人組相手に言い争っているのが見えたが、それが誰なのかははっきりとわからなかった。

麻理子は逃げた。女子の声が「麻理子ちゃん、待って！」と追いかけてきたが、麻理子はそれを無視した。下駄箱までの距離が長かった。急いで靴を変え、わき目もふらずに家へ帰った。一度も立ち止まることはなかった。息が切れ、横腹が痛んだ。涙が溢《あふ》れ、周囲の景色が歪《ゆが》んで見えた。

家に着くと麻理子は薬を捨てた。薬袋から取り出し、包装を破り、色のついたカプセルや錠剤を便器の中にぶちまけた。病院からもらった免疫《めんえき》抑制剤だった。レバーを下げると薬は渦を巻いて下水へと流れ込んでいった。ごぼごぼという音が麻理子の耳に残った。

あたしはお化けじゃない。

フランケンシュタインじゃない。

麻理子は便器の前にしゃがみこみ、顔を膝《ひざ》の間に埋めた。涙が溢れた。溢れて止まらなかった。ひくっ、ひくっとしゃくりあげながら、麻理子はトイレの中で泣き続けた。


……そして拒絶反応が起こった。

麻理子は直ちに入院しICUに入れられた。いったん始まった反応はどこまでも転がっていった。もう元には戻らなかった。吉住が信じられないといった表情で見つめてきたのを麻理子は覚えている。

「どうして薬を飲まなかったんだ」

吉住が強い調子で尋問してきた。だが麻理子は決してそれを認めなかった。

「飲みました」という麻理子を、しかし吉住は信用しようとはしなかった。

「それならこんな拒絶反応は起こるわけがない」

「ちゃんと飲んでました」

「嘘《うそ》はだめだ。あんなに調子がよかったのに、どうしてこんなことをしたんだ？　正直にいいなさい、薬を飲まなかったんだろう。あれほど注意したじゃないか」

吉住が絶望的な呻《うめ》きをあげた。それとはわからないようにしたつもりだったのだろうが、麻理子はそれを見逃さなかった。

「摘出することにします」

結局、吉住からそう言い渡されたのは移植してから半年後のことだった。

「麻理子さんの中に入れた腎臓はもうすでに縮んでしまっています。今後機能することはありません」

吉住と麻理子と父の三人で、今後をどうするかという話し合いがおこなわれた。しかし結局は話し合いというより吉住がほとんど喋《しゃべ》る格好だった。吉住は麻理子のベッドの前に座り、ときどき麻理子に哀れむような視線を投げた。それは麻理子の気のせいだったのかもしれない。だがそのときはそう見えたのだった。そして父は吉住の言葉に反応していちいち苦渋の声を上げていた。

せっかく父がくれた腎臓を潰《つぶ》してしまったのはあたしだ。そう麻理子は思った。父が腹の中で何を考えているのか想像するのがこわかった。しかしそのときの麻理子の思考は暴走して止まらなくなっていた。

父は怒って当然だった。自分がやった腎臓を子供が拒否したのだから。順調に生着していたというのにわざと薬を捨ててしまったのだから。自分から拒絶を起こすようにしてしまったのだから。どうしようもない娘だと思っているに違いないのだ。

吉住という医者も同じはずだった。せっかく苦労して手術したというのに、時間をかけて治療したというのに、ばかな患者がいうことをきかなかった。始末におえない子供だ、そう思っているに違いない。

　違いないのだ。

　麻理子は目を閉じた。ぶーんという低いうなりはいつの間にか聞こえなくなっていた。なかなか寝付けなかった。外の暑い空気が病室の中にまで染《し》み込んできたようだった。寝返りをうつとベッドがわずかにぎしりと音を立てた。

　このまま感染症が起こらなければじきに退院になる。麻理子はそのときのことを想像した。

　学校に戻るのが嫌だった。あのふたりの笑い声がまだ耳にこびりついていた。学校にいったら、遅かれ早かれまたあのような中傷を受けるだろう。そう思うとやりきれなくなった。あんなことをまたいわれるくらいなら、一生透析をしていたほうがましだ。

　明日の朝になれば看護婦がやってくる。その手には包装されたカプセルや錠剤が入った白い袋がある。免疫抑制剤が入っているのだ。

　あれを飲まなかったらどうなるだろう。

　ふと、麻理子はそんなことを考えた。

飲んだふりをして奥歯の横にでも隠しておくのだ。看護婦がよそみをしているすきに吐き出してベッドのクッションの下にでも突っ込めばいい。誰も麻理子が薬を飲まなかったとは思わない。

そうすれば拒絶反応が起こる。移植は失敗してすべてはふりだしに戻る。もうお化けやフランケンシュタインなどという者はいない。

暑さの中で麻理子の思考は次第に朦朧《もうろう》となっていった。眠るか眠らないかの間をさまよいながら麻理子は移植が失敗に終わるときのことを考えていた。

どこかで微《かす》かに、ぺたん、という音がした。

はっとして麻理子は耳をすました。そのまま息を殺して一分近く聞き耳を立てていたが、なにも聞こえてはこなかった。

空耳だったのかもしれない。

麻理子は安堵《あんど》の息をついた。天井を見上げる。電灯の傘が暗い部屋の壁に漆黒の影を落としている。

死体腎の提供があると最初に聞いたとき思ったのは、そのことだった。

死んだ人のものが自分の体の中に入る。それが急に実感を伴って襲ってきたのだ。耐えられなかった。

このところ毎晩同じ夢を見ていた。遠くから、ぺたん、ぺたん、と音を立てて、誰かがゆっくり歩いてくる。麻理子の病室目指してやってくる。麻理子は逃げられない。なぜか体がすくんで立ち上がることができない。心臓が破裂しそうなほどどきどきする。そして麻理子の下腹部が脈を打ち出すのだ。移植された腎臓が、麻理子の体の中で動いているのだった。まるで迎えが来たことを喜んでいるように。

足音は麻理子の病室の前で止まる。やがてドアのノブがゆっくりと回り出す。

いつも扉が開くところで目が覚めるのだった。

だが、麻理子にはわかっていた。

そう。

足音の主が誰だかわかっていた。

あれは腎臓提供者《ドナー》だ。

腎臓を抜き取られた死体だ。自分の腎臓を取り返しにやってきたのだ。

昔、漫画を読んだことがある。腎炎になる前だった。友達から怪奇漫画を貸してもらったのだ。もう作者の名前も題名も忘れてしまっているし、内容もおぼろげにしか思い出せない。

だが読んだときのショックは今でもはっきりと覚えている。その夜はトイレにいけなくなったほどだ。

主人公の少女は階段から落ちてしまい、体を動かすことができなくなる。まわりの大人や医者たちはそれを少女が死んだものと判断してしまう。少女の意識はしっかりしているし、まわりで何が起こっているかもちゃんとわかるのに、自分が生きているとみんなに知らせることができないのだ。

少女は手術室に連れていかれる。心臓移植のドナーにされてしまうのだ。少女は必死で自分が生きていることを気づいてもらおうとするのだができない。自分の体から心臓が切り出されてゆくのを見ているしかない。

そして少女は埋葬される。だが少女の怨念《おんねん》はおさまらない。どうしても奪われた心臓を取り戻したいと思い、墓場から蘇《よみがえ》ってしまうのだ。

最後はゾンビになった少女がレシピエントのところにやってきて、自分の心臓を抉《えぐ》り取ってしまう。たしかそんな内容の話だった。

漫画に描かれた少女の凄《すさ》まじい形相《ぎょうそう》が麻理子の頭の隅に張り付いて離れなかった。死体腎と聞いたとき真っ先に思い浮かんだのがその漫画だった。

麻理子はどんな人が自分のドナーになったのか、いまだに知らなかった。看護婦に何度訊《き》いても、それは決まりで秘密にしてあるのだと答えるばかりだった。

本当はドナーの人は死んでいなかったのかもしれない。あの漫画のように意識があったのかもしれない。なんとか自分は生きていると訴えたかった。それなのにあの吉住という医者が手術をして腎臓を取り出してしまった。ドナーの人は自分の体がほじくりかえされるままにしているほかなかったのだ。

自分のところにもドナーの死体がやってくる。

あの足音はドナーだ。麻理子にはそれ以外考えられなかった。わかっている。あたしに埋め込まれた腎臓《じんぞう》を奪い返しに、いつかゾンビがやってくるのだ。脇腹《わきばら》に大きな穴を開けたまま、血管や腸をずるずるとそこからはみ出させた格好で、恨みの言葉を口にしながら歩いてくる。いつかあの扉が開き、あの漫画の少女のような顔をして現れ、あたしの体に手を突っ込み、ぐちゃぐちゃに掻《か》き回して、あたしの中から自分の腎臓を取り出すのだ。

そしてあたしは血まみれになって、このベッドの上で死んでゆくのだ。

13

暑い日が続いていたが利明は休まずに大学へ出勤していた。研究室の中は冷房が効かないが、培養室と機器室にはクーラーが入っているので、そこで実験をしている分には汗をかかずにすんだ。少なくとも蒸し風呂《ぶろ》のようなアパートの中でじっとしているよりはましであった。

Ｅｖｅ１の増殖は衰えを見せなかった。ペルオキシゾーム増殖薬であるクロフィブレートを添加するようにしてからは分裂速度が以前より上昇している。

明らかにＥｖｅ１は誘導を受けていた。だが利明はこれだけで満足はできなかった。ペルオキシゾーム増殖薬はクロフィブレートだけではない。ほかの試薬を与えてやればさらに加速する可能性があった。

利明は研究室の冷蔵庫に保存されていたあらゆるペルオキシゾーム増殖薬を取り出し、Ｅｖｅ１に与えてみることにした。同時にレチノイン酸や幾つかの成長因子も添加してみた。ペルオキシゾーム増殖薬がミトコンドリア内のβ《ベータ》酸化系酵素を誘導させる理由として、ＤＮＡ結合タンパク質であるレチノイドレセプターに結合することが論文で報告されている。このレチノイドレセプターが酵素遺伝子の働きを司《つかさど》っている可能性は十分に考えられた。

利明はトリチウムチミジン取り込み量を測定し、Ｅｖｅ１がどれだけの増殖能を獲得するか調べていった。

予想以上の結果だった。レチノイン酸とペルオキシゾーム増殖薬の同時投与により相乗効果が現れた。液体シンチレーターがプリントアウトしたカウント数は利明がこれまで見たこともないほどの高値を示した。利明は唸《うな》り声を上げるほかなかった。

「先生、あの……」

自分の机でそのデータを見ていたとき、不意に後ろから声をかけられた。振り返ると浅倉佐知子が立っていた。

「なんだい？」

そう答えて、ようやく利明は研究室の中に自分と浅倉以外誰もいないのだということを思い出した。数日前から講座の職員や学生はみな盆休みで休暇を取っていたのだ。

浅倉は少し顔を伏せ、言い出しにくそうにしている。いつものはきはきとした浅倉らしくない。何度か促したところでようやく用件を切り出した。

「そろそろ学会の準備をしようと思うんです」

「ああ……そうだったな」

「それで、すこしのあいだＥｖｅ１のほうを休んで前の実験の続きをやろうと思うんですけど……」

利明は浅倉の言葉で学会があることをようやく思い出した。なんてことだ、Ｅｖｅ１に気を取られすぎていたのだ。

毎年一回開催される日本生化学会は、日本中の生化学者や分子生物学者が一堂に集い研究成果を発表しあう大規模な学会である。今年は利明たちが住むこの都市で九月に開かれることになっていた。利明や浅倉の所属する生体機能薬学講座では毎年何人かが演題を出して発表をおこなう慣例になっていた。とくに修士学生は在学中に一度は発表することが講座の方針だった。博士課程の学生なら自分で論文を書いたり学会発表する機会は多いが、学部学生や修士学生は卒業時の論文発表のときくらいしか大勢の前で発表する機会がない。そのため学会というものは発表の経験をするという意味では格好のイベントだった。学生は学会で発表することにより、人前でプレゼンテーションをしたり自分の考えを筋道立てて相手に伝えるという訓練をすることができる。それに自分のおこなった実験をみんなに知ってもらえるということは学生にとっても嬉《うれ》しいはずだった。ただし、最初の発表はどうしても勝手がわからないこともあり、緊張するし準備も万全とはいえなくなってしまう。それをフォローするのが職員の役目ともいえた。

浅倉は今回が初めての学会発表となる。早めに準備をしておきたいと考えるのは当然だった。スライド原図の作り方や発表の仕方も知らないのだ。もっと気をつけてやるべきだったのにそれを利明は怠っていた。利明は素直に浅倉に詫《わ》びた。

「そうか……そうだったな。ごめん、いったんＥｖｅ１の解析は中断しよう」

その言葉に浅倉はほっとしたような表情を浮かべた。

利明はスライドに用いるデータが揃《そろ》っているか浅倉に確認した。いくつかブロッティングの写真を図に組み込む必要があるので、後日スキャナーの使い方を教えることで話がまとまった。

その夜、帰宅する間際《まぎわ》に利明はＥｖｅ１の様子を見た。浅倉は機器室で吸光度の測定をしている。

浅倉にはＥｖｅ１の実験は中断するとはいっておいたが、利明は内密にひとりで実験を進めようと思っていた。とりあえずペルオキシゾーム増殖薬とレチノイン酸を添加して何代か継代《けいだい》してみるつもりだった。Ｅｖｅ１の性状が変化する可能性がある。

利明は培養フラスコをひとつインキュベーターから取り出し、顕微鏡の下に置いた。レンズを通して覗《のぞ》き込むと生きのいい細胞の形が浮かび上がってきた。

いまとなっては学会で発表する結果より、Ｅｖｅ１の見せる驚異のほうが利明にとってはよっぽど重要だった。利明も今度の学会で発表することになっていたが、それは半年前のデータであり、Ｅｖｅ１の解析結果ではない。普通、学会の発表申し込み締め切りは学会開催日より数カ月から半年も前に設定される。そのとき発表内容の要旨も一緒に送らなくてはならないため、いくらそのあとでいいデータが出たとしてもそれを付け加えて発表するのはよほど発表内容と関連していない限り難しい。ましてや発表当日になって勝手に内容を変えることはできない。だが利明は今度の学会でＥｖｅ１によって得られたデータを報告したいという強い衝動に駆られていた。この数週間で出た結果を発表すれば、大きな反響を呼ぶことは間違いなかった。

それだけではない。これらのデータは必ず一流の学術雑誌にアクセプトされる。その論文はミトコンドリアを研究する者たちに大きな衝撃を与えるはずだ。世界中の研究機関からＥｖｅ１を供与してほしいという手紙が届くだろう。聖美の細胞が世界中で生き続ける。それを想像するだけで利明は嬉しくなった。

Ｅｖｅ１はフラスコの底面で幾つものコロニーを形作っていた。昨夜かなり薄く細胞を撒《ま》いて継代したのに、もうこれだけのコロニーができている。あらためて利明はＥｖｅ１の信じがたいまでの増殖速度に目を瞠《みは》った。浮遊系の癌《がん》細胞と同じか、あるいはそれ以下の数で継代しないと一日でフラスコ一杯になってしまう。幸い、Ｅｖｅ１は少ない数で継代してもあまり影響を受けないようだった。それほど増殖力が強いということなのかもしれない。利明はなにげなく視野の中央に位置しているコロニーを眺めた。

そのとき、音が聞こえてきた。

最初、利明はどこかで蠅《はえ》が飛んでいるのかと思った。それほど微《かす》かな唸りだった。

ぶーんともずーむとも書き表せるような音だった。空の上から聞こえてくるようでもあったし、床下から響いてくるようでもあった。なにかが震えて動いている、そんな感じの音だった。

だがやがてその音は強さを増していった。はっとして利明は顕微鏡のレンズから目を離し、辺りを見回した。そしてさらに音が大きくなったとき、それはすぐ近くから発せられているということがわかった。唸りには強弱がついていた。波を描くかのように大きくなったり小さくなったりする。周波数が刻々と変わっているのかもしれない。体の中が震えていた。音に共鳴しはじめていた。体中の電子が揺さぶりをかけられているようだった。

利明は顕微鏡の台に置かれているフラスコを見つめた。フラスコの中の培地が波紋を立てていた。オレンジ色の輪がフラスコの中心から湧《わ》き起こり、広がって拡散してゆく。その中心はちょうど顕微鏡の放つ光線が当たっているところだった。利明はごくりと唾《つば》を呑《の》んだ。音はさらに大きくなっていた。波紋がフラスコの壁にあたって散乱し、複雑な紋様が次々に描かれてゆく。Ｅｖｅ１だ、利明は心の中で叫んだ。Ｅｖｅ１が呼吸している。慌《あわ》ててレンズに目を当てた。

コロニーが脈打っていた。

どくん、どくん、と表面を上下させる。心臓のように隆起と陥没を繰り返す。コロニー自体がひとつの多細胞生物になっているかのようだった。いつの間にかコロニーは大きくなっていた。細胞が増殖し、周りに広がったのに違いなかった。コロニーは視野いっぱいにまで膨れていた。どくん、どくん、と蠢《うごめ》くたびに視野がぶれる。細胞が培地を波立たせているのだとわかるまでに少し時間がかかった。この脈動が培地を震わせ、あの低い音を作り出していたのだ。

利明はレンズから目を離すことができなかった。コロニーに魅せられていた。こんなものを見るのは初めてだった。なにか全く新しい生命体を見ているようだった。

だが、それだけでは終わらなかった。

コロニーが変化を始めた。すこしずつ形状が変わってゆく。利明は息を呑んだ。コロニーの中央が盛り上がり、山のようになってゆく。その上部左右がふたつ、反対に丸く陥没をはじめた。下のほうには横一文字に亀裂《きれつ》ができようとしている。コロニーの上端に位置する細胞は急激にその形を変えていった。繊維芽細胞のように細くなり、そして一定の方向性を持って整列を始めた。

「ばかな……」

利明は呻《うめ》いた。

そこに現れようとしているのは、人間の貌《かお》だった。

コロニー全体がひとつの顔を形作ろうとしていた。ふたつの眼が、鼻が、口が、そして髪が形成されていた。細胞はまだ動きを止めようとはしなかった。さらに分化を繰り返している。次第にその顔は粗削りなものからマネキンのように精緻《せいち》なものへと進化していった。まぎれもない、利明が見たことのあるひとりの人間の顔が浮かび上がりつつあった。

「なんてことだ……」

聖美だった。

聖美の顔だった。聖美が真正面にこちらを向いて利明を見つめていた。すでに細胞は聖美の瞳《ひとみ》やふっくらとした唇までも再生している。生前の聖美とまったく変わるところがなかった。

細胞が分化を止めた。完璧《かんぺき》な聖美の顔がフラスコの底にへばりついていた。利明はそれを凝視していた。喉《のど》の奥がからからに乾いていた。

そして聖美の口が動いた。

聖美の唇と舌が動き、ゆっくりと四つの形を順に利明に示していった。

フラスコからいままでとは違う音が響いた。いや、実際にその音が聞こえたのかどうかは定かではなかった。利明の体の中で共鳴しただけなのかもしれない。だが利明にはその音がはっきりとわかった。

《ト、シ、ア、キ……》

そういったのだ。

「聖美!」

利明は叫んでいた。間違いなかった。これは聖美だ。話しかけようとしてきているのだ。利明は必死で聖美に呼びかけ続けた。

「聖美! 俺だ! 聞こえるぞ聖美! おまえの声が聞こえるぞ!」

がたん! と音がした。

はっと利明は顔を上げた。培養室の扉が音を立てたのだ。扉にはめ込まれている磨《す》りガラスに、一瞬黒い影がさっと映るのが見えた。

誰かに見られていたのだ。

いまの声を聞かれただろうか？

利明は扉に駆け寄り、隙間《すきま》から廊下を見渡した。だが誰もいなかった。もう走り去っていったのかもしれない。

浅倉だったのではないか？　その考えが頭をよぎったが、部屋を出て確認することはやめた。

利明は顕微鏡のところにとって返し、レンズを覗いてみた。だがそこにはいつもと同じ、小さなＥｖｅ1のコロニーが見えるばかりだった。どう見てもそこには聖美の顔の面影すらなかった。唸るような音も聞こえなくなっていた。すべての痕跡《こんせき》が消え失《う》せてしまっていた。

いったいあれは何だったのだ？

利明はしばらく呆然《ぼうぜん》とその場に立ち尽くしていた。

14

大丈夫ですか？……六月のあの日、聖美が気を取り戻したとき、利明は即座にそう声をかけてきた。

聖美はソファに寝かされていた。壁には黒板がかけられており、反対側の壁は大きな本棚で覆《おお》われ、英語で題名が書かれたハードカバーがずらりと並べられていた。大学の中のどこかの部屋らしい。だが実験器具や実験台がないところを見ると、誰か職員の個室なのかもしれなかった。

聖美はひとつ頭を振ってから上半身を起こした。そして自分が心臓の発作で倒れたことを思い出し、あわてて胸に手をやった。しばらくそのままで鼓動を確かめる。いつもと同じ、静かで規則的な動きが伝わってきた。ほっとして聖美は姿勢を整え、ソファに腰掛けた。すぐそばに男の人が立っており、聖美の顔色を心配そうに窺《うかが》っていた。

「本当に大丈夫ですか?」

その人はもう一度訊《き》いてきた。

「はい、あの……大丈夫です。本当にすみませんでした」聖美はぴょこぴょこと頭を下げた。

「まあ、少しゆっくりしていったらいいですよ」その人は軽く頭を掻《か》いた。「ここはうちの講座のゼミ室なんです。日曜だから誰も来ないですからね。水かなにか持ってきますか?」

「……すみません、じゃあ、一杯だけ」

「ええ、いいですよ。ちょっと待っててください」

聖美の気を落ち着かせようとその人は優しく笑みを見せ、そして部屋を出ていった。急に沈黙が部屋の中を覆った。聖美は俯《うつむ》いてふうと小さく息をついた。そして襟元が少しよじれていることに気づいてあたふたと直した。

たったいま出ていった男の人の顔が聖美の目に浮かんだ。

あの講義室で、スライドプロジェクターが動き出す直前、自分の座っている席の後ろに見えた顔だった。心臓がおかしくなり、気を失う寸前に見えた顔だった。

そうだ。聖美は思い出した。あの人に自分は倒れ込んでしまったのだ。頰が火照《ほて》るのがわかった。

あのとき自分はスクリーンに映し出された英語の文字を考えていた。なんという文字だったろう、聖美は記憶を辿《たど》った。たしか人の名前だった。聖美は目を閉じ、その文字を瞼《まぶた》の裏に呼び戻そうとした。Ｎａｇａ……？　そう、ナガシマ、そんな名前だったような気がする。

はっとして、聖美は目を開き顔を上げた。なんてばかなんだろう、そう思った。今の男の人が永島利明という人だったということに、ようやく気づいたのだ。我ながら情けなかった。

その男の人がマグカップを持って入ってきた。

「どうぞ」

と笑って手渡してくれる。こくりとお辞儀をして口をつけた。冷たいウーロン茶が喉を心地よく滑り落ちていった。

「あの……ありがとうございました。永島……さん、ですよね？　違っていたらごめんなさい」

一瞬、利明はえっと声を上げ、聖美の顔を見つめた。なぜ名前を知っているのだろうと問いかけてきているのがわかった。

「二年前、一度お会いしましたよね」聖美は努めて明るい笑みをつくった。「吹奏楽部の新歓コンパで。覚えていらっしゃらないかもしれないけれど、わたし、そのときの新入生です。片岡聖美といいます」

利明はきょとんとし、それから顔をほころばせた。

「あ、ああ……、そうか、そうだったんですか」

結局、聖美はそれから三〇分近く利明と話をした。利明は聖美のことを覚えていなかったが、吹奏楽部の後輩ということもあったのか、気さくに話をしてくれた。大学院に進学してからは吹奏楽部のほうへ顔を出していないので、聖美の顔を覚えることができなかったのだと詫《わ》びた。二年前も落ち着いた感じの人だと思ったが、こうして久しぶりに対面してみてその印象がさらに強くなっていた。当時修士一年だといっていたから、すでに卒業していておかしくないはずであった。そこでさりげなくそのことを聞いてみると、博士課程に進んだからねと利明は答えた。聖美は素直に尊敬の声をあげた。自分とは違って目的意識を持っているんだな、と思った。利明は研究がおもしろくてやめれないのだといって笑った。そんな利明の笑顔を、聖美は素敵だと感じた。

石原教授が帰ってこなかったら、聖美はもっと話していただろう。講演が終わって戻ってきた石原教授は、聖美を認めるなり大袈裟《おおげさ》に声をかけてきた。

「きみ、大丈夫だったかい。いやあ、突然だったんで驚いたよ」

聖美は迷惑をかけたことを詫び、ひたすら頭を下げた。教授はいままでにも発作を起こしたことがあるのかとか、医者に診てもらったほうがいいのではないかとか、いろいろ細かく話しかけてきてくれた。聖美はそれらにひとつひとつ答え、本当に大丈夫ですと相手を納得させるのに随分時間がかかった。

「永島君、この人を送っていってやりなさい。帰る途中でまた具合が悪くなると困る」

利明の車の助手席に座っているあいだ、聖美は何度も礼を繰り返しいった。

「そんなに恐縮されると、こっちの方が困るよ」

そういって利明は困惑した笑みを浮かべた。そこで聖美は反射的にまたごめんなさいと謝ってしまった。利明が吹き出し、笑った。つられて聖美も笑ってしまった。

次の日曜日、ふたりで昼食を共にした。そのあと軽くドライブをした。お互いの電話番号を教え合った。

その翌日、聖美のほうから電話をかけた。次の日の夜遅く、今度は利明のほうから電話がかかってきた。

そうしてふたりの付き合いがはじまった。

利明は大学の実験が忙しく、日曜日であってもずっと聖美と一緒にいてくれるわけではなかった。なんでも細胞や動物を扱っている都合上、どうしてもまるまる一日休むことはできないのだという。しかしなんとか時間をやりくりして聖美をドライブにつれていってくれたり、飲みに誘ったりしてくれた。実験が入り、夜しか暇がないときは映画のビデオを借りてふたりで観《み》た。忙しいにもかかわらず聖美のことを考えてくれる利明が、ますます好きになっていった。

少しでも多く利明のことが知りたい、聖美はそう思った。聖美は利明のおこなっている研究の内容がわからなかったので、話題が途切れたときはよくその質問をした。利明は嬉《うれ》しそうな顔をして、熱心に、しかしわかりやすく聖美に教えてくれた。研究のことを話している利明の瞳はいつも生き生きとしていた。そんな利明の顔を横から眺めながら、ああ、本当に研究が好きなんだな、と思った。自分の好きな人が何かに情熱を傾けているところは、とても素晴らしいと思った。

「あのとき教授が講演で使ったスライドは、ぼくが出したデータだったんだよ」

講演会のスライドに利明の名が入っていた理由を訊くと、利明はそういって説明を始めた。

「修士のときにいい結果が出てね、それで教授に論文を書いてみろっていわれたんだ。ぼくが博士課程に進学することがわかっていたからそう指導したんだろうね。英語で書かなくちゃならないから大変だったけど、結局いい雑誌に載ったんだよ。『ジャーナル・オヴ・バイオロジカル・ケミストリー』っていう雑誌だ」

「有名な雑誌なの？」

「ああ、一流だよ。生化学関係の論文を載せる雑誌で、世界中の人が読むんだ。聖美がスライドで見たのは、その雑誌に論文が載ったっていうことを示す記号だったんだよ。ええと、聖美は知ってるかな、学術雑誌には大きく分けて二種類あって、論文を載せるものと、解説記事や総説を載せるものがあるんだ。日本で出ているニュートンや日経サイエンスなんていう雑誌は、聖美も見たことがあるだろう？」

「ええ」

「ああいうのは記事や総説が載っている雑誌で、本当の意味の学術雑誌とはいわないんだ。一般の人向けの啓蒙《けいもう》雑誌だね。そういったもののほかに、研究者が自分で発見したことをレポートする舞台としてページが用意されている雑誌がある。こういった雑誌に、世界中の研究者は自分の研究結果を論文として投稿するんだ。普通は英語で書かないといけない。雑誌には何人かの審査員がついている。有名な大学の教授がほとんどだけどね。審査員がぼくらの論文を読んで、これは世間に発表する価値があると判断した場合は雑誌に載る。だめなら突き返されたり書き直せといってきたりする」

「利明さんのはどうだったの？」

「ひとつ足りない実験をして、その結果を付け加えるならいいという話だった。だからその実験をやった。ちゃんと掲載してくれたよ。ほら、これがその別刷り」

利明が手渡してくれたその冊子は、全面細かい英語の活字と図表で埋められていた。表題には英文科である聖美でも知らない専門用語や略号が使われていた。ぱらぱらと見た限りでは内容は濃く、適当に読み飛ばすことはできそうになかった。これだけのものを作り上げた利明に、聖美は心から称賛を送った。

「でも、まだ論文を書かないといけないんでしょ？」

「ああ、博士課程を卒業するのに、英語の論文を三報出すことが必要だからね。ただ、講座の先生がぼくの名前を入れてひとつ論文を出したんだ。だからあとひとつでもいいんだけれどね」

「今度もこの雑誌に出すの？」

「うーん、そう何度もそんな一流の雑誌には投稿できないよ。まあ、いつかはもっと上のランクのところに出したいとは思っているけどね」

「上のランク？」

「学術雑誌にもランクがあってね、超一流雑誌から、それこそ掲載されてもほとんどインパクトがないものまで、いろいろあるんだよ。投稿するほうは、自分の研究のレベルを考えてどの雑誌にしようかと決めるんだ。それに雑誌にも性格がある。科学全般を扱うものから、本当に小さな領域だけを専門にしているものもある。自分の研究との相性も考えないとね。そうだな、世界で一番権威があるのが、イギリスで発行されている『ネイチャー』とアメリカの『サイエンス』かな。このふたつに論文が載ったら大変なことだよ。その次にくるのが、生化学の分野だったら『セル』で、その下にこの『ジャーナル・オヴ・バイオロジカル・ケミストリー』あたりがくるかな」

「じゃあ、この論文、すごいんじゃないの！」

「もちろん、ぼくだけの力でできたわけじゃないんだよ。たまたま教授が与えてくれたテーマが良かったことが大きいんだけど。それに教授の知り合いが雑誌の審査員をやっていたから少しは考慮してくれたのかもしれないし……」

自慢したいのに妙に弱気になってしまうのも、利明の性格の良さからくるところだった。そんなときに見せる利明の照れたような笑みも聖美は好きだった。

何度目かの口づけのとき、利明は舌を入れてきた。頭の中が熱くなるほどの心地よさだった。胸の鼓動が早まるのがわかった。利明の手が服の上から軽く聖美の胸に触れてきた。どうしよう、こんなに興奮していることが知られてしまう、そう思いながらも聖美は目を閉じ、積極的に舌を出し利明に応《こた》えた。いままでに感じたことがないほどの悦《よろこ》びだった。この人だ、聖美はそう思った。この人をわたしは待っ

　　　　　　　　　　　　　　テ、イ、タ、ノ、ダ)

はっとして聖美は唇を離した。

「どうした？」利明が不審に思ったのか尋ねてきた。

「……誰かの声が聞こえたような気がして」

「声？」

(コノヒトヲワタシハマッテイタノダ)

「ほら！」

聖美は悲鳴をあげた。

錯乱《さくらん》しかけた聖美を利明は抱き締めてなだめ、声など聞こえないと何度もいって落ち着かせてくれた。

確かに、その声はもうどこかへいってしまっていた。聖美は利明の腕の中で震えながら耳をすましたが、もう何も聞こえなかった。

「空耳だよ」

聖美の頭をさすりながら、利明はそういった。だが聖美にはそうは思えなかった。空耳などではなかった。そう、あのとき聞いた声と同じだった。講演会のとき、失心する

寸前に聞いた、あの声だった。高く鋭い、しかし男性なのか女性なのか判別できない、どこから聞こえてくるのかわからないあの声だった。

大丈夫だよ、そういって利明は聖美の額に軽く口づけをしてくれた。動悸《どうき》はおさまりつつあったが、しかしまだ聖美は震えていた。

「なにをぼんやりしてるんだい？」

利明の声に、聖美は我に返った。イタリア料理が並ぶテーブルの向こうに、利明が座っていた。

「なんでもないの」聖美は笑みを浮かべてその場を取り繕った。

その日、初めて聖美は利明と朝まで一緒に過ごした。聖美は初めから緊張してしまったが、終始利明は優しく接してくれた。聖美は恥ずかしさのあまり体中から火が出たように熱くなった。心臓の動きに胸がついていけなかった。しかしそのとき利明がひとこと、きれいだよと耳元でいってくれた。

それが、とても嬉しかった。

15

麻理子の尿量が減少したとの看護婦の報告を受けて、吉住は麻理子の容体を窺《うかが》いに病棟へ出向いた。

麻理子はわずかに体重増加傾向が見られており、さらに検査結果によれば血清クレアチニン値とBUN値が上がり気味になっていた。吉住は内心ひやりとしたものを覚えていた。

拒絶反応かもしれない。

そう思ったのだ。

麻理子は病室のベッドで横になっていた。昨夜から微熱が出ている。顔がすこし火照《ほて》っていた。吉住は手を挙げて挨拶《あいさつ》したが、麻理子に無視されてしまった。病室にいた看護婦に苦笑をみせて吉住は麻理子の横に座った。

「すこし尿が出なくなってきたね。具合が悪いところはないかい」

「……わからない」麻理子はよそを向いたまま答えた。

ここ数日、ようやく麻理子は吉住の質問に反応してくれるようになっていた。とはいってもぶっきらぼうに一言か二言話すだけだったが。しかしそれでも吉住にとっては嬉しかった。すこしは打ち解けてくれるようになったのだと解釈していた。やはり中庭の散歩を許可したのが大きかったのかもしれない。

これまで麻理子の術後は理想的ともいえるほど順調だった。感染症も拒絶反応も起こらずここまできたのだ。今週からは免疫《めんえき》抑制剤のひとつである副腎《ふくじん》ステロイド剤の量もさらに減らし、屋外へ出ることを許していた。外界の空気に触れても感染する可能性は低いと読んでいたのだ。このままいけばじきに退院となる予定だった。しかしここで拒絶反応が起こったとなると、退院は延期せざるを得なくなる。

吉住は麻理子のわからないという答を軽く受け流した。これは隠しているのではない。本当にわからないのだろう。拒絶反応初期の自覚症状は曖昧《あいまい》になる。発熱や倦怠《けんたい》感が起こることが多いが、それは単に飲水量のコントロールがうまくいっていないことが原因である場合もあるので慎重に対処する必要がある。

「すこし検査をしたいんだ。拒絶反応が起こっている可能性がある。でも心配しなくていい。もし起こっていたとしてもすぐに治るよ」

拒絶反応という言葉を吉住が出したとき、麻理子の体がぴくんと反応した。だが表情に変化はない。

「しばらく中庭に出るのはおあずけだ、いいね。超音波検査をしたいんだけどいいかな。前の移植のときにやったことがあるね」

「…………」

「血液の流れる音を聞く検査だ。すぐに終わるし、ぜんぜん痛くない。その結果を見て判断する。まだ本当に拒絶が起こっているのかわからないんだ」

麻理子は黙って頷《うなず》き、承諾の合図をした。吉住はそれを見て傍らに立っている看護婦に超音波ドップラー血流計の準備をするよう伝えた。この機械で移植腎が肥大していないか、血流が低下していないかなどを検査することができる。病室で簡単に測定できるので吉住はこの検査を汎用《はんよう》していた。

吉住は検査を看護婦に任せ、麻理子にもう一度笑顔を見せて退室した。病棟の長い廊下をエレベーターホールへと向かって歩く。窓から陽が射し込んで床に幾つもの四角い日だまりができている。

麻理子の症状は本当に拒絶反応なのだろうか。歩きながら、吉住は目まぐるしく思考を回転させていた。まだ検査結果をみた限りでは特定しかねた。近年は優れた免疫抑制剤が開発されたために劇的な拒絶反応というものは起こりにくくなっている。そのかわりサイクロスポリン毒性との区別がつかなくなってきているのだ。

サイクロスポリンは現在の移植治療には欠かせない免疫抑制剤だ。麻理子にも毎日投与している。だがサイクロスポリンは血中濃度が上がると腎毒性を示すという副作用がある。そこでこの市立中央病院では患者の血液を毎朝採取し、血中サイクロスポリンレベルをモニターすることになっていた。その結果を見ながら投与量を増減させ、副作用が起こらないように注意している。

麻理子のモニタリング結果は毎日検査部から吉住のもとへ送られてくる。それを見る限りではサイクロスポリンレベルはさほど上昇しているとはいえなかった。ただし血清クレアチニンレベルが上がっているのが気になった。拒絶反応とも腎毒性ともとれる結果だ。だが吉住はこれまでの経験上、拒絶反応である可能性のほうが高いと感じていた。なぜいまごろ拒絶が起こったのだろう。それが吉住の偽らざる気持ちだった。いや、これまであまりにも順調だったのでそう思うのかもしれない。

だが、吉住にはなにか引っ掛かるところがあった。

麻理子は再移植だ。前回も拒絶反応で移植腎は廃絶している。そのことを吉住は思い出したのだった。

あのとき、麻理子は免疫抑制剤を飲まなかった。飲んだと偽って捨てていた。麻理子は結局認めようとはしなかったが、吉住はそう確信していた。薬をちゃんと飲んでいれば再移植など受けることはなかったのに……。

そこまで考えて、吉住はぎくりとして立ち止まった。

まさか、今度も麻理子は薬を捨てたのではないか。

移植を失敗させようと自分から拒絶を起こさせたのではないか。

……ばかな。

吉住は頭を振った。血中モニタリングで免疫抑制剤の存在が確認されているのだ。麻理子は薬を飲んでいる。

吉住は俯《うつむ》いたまま再び歩き始めた。すこしでも麻理子を疑った自分が恥ずかしかった。自分は知らないうちに麻理子に対する猜疑心《さいぎしん》を表情に出していたのかもしれない、と吉住は思った。それを麻理子に悟られていたのではないか。だから麻理子はあんなにも敵愾心《てきがいしん》を表していたのではないか。

麻理子が打ち解けてこなかったのはそのためだったのかもしれない。

吉住は大きく息をつき、エレベーターのボタンを押した。


超音波検査の結果はすぐに出て吉住に知らされた。やはり血流低下がわずかに認められる。吉住は麻理子の腎から針生検を取ることにした。予定の時間を看護婦に伝える。

針生検は移植した腎の状態を観察するもっとも直接的な方法だ。患者の腎臓に針を刺し、組織をわずかに抉《えぐ》り取る。得られた組織の破片を染色して顕微鏡で観察するというものである。

麻理子を手術室に入れてもらう。吉住はスクラップ・ルームで消毒をおこなった後、続いて手術室に入った。

針生検は数分で終わり、吉住は組織を助手に渡した。

「すぐに検査部へ送ってくれ。光顕用と蛍光用と電顕用に三種類つくってほしい。どのくらいであがるかな」

「光顕なら二〇分程度だといっていました」

「よし、すぐに見よう」

手術室を出て、医局で待機していた吉住は、しかし心の内から湧《わ》き上がる不安を抑えることができなかった。

今度も麻理子の腎は生着しないのではないか。

前の移植のときと同じように廃絶し、結局は摘出しなくてはならなくなるのではないか。

普段であれば考えもしないようなことが頭を過《よぎ》った。これほど臆病《おくびょう》になっているとは自分でも意外だった。

麻理子は拒絶反応が起こってから病院へ運ばれてきた。家でひとり苦しんでいるところを、帰ってきた父親が見つけたのだった。吉住にとっては寝耳に水だった。麻理子は退院してからも薬を受け取るため定期的に通院していたし、確実に生着しているかどうか検査も受けていたのだ。麻理子はすぐにＩＣＵに入れられた。半信半疑のまま治療にあたった吉住は、麻理子の血液中の免疫抑制剤濃度があまりにも低いことに愕然《がくぜん》とした。

急激に起きた拒絶反応だった。拒絶治療では顕著な効果をあらわすはずのOKT‐3を急いでワンショット静注したがすでに遅かった。麻理子は輸液を受け、透析を余儀なくされた。あっという間に移植した腎は不可逆的障害を受け、摘出を選択せざるを得なくなった。

移植腎の摘出手術ほど気の滅入《めい》るものはない。これまで多くのスタッフで何カ月もかけて大事に治療していたことがすべてふりだしに戻ってしまうのだ。いや、悪くすれば患者の生活の充実度《QOL》が手術前より低下してしまう。そして普通、摘出手術は患者の血管の位置をよく把握しているという意味で移植の担当医がおこなうことになっている。摘出の準備を進める吉住に訪れるのは、自分の治療が敗北したような屈辱感に他ならなかった。

摘出の日、外では小雨が降っていた。吉住は医局の窓からそれを見ながら、傘を持ってこなかったことを後悔した。だが灰色の空はなんとなく吉住の心を見透かしているようにも思えたのだ。

摘出は移植したときと同じ手術室でおこなわれた。ただ移植のときと違うのは、すでに麻理子の右の下腹部に移植の傷痕《きずあと》が残っていることだった。吉住はその部位をもう一度電気メスで切開した。

移植した腎がさほど周囲の組織に癒着《ゆちやく》していないことがせめてもの救いだった。麻理子の場合移植してから六カ月が経《た》っているとはいえ、徐々に拒絶が進行したわけではないので、ある意味で急性移植腎不全のような術層を示していた。慢性の拒絶の場合、炎症が起こって腹壁への癒着が強くなり、血管の位置が見えないため無理に剝離《はくり》すると大出血する場合がある。麻理子の術部は血管も比較的楽に結紮《けっさつ》することができた。

手術は終始重苦しい雰囲気だった。最も慎重におこなわなければならない手技であるとは十分承知して集中できなかった。ナイロン糸で血管を吻合《ふんごう》するときも吉住は神経をいたが、こうして自分が麻理子から移植腎を摘出しているということにどうしても納得がいかなかったのだ……。

時間どおりにあがってきた組織染色を見て、吉住は拒絶反応であることを確信した。拒絶の程度はまだ軽微ではあるが、毛細血管に多核白血球が目立ち、また細動脈に血栓が見られる。サイクロスポリン腎症の場合、細動脈に小さなガラスの粒のようなものが見られるのが特徴だが、麻理子の切片にはその細動脈硝子化の形態は観察されなかった。

吉住は麻理子に治療薬としてメチルプレドニゾロンを処方することにした。麻理子の拒絶反応が重篤《じゅうとく》であればOKT‐3を使うところだが今回はその必要はないと考えていた。三日間連続投与して様子を見る。効果があらわれるのは投与が終わってからだ。一週間は大事に様子を見る必要があった。

吉住は指示を終え、ひとつ息をついてコーヒーを淹《い》れた。自分のデスクに戻る。カップから白い湯気が立ちのぼるのを吉住はぼんやりと眺めた。

摘出後、明らかに麻理子は変わった。

極度の鬱《うつ》状態に陥った。移植腎が生着しなかった患者がまれに起こす精神状態だった。吉住は最初、移植が失敗したため麻理子がふさぎこんでいるのだと考えていた。だから麻理子や父親に再移植を勧め、希望を持ってもらおうと思った。透析もＣＡＰＤという新しい方法があることを教え、透析生活に戻る重圧を少しでも和らげようと配慮した。

だが、今考えてみれば、麻理子のそのときの心理状態はもっと複雑だったのだ。あのとき吉住はなぜ麻理子が薬を飲まなかったのかということを最後まで追及しなかった。小児の場合、薬を故意に飲み忘れることがある。大人への反抗心からだったり、副作用により顔にむくみが出るのを嫌ったり、無断で外泊や旅行をしたりと、その理由はさまざまだ。そして体の調子がいいので薬を飲まなくても大丈夫だと自分で決めてしまう。調子がいいのは薬のおかげだということを忘れてしまうのだ。

正直なところ、吉住には子供の気持ちがよく理解できなかった。どう接していいのかわからないのだった。自分に子供がいないせいかもしれない、と吉住は思った。

医局に務めるようになってすぐ、吉住は大学の同級生だった女性と結婚した。ふたりとも大学病院で働いていたため子供を育てる時間がなかった。結婚して年月が過ぎ、そしてようやくふたりに余裕ができたとき、吉住の精子が異常で女性を妊娠させることはできないということがわかったのだ。

あれだけ仕事をしたいと主張し、子供はあとにしようとことあるごとに強い口調で吉住を説得していた妻は、その結果を聞くなり吉住から顔を背けた。

だが吉住はそのとき、妻が一瞬見せた蔑《さげす》むような視線を見逃さなかった。

もっとちゃんと麻理子の精神管理をするべきだったのではないか。いまさらながら吉住は悔やんだ。もっと麻理子と話すべきだった。

麻理子はしばらくして鬱状態から脱出したようにみえた。吉住や父親のいうこともよく聞き、再移植の登録にも同意した。吉住は麻理子が摘出のショックから立ち直ったものと思っていた。

だがそうではなかったのだ。

今回移植を受けた麻理子を見てわかった。麻理子はまだ立ち直っていないのだ。二年前、麻理子は廃絶のために鬱になったわけではなかった。なにか吉住たちの知らない別のことを気に病んでいたのだ。それを麻理子は誰にも話さずひとりで隠していた。そして立ち直った演技をして大人たちを欺《あざむ》いていた。それを吉住たちは見抜くことができなかったのだ。

もう遅いだろうか。

もう麻理子の気持ちを摑《つか》むことはできないだろうか。

そんなことはないはずだ、そう吉住は思った。

信頼を受けられない移植医ならやめてしまったほうがいい。

もっと麻理子と話したかった。


その日の夕方、吉住は麻理子の病室へ出向いた。

部屋では麻理子がひとり、ぽつんとベッドに横たわり天井を眺めていた。点滴チューブが麻理子の腕につながっている。拒絶反応の治療として吉住が処方した薬剤だ。

麻理子は突然吉住が来たことにすこし驚いたようだった。無理もない。これまで吉住は急用の場合を除いて決まった時間にしか回診に現れなかったのだ。

「どうしたんだい、外へ出られなくなって少しがっかりしたのかい」

吉住はそう話しかけた。

麻理子は答えずに顔を背けてしまった。だが吉住はかまわずに麻理子のベッドサイドにある椅子《いす》に腰掛けた。

「拒絶反応はまだ軽い状態だったよ」吉住は話を続けた。「今度写真を見せてあげよう。自分の腎臓の写真を見たことがないだろう。治療用の薬を飲めばぜったいに治る。心配しなくていい」

「…………」

「大丈夫だ。前の移植のときもそうだっただろう。すこしの拒絶反応ならすぐにおさまるんだ。きっと治してやる。すぐにおいしいものを家で食べられるようになる」

「…………」

「ところで……」

吉住はそこで言葉を切った。少しのあいだ躊躇《ちゅうちょ》したが、思い切って尋ねることにした。

「前の移植のとき、何があったのか教えてくれないか」

むこうを向いていた麻理子の肩がすこし動くのがわかった。吉住はさらに続けた。

「前の移植のときは先生のほうもちゃんと悩みを聞いてやらなかった……。悪かったと思っている。……薬を飲まなかったのはなにか理由があったんだね」

「…………」

「それを話してくれないか」

麻理子は黙っていた。だが明らかに心が揺れ動いているのがわかった。

しばらく吉住は、なにもしゃべらずに麻理子が話し出すのを待っていた。部屋の中に沈黙が降りた。吉住にはそれが雪のように天井からゆっくりと舞い降りてきて、麻理子のベッドのシーツに降り積もるような錯覚を覚えた。

「先生、あたし眠いんです……」

ようやく麻理子がそれだけいった。

「そうか……」

吉住は立ち上がった。すこしは脈がある、と思った。すくなくとも手術直後のときより、麻理子はわずかではあるがコミュニケーションをしようとしている。

「拒絶のことは心配しないで。きっと治してやる」

そういって吉住は病室を出た。

翌日の夜、吉住は生検の結果をもう一度見直していた。凍結切片による電子顕微鏡観察の結果も出たため、光顕の結果と見比べていたのだ。

「ちょっと奇妙なんですよ」

検査部で組織標本を担当する技師が吉住にいった。

看護婦が検査部から持ってきた写真に技師のコメントがついていたため吉住は電話で問い合わせたのだった。

「拒絶反応としては軽度のもので、さほど問題はないんです。しかしちょっと気になりまして」技師はそこで言葉を濁すように声を落とした。「こんなのはこれまで見たことがなかったので」

吉住はすでに技師のいわんとしていることがわかっていた。写真を見てすぐに普段とは違う形態だということに気づいたのだ。

「固定法はいつもと同じなんでしょう。これまでにこういうのは本当になかったんですね？」

吉住は念をおした。組織の固定法を誤ると本来とは異なる結果を示してしまう場合が多い。吉住も最初は染色手技の間違いではないかと思った。

だがミスではないことがわかると、今度はどう説明したらいいのか吉住にはまるでわからなくなった。

吉住は移植手術後一時間で採取した生検の結果をファイルから取り出し、もう一度よく観察してみた。吉住は息を呑《の》んだ。このときすでに兆候が現れている。気がつかなかったのは迂闊《うかつ》だった。

移植腎《じん》の細胞の中にあるミトコンドリアが異常に大きいのだ。

通常の数倍の長さがある。しかも小胞体のように網目状に融合し、細胞全体に広がっている。

これまで見たこともないような形態だった。

吉住は気味が悪くなって写真を机の上に放った。コーヒーを一気に飲み干す。だがまともな説明を思いつかなかった。

確かにサイクロスポリンを投与したときにミトコンドリアが伸長することは知られている。経口利尿薬であるエタクリン酸は腎の細胞のミトコンドリアに形状変化をもたらすことも吉住は人から聞いて知っていた。だがいくらサイクロスポリンを投与しているとはいえ、これは異常だった。しかもそれは手術直後の細胞でも観察されている。サイクロスポリンの投与で変化が誘導されたとしても、最初から移植腎の細胞はミトコンドリアに何らかの異常があったとしか考えられない。

これがなにを意味するのか、吉住にはわからなかった。やはりサイクロスポリンの腎毒性が出ている証拠なのか。それともまったく別の理由があるのか。腎が最初から異常だったとしても、なぜこれまでは順調に機能していたのか。

不意に、吉住は移植手術のときに感じた異様な熱さを思い出した。

移植腎に触れたときに感じたあの熱さだった。あのとき吉住の心臓は奇妙なほどの興奮状態にあった。そう、まるで腎が吉住の心臓を動かしているようにも思えたのだ。

あのときのことと関係があるのだろうか。

吉住は鳥肌が立つのを感じた。これを麻理子に知らせるわけにはいかない。だがどうして対処したらいいのか見当もつかなかった。このまま何事もなく過ぎればいい、そう思った。このミトコンドリアは拒絶とは関係ないのかもしれない。腎も今度の拒絶以外はまったく問題なく機能してきた。このまま無事に生着してほしい。

机の上の電顕写真を見つめながらそう願った。

16

彼女は初めて利明と一体になったときのことをはっきりと覚えていた。聖美の中心に利明が侵入してきたとき、聖美は悲鳴を堪《こら》えて顔をしかめていた。だが彼女はこれからはじまるぞくぞくするような悦楽に期待し、極度の興奮状態に陥っていた。

その興奮はすぐに聖美も感じとったらしかった。当然のことだ。彼女は脳神経系における主要部位にも多く存在している。シナプスやスパイン、軸索、どれも聖美の脳内での情報伝達に欠かせない単位だ。彼女は長い年月をかけて宿主のあらゆる器官に取り入り、自らなくしては宿主が正常な機能を運営できないようにしてきたのだ。彼女が興奮することにより聖美の脳細胞では前シナプスが異常な刺激を受け、シナプス間隙《かんげき》に大量の伝達物質が放出される。聖美が快感を覚えないはずはない。それは普通に感じる悦《よろこ》びなど問題にならないほどの刺激であったはずだ。聖美はすぐに痛みを忘れ行為に没頭していった。彼女もまた利明が繰り出す享楽《きょうらく》に身を任せた。そう、あろうことか、聖美は初めてにして高くよがり声を上げ、痙攣《けいれん》し、そして最後には失神してしまったのだ。

利明との愛交は常にすばらしかった。そのひとつひとつを彼女は聖美の記憶の中から呼び出してはそれを楽しんだ。利明の技巧は決して完成されたものではなく、むしろ時には稚拙《ちせつ》でさえあったが、それでも彼女は利明に愛されているというだけで無上の悦びを感じたし、また積極的に利明の行為を感じようと聖美の体内を操作していった。

彼女は聖美が利明の気に入るよう、聖美の身体《からだ》を様々に変貌《へんぼう》させていった。利明の好む顔になるよう、ゆっくりと時間をかけて聖美の顔を変化させた。利明の攻める部分が特に感じやすくなるよう聖美の神経網を整備した。聖美は自分でもなぜそれほどまでに自分が感じるのかわからなかったに違いない。聖美の精神構造は単純だった。可哀想《かわいそう》なほど純粋で初《うぶ》だった。聖美は自分の体が獲得している悦びが特別なものだとは最後まで知らなかったのだ。だが彼女が快感を得るには、そして利明の心をつかむには、聖美を感じさせる必要があった。利明に捨てられてはならなかった。利明こそ彼女が探していた男性なのだ。なんとしても利明の愛を集中させせなくてはならない。

聖美に、

そして彼女に。

彼女は悦びに体を震わせた。もう少しだ。もう少しで完全になる。

そのためにはさらに分化が必要だった。宿主の増殖は思いのままに操ることができるようになったものの、まだ形態変化を維持することは困難だった。すぐに造り上げた形態が崩れてしまう。宿主のゲノムをより変異させせなければならない。

幸いにして、ここには遺伝子変異をおこなうのに十分な道具が揃《そろ》っている。扉を開ければすぐ目の前にクリーンベンチがある。いまそこでは青白いUVランプが煌々《こうこう》と光を放っているはずだ。研究室にいけば幾つもの発癌《がん》性物質が眠っているに違いない。すこし遠距離になるが放射線を浴びることもできるだろう。もちろん誘導剤も思うままに手に入れることができる。

彼女は制御を止め、増殖のための機能を解き放った。

浅倉佐知子はマッキントッシュのモニタから目を離し、ふうとひとつ息をついた。研究室の中を見回す。大きな音を立てるドラフトも、温度を小刻みに変化させて唸《うな》るサーマルサイクラーのヒーターも、いまはその動きを止めている。時折り思い出したように冷蔵庫が低い音を立てるだけだ。

浅倉は椅子から立ち上がり大きく背伸びをした。すでに夜中の一二時ちかい。利明は三時間ほど前に帰宅していた。利明が帰るころはまだ人の足音が遠くで聞こえていたが、いつの間にかそれも耳にしなくなっていた。おそらくいま校舎に残っているのは浅倉だけだろう。

浅倉は冷蔵庫からペットボトルの麦茶を取り出しマグカップに注いだ。麦茶がこぽこぽとカップに注がれてゆく音が奇妙なほど大きく響く。浅倉はカップのふちに口をつけ、ひとくち啜《すす》った。冷たい麦茶が喉《のど》を通り抜けてゆく。すこし疲れが和らいだような気がした。

　学会のためのスライド原図を作っているところだった。四年生のときの卒業論文で図表をつくったことがあるとはいえ、やはり慣れなくてどうしても時間がかかってしまう。マウスを操りながらモニタを見つめていると、あっという間に時間が過ぎていた。二時間以上もマッキントッシュに向かっていたことになる。それなのにまだひとつしか図は完成していなかった。

　浅倉はマグカップを手に机に戻った。モニタに映し出された図を眺める。ノザンブロッティングの結果を説明する内容だったが、スキャナーで取り込んだ画面とどう合成したらいいのかわからず手間取ってしまったのだ。やはり利明が帰る前に訊《き》いておけば良かったと思う。だがこうしてできあがった図を見ると、なかなかのものだった。

　夜の研究室はなにか別の雰囲気がある、浅倉は麦茶に口をつけながらそう思った。昼は健康的な実験場所にみえるこの研究室も、夜になると表情が変わる。蛍光灯の明かりがつくる影のせいなのだろうか、実験机に置かれている機器は昼間以上に奇妙な形が強調される。古ぼけた机と最新機器のバランスが視野の中でとれず不思議な印象を与える。何も知らない人が迷い込んだら薄気味悪く思うに違いない。

　空気が生ぬるかった。風がないので汗の皮膜が皮膚に張り付くような感じがする。今日はこれでやめて帰ろうか。

そう思ったときだった。

ざっ、と背筋に悪寒《おかん》がはしった。

それは浅倉のうなじに収束した。産毛《うぶげ》が逆立つような気がした。うなじが疼《うず》く。浅倉はたまらず首をすぼめ、声を上げた。

なんなのだろう。浅倉は辺りを見渡した。ぐるりと体を一回転させ、研究室のあちこちに目を走らせた。空気は澱《よど》んでいる。風が吹いてきたわけではない。この疼きはもっと別のものが原因だった。

室内はなにも変わるところがなかった。ただ黙ってそれぞれの影を落とし、そのままの状態で静かに留まっていた。すべては冷たく、生きているものの姿はなかった。

疼きがひどくなった。うなじのあたりの髪がちりちりと鋭い痛みを発している。浅倉はマグカップを机に置き、首筋を手で押さえた。だが疼きはおさまるどころかさらに広がってゆく。

全身が震えていた。足がすくんでいる。

その名が浅倉の脳裏に浮かんだ。

Ｅｖｅ１。

この疼きはＥｖｅ１が原因だ。

それしか考えられなかった。

……ずるっ。

音がした。なにかが動いたのだ。浅倉は悲鳴を上げたが、耳には歯と歯の間から漏れる掠《かす》れた空気の音しか聞こえなかった。

逃げ出したかった。だが足が床に張り付いてしまっている。なんとか眼球が動いた。浅倉は神経を耳に集中させ、その向こうに培養室があるはずの壁を凝視した。

……ずるっ。

確かに聞こえた。培養室からだった。間違いない、なにかが培養室で動いている。Ｅｖｅ１の名が浅倉の頭でサイレンを鳴らし、真っ赤になって点灯していた。だがどうしてＥｖｅ１が音を立てられるのかわからなかった。いまＥｖｅ１は培養フラスコに入ってインキュベーターの中にいるはずだ。どう考えても音を出せるはずがない。ましてや動けるはずがない。

そのとき、べちゃっ、という大きな音が響いた。

「ひっ」

浅倉は声を漏らした。なにか湿った塊が床に落下した音だ。膝《ひざ》ががくがくと震えていた。もう立っていられなかった。浅倉はがくんと膝を折ってその場に座り込んだ。そのとき指先がマグカップに触れた。

鋭い音とともにカップが床で弾《はじ》けた。麦茶とカップの破片が浅倉の顔にかかった。頬に痛みが閃《はし》った。

彼女はその音に気づいて動きを止めた。

誰かがいる。

研究室には誰も残っていないと思ったが間違いだった。利明ではないことは確かだった。利明は帰ったはずだ。

彼女は記憶を辿《たど》った。背の高い女の姿が浮かんだ。あの女がいるのだろう。

気配を悟られたのは失敗だった。完全な姿を獲得するまでは利明のほかには誰にも知られたくなかったのだ。だがしかたがない。

音はもう聞こえてこなかった。どこかへ行ってしまったのか、あるいは身動きできずに震えているのだろう。

あの女をどうするか。

だが、なにも躊躇《ちゅうちょ》する必要はないのだということに気づいた。こちらの姿をはっきりと見られなければいいのだ。それにいまはあの女ひとりしかいない。利明は彼女の味方になってくれるだろう。あの女の幻覚として片をつけてくれるに違いない。

そして、どうしてもあの女が騒いでうるさいようであれば、ほかにも方法はある。

彼女は全身を大きく震わせた。そしてゆっくりと扉に向かって動いていった。

……ずるっ。

浅倉はびくんとして息を呑んだ。

またあの音が聞こえてきた。

浅倉は床にぺたんと尻《しり》をつき、机の下に隠れるようにしてあたりを窺《うかが》っていた。一分か二分ちかく音が聞こえてこなかったので、ようやく心臓が落ち着きを取り戻しかけたところだった。空耳だったのだ、そう自分を納得させようと努力していたところに、また濡《ぬ》れぞうきんをひきずるような音が聞こえてきた。

「いや……」

浅倉はしきりに首を振った。うなじがずきずきする。汗が出てシャツが背中にべったりと張り付いていた。顎《あご》からもぼたりと大粒の汗が落ち胸元に染《し》み込む。頭蓋《ずがい》の中は煮えるように熱いのに皮膚の表面は汗に濡れて凍えそうなほど冷たかった。

明らかに音はこちらへ向かって動いてきている。ときどき液体の飛沫《ひまつ》がとぶような音がまざって聞こえる。ごぼりと泡が弾けるような音も混在していた。その音は浅倉に、なにかぬらぬらと濡れた不定形の生ゴミのようなものを連想させた。カビが表面に密集し、腐ってどろりとした粘液質に姿を変え、緑や茶色や黒がまだらとなって交じりあった排泄物《はいせつぶつ》。浅倉は自分で想像しながらその気味悪さに吐き気を覚えた。

音が変わった。かりかりと擦《こす》るような音が聞こえてきた。やがて濡れたものでなにかを叩《たた》くような鈍い音が何度も耳に入ってきた。

浅倉はようやくそれがなにを意味しているのかわかった。

扉だ。培養室の扉を開けようとしているのだ。培養室は利明が帰った後に浅倉が鍵《かぎ》をかけている。開かないので苛《いら》立《だ》ち、扉にぶつかっているのだ。

続いて、液状のものが狭い穴から絞り出されるような、そんな気味悪い音が長く伸びた。途中でごぼごぼと下水が詰まったような音が交ざった。浅倉は不快感に顔をしかめた。胃の中のものが喉に迫《せ》り上がってくる。扉が開かないので下の隙間《すきま》を這《は》ってきたのだ、そう浅倉は思った。口の中に広がる饐《す》えた匂《にお》いを唾《つば》とともに呑み込む。一気に寒気が襲ってきた。歯ががちがちと鳴り始めた。

……ずるっ。

……ずるっ。

引きずるような音が、今度ははっきりと聞こえた。通り抜けたのだ。扉を通り抜けて廊下に出たのだ。

音を立ててはいけない。ここにいることを知られてはいけない。そう必死で思いながらも、歯はがちがちと鳴り響いて止まらなかった。浅倉は手のひらで口を押さえなんとかそれを止めようとした。だが止まらなかった。くぐもった音が頭蓋骨に響いた。

べちゃり。

「ひっ」

研究室の扉になにかがあたった。

研究室には手前と奥にふたつ扉があった。どちらも廊下に通じている。音がしたのは浅倉の机から遠い、奥の扉だった。培養室に近いほうだ。突然その扉の横に設置されている冷蔵庫がぶーんと唸りをあげた。温度が上昇したのでサーモセンサーが働いたのだ。だが浅倉は突然のことに大きな悲鳴をあげてしまった。あわてて口を塞《ふさ》いだが遅かった。廊下にもいまの悲鳴は確実に聞こえたはずだ。

目が潤《うる》んであたりがよく見えなかった。研究室の扉はふたつとも閉まっている。だが鍵はかけていない。入ろうと思えば入ってこられる状態だった。ノブを回せばすぐにでも……。

息が詰まった。

ノブが回っている。確かに回っている。浅倉は動けなかった。いま扉へ走っていって鍵を閉めればいい、そう思っていても動けなかった。

そして、扉が開いた。

べちゃり、と鮮明な音がした。

逃げなければ、そう浅倉は思った。一刻もはやくこの部屋から逃げ出したかった。開いた扉の方角は浅倉が座り込んでいるところからは実験台の陰になってほとんど様子を見て取ることができない。浅倉はもうひとつの扉を見た。実験机があるため一直線で行けるわけではないが、それでも十歩かそれくらいの距離のはずだ。毎日数え切れないくらい通っているところだ。なのに、浅倉はそこまでの道程を考えて絶望的になった。それはとてつもなく遠くに見える。

突然、視界がなくなった。

一瞬浅倉は何が起こったのかわからなかった。何も見えなくなった。いや、ちらちらとした青白い光がふたつ灯っている。自分の机の上の卓上蛍光灯とマッキントッシュのモニタだ。それ以外は闇《やみ》に呑《の》まれていた。天井にあるはずの蛍光灯は切れてしまっている。実験机も、機器も、扉も、すべてが見えなくなってしまっていた。

電灯を消されたのだ。

扉の横にスイッチがある。それを消されたのだ。そして浅倉はあることに気づき、はっと息を呑んだ。

相手はスイッチを切れば電灯が切れるということを知っている。

ノブを回せば扉が開くということを知っている。

……知性を持っているのだ。

信じられなかった。

そのとき、扉の近くから黄白色の光が現れた。

実験台の陰になっているため、何が起こっているのかよくわからない。光は弱く、ぼうと冷蔵庫のあたりを照らしている。ことん、ことん、という小さな音が聞こえてきた。なにかを動かしている音だ。

冷蔵庫を開けたのだ、と浅倉は直感した。

試薬瓶を取り出す音がする。なにかを探しているようだった。

逃げろというサインが浅倉の頭の中で明滅していた。四つん這いになって必死に手足を動かした。焦《あせ》る心ばかりが前に進み、体はそれに追いついていかない。なんとか冷蔵庫の全体が見える位置まで浅倉は這い進んだ。扉が半開きになっており、その向こうに隠れるかたちでそれが棚をごそごそいわせている。ときどき気味の悪い粘液質の音を立てる。だが浅倉のことは気にかけていないようだ。その姿を見ることはできないが、浅倉は見たいとも思わなかった。

浅倉はその地点で方向を変え、冷蔵庫とは反対方向にある扉へと向かってそろそろと這っていった。もう少しだった。もうすこしで扉にたどりつく。そうしたら立ち上がり、扉を開け、全速力で走ればいい。扉に手が届けば助かるのだ。心臓が猛烈な早さで鼓動している。

不意に、がきっと音がして浅倉の膝に激痛が閃った。

浅倉は悲鳴を上げた。あわてて膝頭を押さえる。何かが刺さっていた。必死で抜き取ろうとしたが指先が切れ鋭く痛んだ。手のひらが出血でぬるぬると濡れてくるのがわかった。浅倉は涙を流していた。なんてことだろう、浅倉は自分の不注意を呪《のろ》った。マグカップだった。マグカップの破片が膝に突き刺さったのだ。

ぞろり、とそれが動いた。

浅倉の心臓が凍りついた。

それが床に下りた。浅倉が逃げようとしたことに気づいたのだ。

音を立てて、それは床を動いた。かすかに浅倉の瞳《ひとみ》がその姿の断片を捕らえた。暗くてほとんど影のようにしか見えなかったが、それはぐにゃぐにゃとした肉の塊のようだった。

「……やめて」

浅倉は涙声でいった。だがその音は確実に近づいてきていた。ざわざわとなにか触手のようなものが蠢《うごめ》く音がする。ごぼり、と泡が弾けている。トマトが潰《つぶ》れるような音が聞こえる。それらが一体となって進んでくる。

「お願い、やめて……」

浅倉は必死で哀願した。何度もやめてと繰り返した。這って逃げようとしたが、足を動かそうとしたとたん膝に激痛が走り、がくんと倒れてしまう。足を使うことはできなかった。

浅倉はわめきながら腹ばいになって腕を交互に伸ばし匍匐《ほふく》前進した。音がすぐそこまで迫ってきていた。涙を流し、鼻水を垂らしながらも狂ったように肘《ひじ》を前に突き出す。だが体はまったく進もうとしない。浅倉は絶望の悲鳴を上げた。膝がずきずきと痛む。手のひらが汗と血でべとべとになっていた。目の前がまったく見えなかった。自分がどこに進んでいるのかもわからない。

浅倉の足首にぬらりと生暖かいものが触れた。

それはすぐに足首をつかみ、ぐいと引っ張ってきた。

浅倉は夢中で手を伸ばした。指先が何かにあたった。それをつかむ。流し台の角だ。浅倉は四本の指を直角に折り曲げ力を込めた。相手は容赦なく浅倉の足を引いてくる。指の関節がぎりぎりと痛む。浅倉は絶叫した。もう一方の手を伸ばそうとしたが届かなかった。体がずるりと引き寄せられてゆく。人差し指が離れた。やめて、やめてと浅倉は何度も叫んだ。だが逆に引く力は強くなった。相手は浅倉の足首を捕らえつつ臑《すね》へと進攻してくる。足が引き絞られるように軋《きし》む。中指がはずれた。薬指と小指が辛うじてひっかかっているだけだった。指がちぎれそうなほど痛い。相手はさらに浅倉のもう一方の足首をつかんだ。そして一気にぐいと引いてきた。

ふたつの指が音を立てて離れた。

浅倉の体はいとも簡単に引き寄せられていった。膝に突き刺さっている破片が床にあたりがりがりと音を立てた。

浅倉の背中にそれがのしかかってきた。べたべたとした溶液が浅倉の体にへばりついた。甘いような粉っぽいような、培地独特の匂いが鼻を衝《つ》く。浅倉はそれを退《ど》けようとした。だが相手はつかみどころがなく、触ろうとすると腕がその中にずぶずぶとめり込んでとれなくなってしまった。

浅倉は仰向けにされた。ばたばたと足を動かしたが無駄だった。浅倉の体は強く押さえ込まれてしまった。

浅倉は必死で叫び、助けを求めた。だが次の瞬間には何かが口の中に入ってきて浅倉の声を圧《お》し潰していた。歯を食いしばって侵入を拒む。だがこじ開けられた。それは浅倉の口腔《こうくう》でぬらぬらと蠢き浅倉の舌や歯に絡《から》みついた。浅倉は嘔吐《おうと》した。仰向けになったまま胃の中のものを勢いよく吐き出していた。吐瀉《としゃ》物が顔に降りかかった。そして口の中のそれは、浅倉の消化物を浴びながら大きく膨らみ、浅倉の喉《のど》を塞いでいった。

17

今年も十二月二十四日がやってきた。

夕食の準備をする前に、聖美は部屋の飾り付けをおこなっていた。居間の壁にはモールやペーパーフラワーをアレンジする。テレビの脇《わき》には小さいながらも本物の樅《もみ》の木を据えた。その枝には雪を模した綿をあしらい、ミニチュアのおもちゃを下げ、電球をつけてある。ヤドリギの飾りは台所のドアに取り付ける。簞笥《たんす》の上の人形たちもきれいにしてやった。テーブルクロスもレースのついた新しいものに替え、その上に磨きあげた燭台《しょくだい》を置く。一時間もしないうちにすっかりクリスマスらしくなった室内を見渡し、聖美はひとり満足して、よしと呟《つぶや》いた。

利明と結婚し、一緒にこのアパートの一室に住むようになってからも、聖美は毎年クリスマスの装飾を欠かしたことはなかった。はじめのうち、利明はこの飾り付けが大袈《おおげ》裟《さ》すぎるといったものだ。子供もいないのにクリスマスツリーを飾る必要はないと渋った。しかし、聖美はこれだけは譲れなかった。ずっとこうしてクリスマスを祝ってきたのだ。聖美にとって、これこそがクリスマスであり、誕生日だった。

ふと、聖美は窓に視線を向けた。静かな気配を感じ、期待を込めて聖美は窓際《まどぎわ》に行き、カーテンを開いた。結露した窓を僅《わず》かに開け、そっと外の様子を窺った。

夜の空気の中で、白いものが舞っていた。

聖美は小さく歓声をあげ、身を乗り出して辺りをぐるりと眺めた。

いつの間に降り出したのだろう、すでに外は薄く化粧されていた。粉のような雪が緩やかに、しかし絶え間なく空からおりてくる。遠くの暗いところはよく見えないが、部屋の明かりが届く周囲では雪の粒ひとつひとつの形さえはっきりと確認できた。

ホワイト・クリスマスだ。

聖美はなんだか嬉《うれ》しくなって、むかしピアノで習った〈きよしこの夜〉を音階で口ずさみ始めた。

少し遅くなる、と利明から電話が入ったのは午後八時だった。ケーキも作り終わっていたし、食事もすっかり用意ができていた。受話器を耳に当て、シチューの入った鍋《なべ》を横目で見ながら、聖美は心の中で失望の吐息をついた。四年生が実験を失敗したため、最初から反応を仕込まないといけなくなったのだという。利明がすこし見てやらなければならないらしかった。

「今日でないといけないの？」ついそんなことを訊《き》いてしまった。

「反応させるサンプルをつくってしまったんだ。今日実験しないとサンプルが無駄になってしまう」

「そう……」

利明は気をつかってか、早口で詫《わ》びの言葉を繰り返した。聖美は努めて明るい声で気にしないでといった。だが寂しかった。たしか去年も実験で帰りが遅かったはずだ。わたしの誕生日なのだから、実験など放り出して帰ってきてほしい。わがままな願いかもしれないが、それが本心だった。しかし実験は聖美が思っていた以上に長引きそうだった。利明はこれからおこなう操作を告げ、帰宅時間を推定しはじめた。

「とにかくこれからラットの肝臓を摘出して、均質化《ホモジナイズ》しなきゃならない。ミトコンドリア画分を取るから……」

そのことばを聞いた途端、聖美の胸がどくんと音を立てた。

(トシアキ)

聖美は息を呑んだ。じんと耳が鳴り、目の前が赤く染まった。熱湯を浴びせられたかのように全身がびりびりと震えた。

「……どうした?」

すっ、と感覚が元に戻った。慌《あわ》てて受話器を耳に当てなおし、聖美は笑顔を取り繕った。そしてなんでもない、雪が降っているから気をつけて帰ってきてねと伝えた。

受話器を置き、しかし聖美はしばらく動くことができなかった。脇の下に汗をかいているのがわかった。不意に寒気を覚え、ぶるりと身を震わせた。

反応が強くなってきていた。利明と結婚してからそれは加速されていたが、最近は特に酷《ひど》かった。

ミトコンドリア、という単語を聞くだけで心臓が異常な鼓動をする。血管が破裂したように体が熱くなり、息ができなくなる。結婚当初までは、利明のことをよく知りたいと思い、利明のおこなっている実験の内容について話を聞くこともあった。だがこの数カ月、研究のことを自分から口にすることはなくなってしまっていた。発作が激しくなり、堪え切れなくなってきたのだ。嵐《あらし》のような心臓の動きに全身がばらばらになりそうだった。なにか聖美の知らないものが体の中でその単語に反応していた。そして聖美の中で声をあげていた。

その声の主は利明の研究について聞くことを喜んでいるようだった。嬉しくて聖美の体の中で暴れ回っている、そんな感じだった。いまさっきの電話でもそうだ。聖美自身は利明に早く帰ってきてもらいたいと思っている。だが頭の中の声は、まるで利明にもっと実験をしてくれといっているようだ。

どういうことなのか、聖美にはまるでわからなかった。

ふと、聖美の心に高校のころの自分が浮かんだ。将来何になりたいのだろうという思いがずっと頭から離れなかった。自分はどうなるのだろう、これから何になるのだろう、そう考え続けた。だがいまは、それが全く別の意味になって聖美の心に張り付いていた。自分はどうなってしまうのだろう。

結局、利明が帰ってきたのは一時を回っていた。利明は遅くなったことを謝り、そして部屋の飾り付けを見て驚きの笑みを浮かべた。

聖美はテーブルに蠟燭《ろうそく》を立て、クリスマスツリーの電球を点《つ》け、料理を並べた。利明は陽気な声を上げ、聖美の料理を褒めてくれた。遅くなったのは仕方ないが、それでも雰囲気を盛り上げようとしてくれる利明の心遣いが、聖美には嬉しかった。

食事の後、聖美はケーキを出した。デコレーションケーキの作り方は高校のときに母から習っていた。クリームの飾り付けには毎年工夫を凝らしている。今回は雪の森をイメージして、中央にウエハースの小屋を立てた。いい出来だと思っていた。

部屋を暗くしてからふたりでケーキを食べ、シャンペンを飲んだ。利明は鞄《かばん》の中から包みを取り出し、誕生日プレゼントだといって渡してくれた。可愛《かわい》らしい時計だった。

寝室に入ったのは午前二時を過ぎていた。

明かりを消すと、利明は静かに口づけてきた。最初に唇が触れ合った瞬間、脊髄《せきずい》に鳥肌が立つほどの快感が走った。

「……あ」

聖美は思わず声を上げていた。たちまちのうちに両足から力が抜け、体を支えていられなくなった。体が溶けてしまうのではないかと思うほど凄《すさ》まじい刺激だった。

聖美は自分が積極的に舌を出していることに気づいた。体は柔らかくなっているというのに、舌だけが執拗《しつよう》に利明を求めていた。(うそ)信じられなかった。(うそよ)手足には全く力が入らない。利明に抱きかかえられてようやく立っている状態だった。それなのに舌だけが強く利明の口を貪《むさぼ》っている。飢えているように利明の舌を割って入り、舌を絡《から》ませ、歯の裏を擦《こす》り続けている。（こんなのうそよ）

突然、猛烈な眠気が襲ってきた。ずどんと闇《やみ》に落ちて行くような、急激な睡魔だった。聖美は愕然《がくぜん》とした。抱いていてもらわないと地の底へ落ちてしまいそうだった。頭を支えられなくなり、聖美は喉を反らし後ろに倒れた。だがそれでも舌の先は渇《かつ》えたように動き回っていた。（なんなの？）利明はそれを聖美が感じたと思ったのか、喉に唇を当ててきた。激しい閃光《せんこう》が瞼《まぶた》の裏に走った。しかし眠気は容赦なく脳を覆《おお》ってくる。それを払おうと聖美は必死で頭を振った。だが全く効果はなかった。（どうなってるの？）

ぐらり、と感覚が暗く歪《ゆが》む直前、声が響き渡った。

（ト、シ、ア、キ）

はっとして聖美は目を開けた。わずかに眠気が退いた。だがそれも一瞬だった。再び揺り戻すように頭の中に緞帳《どんちょう》がおりてくる。（いや）聖美はそれに抗《あらが》おうと首を振った。再び声を上げ、拳《こぶし》で自分の体を叩《たた》き、瞳に力を込めた。あの声だった。利明と研究の話をしているときに聞こえてくる、あの得体の知れない声だった。（だめ）聖美は叫んだ。（眠っちゃだめ）聖美は利明に助けを求めた。だがそれをかき消すように、再び声が頭の中で轟音《ごうおん》となって響いた。

（トシアキ）

誰？　誰なの？

心臓が早鐘となって聖美の胸を突き続けていた。聖美は喘《あえ》いだ。苦しかった。全身を痙攣《けいれん》が襲った。崩れていきそうだった。眠気は津波のように寄せてくる。呑《の》み込まれる寸前で聖美は必死で留《とど》まる。それが繰り返された。意識は朦朧《もうろう》となり、うねりとなっていったりきたりしていた。聖美の意識が遠のくたびに、声の主が聖美の内から迫り上がってくるようだった。その主は歓喜に満ち、利明の名を呼び続けていた。聖美は焦燥感に駆られた。声の主が利明と寝ているような錯覚に陥っていた。自分が眠りに就いている間、それが自分の体の表面に浮かび上がり、利明と激しく愛し合っている。そんなおぞましい妄想にかられた。盗《と》られてしまう、利明を盗られてしまう、聖美は死に物狂いで目を覚まそうと全身に力を込めた。何度か浮かび上がることができたが、しかしすぐに闇の底へと沈んでしまった。

誰かが声をあげていた。家中に響くような大きな声だった。それが自分の声なのか、それともあの声なのか、聖美にはわからなかった。声は感じていた。溢《あふ》れる悦《よろこ》びを訴えていた。聖美はいま、自分が何をしているのかわからなかった。ただ全《すべ》てがうねり、ごちゃまぜになっていた。そしてごうごうと波打つ闇に呑まれ、もみくちゃにされていった。

気がつくとあたりは静かだった。

聖美は夢を見ていた。

すぐにいつもの夢だとわかった。クリスマス・イヴの夜に決まって見る、あの奇妙な夢だ。暗い中を漂うような感覚が続く、遠い記憶の夢だった。

しかし、夢が進むにつれ、聖美はそれが毎年見るものとは少し違っていることに気づいた。

あちこちへと動き回っているのがわかった。視界は濁っており、どこが上でどこが下なのかも定かではなかったが、体表に感じる流れの向きが刻々と変化してゆくことによって、自分が激しく動いていることが認識できた。力が湧《わ》き上がってくる。どこへでも行けそうだった。事実、曾《かっ》てとは比べものにならないほどの距離を移動することができた。そのことを嬉しく思っている自分に気づいた。

どれくらいの時が過ぎたのかわからなかった。ふと、体を撫《な》でる流れに異質なものを感じた。近くに何かがいた。それは大きかったが、動きは愚鈍で、ただ頼りなげにゆらゆらと蠢《うごめ》いていた。

思い出した。それには何度も出会ったことがあった。そのうち幾度かは攻撃を仕掛けてみた。それはあっけなく破裂することもあったし、逆に自分が捕らえられてしまうこともあった。

その相手を意識しているうち、不意に、自分の体の中で、なにか今まで感じたことのないものがこみあげてくるのがわかった。それが何なのか、どこからくるのか、何を意味するのか、まるでわからなかったが、気づいたときには全身を震わせて相手の中にもぐりこんでいた。

相手は驚いたようだった。しかし力を分け与えると、すぐに共存を許してくれた。相手の中は心地よかった。永遠の住処《すみか》を見つけたと思った。

この感覚は何なのだろう、と聖美は夢の中で考えていた。これはいったい何を意味するのだろう。

だがわからなかった。

なにもかもが、わからなかった。

18

「それじゃ、まず最初は浅倉だ」

「はい」

利明に呼ばれて浅倉が前に出た。利明がポインターを渡す。浅倉は原稿を右手に、ポインターを左手に持ち、スクリーンの前に立った。

スタンバイができたところで利明がストップウォッチのスイッチを入れながらいう。

「えー、それじゃ、まずは浅倉佐知子さん、演題は『レチノイドレセプターによる不飽和脂肪酸β《ベータ》酸化系酵素 2, 4-dienoyl-CoA reductase 遺伝子の誘導』。お願いします」

「はい、スライドお願い致します」

がしゃりと音を立ててプロジェクターがスクリーンに図を映し出した。浅倉が原稿を横目で見ながら話し始める。

「われわれはこれまで、ペルオキシゾーム増殖薬であるクロフィブレートがラット肝においてミトコンドリア内の不飽和脂肪酸β酸化系酵素を誘導することを報告してきました。ペルオキシゾーム増殖薬は核移行タンパク質であるレチノイドレセプターと結合するとの報告があることより、これらβ酸化系酵素の誘導機序にはレチノイドレセプターが関与していると考えられますが、現在のところその詳細は明らかにされておりません。今回われわれは不飽和脂肪酸のβ酸化に必要な酵素である 2, 4-dienoyl-CoA reductase に着目し、そのジェノミック・クローニングを行い、この遺伝子がレチノイドレセプターにより制御を受けているということを明らかにしましたので報告致します。次のスライドをお願いします」

がしゃりという音とともに画面が次の図に変わった。

利明はストップウォッチの表示をちらちらと見ながら浅倉の発表を聞いていた。狭いゼミ室に、教授をはじめ講座の職員と学生のほとんどが集まっている。扇風機を回してあるとはいえ、スライドを映すためにカーテンを閉め電灯を消してあるのだから、部屋の中は人いきれでむせ返っていた。

生化学会が五日後に迫っていた。一度は発表練習をしたほうが気持ちも楽になるだろうとの教授の提案で、今日職員と学生が一堂に会して練習がおこなわれることになった。直前になってスライドを作ると誤りを直す余裕もないし、第一気持ちが焦《あせ》っていいプレゼンテーションをおこなうことができない。早めに原稿をつくり講座の皆に見せることでミスをなくし、発表が初めてという学生にとっては無用の緊張をほぐすことにもなる。

浅倉は利明が思っていたよりも随分はやくスライド原図を完成させた。よほど夜中にでも頑張ったのだろう、そう考えなければ説明できないほどのスピードだった。ただし利明が訊いても浅倉は微笑《ほほえ》むばかりでいつ原図を作成したのかいおうとはしなかった。

ともあれ、そのおかげで浅倉の学会準備はかなり余裕を持って進めることができ、利明にとっても楽であった。浅倉も学会が近いせいかいつもに増して張り切っているように見えた。朝早くから教室へ来て、夜遅くまで生き生きと仕事をしている。疲れをまったく見せなかった。利明はその姿を見ながら自分も若くないのかなと苦笑してしまうほどだった。

浅倉は澱《よど》みなく説明を続けてゆく。的確に図をポインターで示し、強調するべきところは声を若干大きくして聴衆の関心を集中させる。めりはりのある発表だった。利明はその浅倉の横顔をほれぼれと見つめていた。場数を踏んだ研究者でもこんなに上手《うま》い発表はできない。こんなに浅倉ができるとは思っていなかった。もう利明がプレゼンテーションのやり方について教えるべきことはなにもなかった。

そういえば、と利明は突然この場の雰囲気にそぐわないことを思った。浅倉はこの数日で、みちがえたように美しくなってきたような気がするのだ。

着ている服は以前と同様にシャツとジーンズというラフなものだったが、なにか内から滲《にじ》み出るような華麗さを身につけていた。髪形を変えたせいかもしれない、と利明は思った。これまでは後ろで束ねていたのをソバージュにしていた。だがそれだけではないような気がした。前から表情は明るかったが、今はそれに気品のようなものが付加されている。瞳の輝きや手のしぐさなども自信にあふれていた。

「……以上のことより本酵素がクロフィブレートによって誘導される機序が明らかになりました。不飽和脂肪酸代謝酵素の多くは本酵素と同様にクロフィブレートによって誘導を受けることより、本酵素と類似の上流域を持つことが推察されます。今後他の酵素のジェノミック・クローニングをおこなうことにより、よりレチノイドレセプターの働きが詳細に解明されてゆくものと思われます。以上です、スライドありがとうございました」

画面が消え、部屋の電灯が点いた。利明はあわててストップウォッチを止めた。浅倉の顔に見とれてうっかり忘れるところだった。

「一四分二七秒」

「大丈夫だな」

石原教授が満足げに頷《うなず》いた。浅倉がほっとしたような笑みを浮かべた。こういう表情は昔のままだ。

「発表時間は一五分だったな」

「そうです」利明が答える。

「スライドのミススペルも見当たらなかったし、とくに説明がもたついていたとも思えないが……どうだ？」

石原は後ろで発表を聞いていた学生たちに顔を向けた。なにか気づいた点があれば遠慮なくいってみろという合図だった。

学生たちは急に下を向き、決まり悪そうに視線を泳がせた。利明はそれを見て心の中で苦笑した。あまりに完璧《かんぺき》な発表でみな驚いているのに違いなかった。

しばらくのあいだ石原は誰かがなにかをいうのを待っていたが、やがてもういいだろうというふうに頷くと、スライドプロジェクターを操作していた学生に、もう一度浅倉のスライドを最初から見せるようにと指示した。「もう一度みんなでミスがないかチェックしよう」

石原は一枚一枚に細かい質問を浅倉に与え、その答を聞き出した。浅倉はそのすべてに的確に答えていった。利明は半分驚きながら浅倉の答を聞いていた。よく勉強している。浅倉が返答に詰まるようであれば助け舟を出そうと思っていたが、そんな必要はまったくなかった。質問に答える浅倉は不安感などまるで見せなかった。しかし高慢な態度には決して見えず、それどころか質問者に対する誠意をはっきりと感じとることができた。早口にもならず相手が十分理解できるように順序だてて必要なことがらを正確に伝えてゆく。ときには最新のデータに言及して内容を補足する余裕さえ見せた。

「うん、完璧だ。ちゃんと勉強しているな」

とうとう石原の口から感嘆の声が漏れた。

「ありがとうございます」

浅倉がはっとするほど可憐《かれん》な笑顔を見せた。

「これは次に発表するやつにはプレッシャーになってしまうなあ」

石原はそういって学生たちを笑わせた。

「いやあ、ぼくも驚いたよ。よくがんばった。教授も太鼓判を押していたじゃないか」

発表練習会が終わった後で、利明は研究室に戻ってから浅倉にねぎらいの言葉をかけた。

浅倉はすこしくすぐったそうな表情を浮かべ、ありがとうございますといって軽く会《え》釈《しゃく》した。

「あとは原稿を覚えるだけだな。まあ、当日までに覚えればいいからあまり緊張しなくてもいいよ。もし心配だったら前日にふたりで練習しよう。それに本番のときは一応原稿を持って壇上にあがることにしようか」

「たぶん大丈夫だと思いますけど……」

「いや、急にあがってしまって忘れることがあるんだ。そのときの保険だよ。ただしできるだけ見ないで発表できるようにすること」

「わかりました」

「ところで……」と、利明は浅倉の膝《ひざ》を見ながら話題を変えた。「足のほうはもう大丈夫なのか」

「ああ、これですか」

浅倉は笑って膝をジーンズの上からこぶしでこんこんと叩いてみせた。「このとおりです。まだ包帯を巻いているんですけど」

「痛みはないのかい」

「ええ、跡も残らないみたいだし」

浅倉がソバージュをかけてきた日、利明は浅倉が片足を庇《かば》うようにして歩いているのに気づき、どうしたのかと訊《き》いたのだった。アパートの階段から足を踏み外して擦りむいたのだという。見ると手の指にも絆創膏《ばんそうこう》をつけていた。だが心配する利明を、逆に浅倉は笑ってなだめた。

「本当になんでもないんですよ。ほら、わたしって背が高いからバランスがとれないんです」

それを聞いたとき、利明はおやっと思った。

いつもの浅倉とは違う気がしたのだ。

これまで浅倉が自分の身長のことを自嘲《じちよう》するように話すのを聞いたことがなかった。

それですこし奇異な感じを受けたのだった。

しかし、それは取り立てて問題にするほどのことではなかった。その日利明は自分をそう納得させ、頭の隅にこびりついたその奇妙な感覚を振り払った。

「学会までには治しますから、心配しないでください。スーツ姿で膝小僧に包帯を巻いていたらおかしいですものね」

そういって浅倉は微笑した。

そのとき四年生の学生が団体で研究室に入ってきた。ひとりは手に白い箱を持っている。

「教授が練習おつかれさまっていってお菓子代をくれたんです。ケーキを買ってきました。みなさんひとつずつ取ってください」

四年生のひとりが得意げにいった。

「へえ、珍しい。みんなの発表がうまかったから機嫌がいいんだな」

利明はそういって箱を開けた。

「おいしそう」浅倉が歓声をあげた。「紅茶を淹《い》れますね。みんな、自分のカップを持ってきて」

たちまち即席のティータイムになってしまった。

浅倉の淹れる紅茶は美味《うま》かった。利明は久しぶりにゆったりとした気分を味わった。

「あれ、浅倉さん、いつもとカップが違うじゃないですか」

ケーキを食べている途中で四年生が声を上げた。見ると、いままで気がつかなかったが確かに以前浅倉が使っていたマグカップとはデザインが異なっていた。

「前のはどうしたんですか」

「割っちゃったんでしょう」

「それが、どこかにいっちゃったのよ」

浅倉は幸せそうな笑顔で紅茶の香りを楽しんでいた。「ちゃんと片付けておいたのになくなっちゃって。誰か見つけたら教えてちょうだい」

19

彼女は初めて表に出た。それは思いのほかうまくいった。聖美の精神が何度か抵抗したものの、おおむねは彼女が上位に位置することができた。表に出て利明に抱かれる快感は、聖美の中に留まったままで感じるものとは比べものにならなかった。だが彼女はまだ満足してはいなかった。これはまだはじまりにすぎないのだ。

彼女は聖美が夢を見ていることを知っていた。彼女の持つ記憶が僅《わず》かに漏洩《ろうえい》し、聖美の神経を刺激しているのだ。聖美に自分の存在を悟られないよう注意してはいるのだが、聖美の生まれた日である十二月二十四日だけは防御が効かなかった。その日は聖美の感覚も鋭くなっているのだろう。

昨夜、ついに彼女が宿主の中に入り込んだときの記憶を覗《のぞ》かれてしまった。聖美にはその意味を理解することはできないだろうとは思うが、油断はできない。利明に夢の内容を話してしまう危険性があった。聖美自身には意味がわからなくとも、利明が気づいてしまうかもしれない。

そろそろ行動に移すときがきた、と彼女は思った。

宿主に対する従順な奴隷《どれい》であることを放棄するときだった。すでに昨夜の試みでもわかったように、宿主の主要な神経伝達を思うままに操る準備は整っていた。彼女が考え、聖美の肉体がそれに従う。快い主従関係だ。

その日の朝は穏やかだった。数日続いていた冷え込みがどこかへゆき、久しぶりに寝室の窓へ淡い朝陽が射《さ》し込んでいた。カーテンの網目を通過した光の微粒子がベッドの白いシーツを柔らかく浮かび上がらせている。タイマーセットされた石油ストーブの液晶表示がぼんやりと見えた。

軽い呻《うめ》き声が横から聞こえ、彼女はそちらを見た。利明の背中があった。裸のままの肩が呼吸に合わせてゆっくりと上下している。利明と同じベッドで寝ていたのだということを彼女はようやく思い出した。彼女はその肩にそっと手を触れてみた。

「……なんだ、起きてたのか」

利明が目をこすりながら起き上がった。腫《は》れぼったい顔をしている。まだはっきりと目覚めていないようだ。

彼女はにっこりと微笑み、そしていった。

「わたし、腎《じん》バンクに登録したいわ」

朝食のとき、聖美は利明が奇妙な視線を送ってくることに気づいた。ちらちらとこちらの顔を窺《うかが》っている。聖美が顔を向けると、利明はあわてて目を逸《そ》らし、焼いたパンにがりがりとマーガリンを塗りたくるのだった。

「どうしたの？」不審に思って聖美は訊いてみた。

利明はいいにくそうに俯《うつむ》いていたが、ようやくぼそりといった。

「……何かあったのか？」

「何かって？」

「突然、腎バンクに登録したいなんて言い出して」

聖美は驚いてパンから顔を上げた。覚えのないことだった。

「もちろん登録はかまわないが……、聖美はそういったことに無関心だと思ってたからびっくりしたよ」

聖美は目をしばたたいた。利明は視線を横に泳がせ、パンを一口かじった。冗談をいっているようには見えない。

いったいなんのことなの？　そう言い返そうとした。だができなかった。聖美は一瞬硬直した。なぜか口が開かなかった。

顎《あご》に力を込め、ようやく口が動いた。ほっとして、しかし唇の間から出た言葉は、聖美の意志とはまったく無関係なものだった。

「どうやったら登録できるのかしら」

その日以来、聖美は自分がわからなくなっていた。自覚のないうちに自分が何かしているのではないかと考えてしまい、全《すべ》てに対して臆病《おくびょう》になった。クリスマス以後も、利明は何度か聖美を求めてきたが、決してそれには応じなかった。いったん抱かれてしまうと、また体の中から何かが湧《わ》き出してきて、取り返しのつかないことになってしまうのではないかと恐れたのだ。

そんなある日、聖美のもとへ腎のドナーカードが届いた。そこには電話番号が記されており、その下に、

腎臓を提供していただく事態が発生したときは上記にご連絡下さい。

腎臓提供者カード

と書かれていた。

聖美はカードの対角を親指と人差し指ではさみ、くるくるとまわした。いつの間に自分は腎バンクへの登録手続きをしたのだろう。記憶になかった。そういえば、この頃不思議と臓器移植に関するニュースや新聞記事を目にする。以前はあまり気にとめなかったのに、最近になって急にいろいろなところで接するようになった。いや、もしかした

らずっと前から移植にかかわる情報はあったのかもしれない。ただ自分は関心がなかったためにそれらを見逃していたのだ。しかしなぜそれらに目がゆくようになったのか、自分でもわからなかった。

冬が過ぎ、新しい年度になった。気温が上がり、桜が咲いた。

そして六月の半ば、利明は帰ってくるなり歓声を上げて聖美を抱き締めてきた。

「やったぞ、聖美！　通ったんだ」

「通ったって、何が？」

驚いている聖美に利明が興奮していった。「『ネイチャー』だよ！」

利明は聖美を抱きかかえくるりと一回転してみせた。だが聖美には何のことなのかよくわからなかった。

「待ってよ、いったいどうしたっていうの？」

「ぼくの書いた論文が『ネイチャー』に採用されたんだ。今日採用通知が届いた。ほら、むかし聖美にいったことがあるだろう、いつかはトップクラスの学術雑誌に論文を載せてみたいって」

そういえばそんなことを聞いたのを思い出した。あのとき利明は、世界で一番権威のある学術雑誌のひとつとして『ネイチャー』を挙げたのだ。

「じゃあ……」ようやく聖美にも事態がわかりかけてきた。

「そうだよ！　どうだい、きみの旦那《だんな》さんは！　喜んでくれるかい」

「すごいじゃない！」

聖美は利明に抱きつき、そして、おめでとう！　といおうとした。

だが、口から出た言葉は違っていた。

「素敵よ、利明。やっぱりあなたこそわたしの探していた人だわ」

はっとして聖美は口を押さえた。

「ばかだな、聖美。もうぼくらは結婚しているだろう」

利明が困ったようにいう。聖美は慌《あわ》てて首を振った。

「ちがうの、いまのは……」

「どうしたんだい？」

「愛してるわ」

慌てて聖美は利明から離れた。

自分がいった言葉ではなかった。誰かが勝手に口を操作していた！

背筋に氷柱を突っ込まれたような冷気が襲ってきた。聖美は突然自分の肉体に対してとてつもないおぞましさを感じた。なにか得体の知れないものが体中にべたべたと張り付き蠢《うごめ》いているようだった。全てを脱ぎ捨てて逃げ出したかった。利明が再び抱擁してきた。その胸の中で聖美は体を堅くして、自分の冷たい汗を感じながらぶるぶると震えていた。

それから一週間が過ぎ、恒例の薬学部公開講座の日がやってきた。

薬学部には十六の講座があり、毎年四つの講座が交替で講演を担当している。今年は利明の講座が担当のひとつに当たっていた。

公開講座の当日、利明は薬学部に出向くことになっていた。教授のスライドの撮影係をするのだという。聖美は自分でも気づかないうちにこういっていた。

「わたしもついていっていい？」

その日は晴天だった。公開講座で利明と二度目に出会ったときと同じ、青々とした空が薬学部の校舎の上に広がっていた。

石原教授の講演は午後のひとつめだった。利明と聖美は一〇分前に講義室に入った。利明がスライドをセットするあいだ、聖美はぶらぶらと教室の中を歩き、窓から外の景色を眺めたりしていた。なにか現実感が欠けていた。歩きながらも自分の足がちゃんと交互に前へ出ていることが信じられなかった。体の動きと意識が分離しているような錯覚を受けた。

「わたしたちの体の中には、たくさんの寄生虫が住んでいます」

あのときとまったく同じ口調で、石原教授は話を始めた。教授の合図で利明が次々とスライドを変えてゆく。そのうちの半分は聖美が聴いたときのものと同じだった。新しい発見があった箇所は、別のデータと差し替えられていた。聖美はその画面を見つめ、石原教授の話を聞き取っていった。まだ大学生だった当時よりはずっと、その内容がわかった。最新のデータが披露されたときも完璧《かんぺき》にその意味をつかむことができた。説明がすんなりと頭の中に入ってゆく。それも、知らないことを理解するというより、忘れていたことを思い出してゆくのに近い感覚だった。聖美は自分が思う以上に講演内容がわかることに驚きを覚えた。

やがてスライドが終わり、教室の中が再び明るくなった。ひととおり話を終えた石原教授は、お決まりの台詞《せりふ》を口にした。

「……では、なにか質問がありましたら……」

そのとき、聖美の右手が動いた。

気づいたときにはその手は真っすぐに天井を向いていた。指先をぴんと伸ばし、腕を耳にあて、小学生のように手を挙げていたのだ。

石原教授があからさまに驚きの表情を浮かべた。学生が何人か振り返り、好奇の目で見つめてくる。聖美の後ろでスライドプロジェクターの後始末をしているはずの利明が狼狽《ろうばい》しているのがわかる。

「……では、どうぞ」苦笑しながら石原教授が聖美を指した。

聖美は立ち上がった。木製の腰掛けががたんと音を立てた。立ちながら、これは夢なのだと聖美は思った。いつしか聖美の口が喋《しゃべ》っていた。なにをいっているのか聖美にはわからなかった。

「いまのご講演で、宿主の核がミトコンドリアを奴隷化したというお話がありました。確かにミトコンドリアDNAはtRNAとrRNAのほかにはごくわずかに電子伝達系に関与する酵素の一部をコードしているだけで、とてもミトコンドリアだけでは生存できるとは思えません。それは核がミトコンドリアの本来持っていた遺伝情報を抜き取ってしまったからだとのご説明でした。しかし、だからといって核がミトコンドリアを奴隷化したと考えるのは性急ではないでしょうか。裏返して考えることもできるのではありませんか。つまり、ミトコンドリアが積極的に自らの遺伝子を核に送り込んだという可能性もあるということです。核ゲノムはまだその全域がシークエンスされているわけではありません。もしかしたらまだ解析がおこなわれていない部位に、ミトコンドリアがひそかに核へ送り込んだ重要な遺伝子が組み込まれているかもしれません。その遺伝子がコードするタンパク質は、宿主遺伝子の複製や翻訳をミトコンドリアの思いのままに操ってしまう未知の核移行レセプターだとしたらどうしますか。宿主とミトコンドリアの関係を一変させてしまうかもしれません。こういう仮説も成り立つわけです。つまり、どうでしょう、近い将来、寄生虫であるミトコンドリアが宿主を奴隷化するとは考えられませんか」

教室の中は静まり返っていた。だれ一人として身動きしようとしない。ただスライドプロジェクターのファンが低いうなりをあげるばかりだった。石原教授は口をぽかんと開け、こちらを向いて目を見開いていた。

教室のそとで一陣の風が吹き、木の葉がざわと音を立てた。それを合図に部屋の中の人々が一斉に首を動かしたり咳《せき》をしたりした。教授はきょろきょろとあたりに視線を動かし、そして利明を見つけたかと思うと、これはいったいどうしたんだとでもいうように睨《にら》んだ。学生がざわつきはじめた。聖美はゆったりと腰を下ろした。背筋を伸ばし、まっすぐに石原教授を見据え、微笑《ほほえ》んで見せた。

「ええ、いやあ、いきなりすごいご質問ですなあ」

教授は照れ隠しに薄笑いを浮かべ、しきりに咳をした。明らかに動揺しているのが聖美にはわかった。答を見つけられないでいるのだ。聖美は蔑《さげす》みのまなざしを送った。教授はそれに気づき、憤慨したように大きく咳をして、どもりながら答え始めた。だがそれはまるで答になってはいなかった。確かにそのような発想の逆転はできる、しかしあまりにも非現実的だ、研究者は誰もそのような考えを持っていない……。石原教授は最後まで自分の意見を述べなかった。聖美の述べた考えをこれまでの研究成果に当てはめるとどのようなことがいえるのか、それゆえに自分はどのように考えるのか、質疑応答の基本ともいえるそのような応対をしようとはしなかった。発想の柔軟性、先見性において、利明のほうが数段勝っている。やはりわたしは間違っていなかった。ミトコンドリアを本当に理解してくれるのは利明だけだ。利明コソワタシノ標的ナノダ。

わたし？

はっとして聖美は顔を上げた。

体の自由が戻った。その拍子に聖美はがくんと前へのめった。無意識のうちに机に手をついていたので倒れることはなかったが、もう少しで額を打つところだった。

わたしとは誰なのだろう？

聖美は、自分の心臓が底無しの闇《やみ》に落ちて消えてゆくような感覚を払うことができなかった。

その日、聖美は利明と同時に家を出た。

聖美は普段と同じ時間に起き、朝食の支度をし、利明とふたりでそれを食べた。卵焼きと鮭《さけ》の塩焼きという純日本風の食事だった。玄関の外に出ると、雲の切れ目から弱い朝の陽射《ひざ》しが降り注いでいた。階段を降りる途中で二階に住む若い夫婦と出会い、軽く会釈《えしゃく》を交わした。

「じゃあ、いってくるよ」

そういって利明は自分の車に乗った。聖美は笑顔で頷《うなず》き、軽く運転席の利明に手を振った。そして今年の始めに買ったばかりの小型自動車に乗り込んだ。バッグを助手席に置き、エンジンをかけた。昨夜久しぶりに智佳へ手紙を書いた。無性に昔の友達に連絡をとりたくなったのだ。なんでもいい、なにか信頼できるものを取り戻したかった。手紙にはあたりさわりのないことを書いたが、これをきっかけに再び智佳と頻繁なやりとりができるようになればと思っていた。

聖美はエンジンをかけたまま、もういちどバッグの中を確認した。智佳への手紙はちゃんと入っている。免許証も忘れてはいない。聖美は無意識のうちに免許証ホルダーを取り出し、その中身を確認していた。運転免許証とＪＡＦの会員証に挟まれる形で、腎《じん》のドナーカードが大事にしまわれていた。

聖美は車を発進させた。それに従うように利明が車を出した。アパートの前の道路で、聖美は右に、そして利明は左に折れた。聖美の車のバックミラーに、利明の姿が映った。手を振っていた。

聖美は車を進めた。五分ほどして住宅街を抜け、大きな幹線道路に出る。いつもと変わらない朝の町並みだった。少し混雑してはいたが、車はスムーズに流れている。何十回も、何百回も通った場所だった。やがて道は緩やかな下りになった。流れが速くなり、ほとんどの車が五〇から六〇キロのスピードを出していた。道が右へややカーブする。

フロントガラスを通して、聖美の前方には空が広がっている。

カーブの向こうの信号が黄色に変わるのを見た直後、聖美の視野は闇に消えた。

20

「麻理子ちゃんは寝てますよ」

廊下ですれちがった看護婦が、安斉重徳にそう声をかけてきた。安斉は軽く会釈してそれに応《こた》えた。

もうすぐ面会時間は終わりだった。どうしてもこの時間にならないと会社を抜けることができない。そして麻理子の病室で重苦しい時を過ごし、また会社に戻るということがこのところ続いていた。

実際、安斉はときどき自分がなんのためにここに来ているのかわからなくなるときがあった。麻理子はまだ殻《かぶ》を被っている。安斉はなんとかして話をしようと試みたがすべて無駄に終わっていた。だが一方で、それは当然だと諦《あきら》めに似た気持ちが浮かび上がってきているのも否定できなかった。こうして入院する前であっても、麻理子とほとんど話したことがなかったのだ。急に話をしようと思ってもできるものではない。

ではなぜ自分はここに来ているのか。

娘への義理で来ているのか。

そうは思いたくなかった。だが会社にいるときのほうがよほど神経が疲れないということにも気づいていた。安斉は自分の気持ちがよくわからなくなっていた。

病室の扉を開け、中を覗《のぞ》き込むと、看護婦のいったとおり麻理子はベッドで寝息を立てていた。

安斉は麻理子を起こさないようにそっと扉を閉め、静かに進んでベッドサイドに座った。

麻理子は心持ちこちらに顔を向けて眠っている。安斉はその顔を見つめた。

こうして麻理子の顔を真っすぐに見るのは久しぶりだ。そのことに気づいて安斉はショックを受けた。毎日麻理子を見舞いに来て、ろくに娘の顔を見てもいなかったのだ。

安斉は麻理子の顔をじっと見つめた。微《かす》かに開いた唇、閉じた瞼《まぶた》、そこから細く伸びる睫《まつげ》、まだ幼さの残る鼻、微熱のためかわずかに紅潮している頬。これまで気づかなかったが、麻理子は死んだ妻によく似ている、と思った。麻理子が生まれた当時はよく親戚《しんせき》に母親似だといわれたが、そのときはあまりその実感はなかった。だがこうして見ると、驚くほど面影が残っていた。

自分はこれまでなにをしていたのだろう。

そんな思いが込み上げてきた。安斉は項垂《うなだ》れ、両手で顔を覆《おお》った。息が詰まった。

そのとき、麻理子が呻《うめ》き声を上げた。

「……うう……ん」

安斉ははっとして顔を上げた。

麻理子が顔をしかめていた。まだ完全に目覚めていないのだろう、悪い夢でも見ているのか、しきりに腕を伸ばし、体の上にあるものを退けようとする仕草を繰り返す。苦しそうに身を捩《よじ》った。呻き声が大きくなる。

「麻理子、どうした」

安斉は腰を浮かし、麻理子に触れようと手を伸ばした。だが麻理子が大きく反転し、手を払われてしまった。

「大丈夫か、麻理子」

麻理子は悲鳴に近い声を上げ、ばたばたと足を動かし始めた。安斉は突然のことにどうしたらいいのかわからなかった。

「来ないで」麻理子が譫言《うわごと》をいった。「いや……。来ないで。来ないで……」

「麻理子、しっかりしろ、起きるんだ」

安斉は必死で麻理子の体を押さえようとした。はやく夢を覚ましてやる必要があった。

安斉はばたつく麻理子の手足をつかみ、大声で麻理子の名を叫びながら、発作を抑えようとした。

突然、麻理子の体が跳ね上がった。

その力の大きさに安斉は振り落とされた。床にしりもちをつき、呆然《ぼうぜん》とベッドの上の麻理子を見つめた。

……何だ？

麻理子の下腹部が海老《えび》のようにびちびちと踊っていたのだ。麻理子の体はそれに翻弄《ほんろう》されていた。麻理子が自らの意志で動いているのではない。あまりにも動きが不自然だった。

「麻理子、起きろ！　起きるんだ！」

安斉は大声で叫びながら麻理子の肩を揺すった。このままでは危険だった。安斉は必死で麻理子の耳元で叫んだ。「麻理子！　麻理子！」

麻理子の動きが急に止まった。ゆっくりと目が開く。

「よかった！」

思わず安斉は麻理子を抱き締めていた。

「……お父さん」

麻理子はようやくそれだけいい、安斉の背中に腕を回してきた。

「よかった……よかった……」

安斉はほっとして麻理子の頭を撫《な》でた。

「……お父さんが……、助けてくれたの……」

「うなされていたんだ。どうなるかと思った」

「……あの人は……あの人はいなくなった？」

「あの人？」

「いまここへきた……あの……」

まだ完全に夢から醒《さ》めていないようだった。夢と現実を混同している。

「誰も来ていない。お父さんしかいなかった」

「本当に……？」

「ああ、本当だ」

ばたばたと音がして看護婦が入って来た。

「どうしたんです？　なにか声が聞こえたので」

「麻理子がうなされていたんです」安斉が説明した。「なにかひどい悪夢を見ていたようで……」

「またですか」看護婦がわずかにうんざりしたような表情を浮かべた。

「また？　いつもこんな調子なんですか」

「ええ、夜中によくうなされるんです。先生のほうからお話がありませんでした？」

「すこし聞いてはいましたけど……これほどまでとは思わなかった」

「一時期おさまりかけたんですけど、ここ一週間ぐらいからまたひどくなったみたいで……。点滴のチューブを取ってしまうこともあるんです」

「夜は誰もついていてくださらないんですか」

「手術直後のときは交替でついていましたけど、最近はさすがに……。定期的に様子を見に来てはいますが」

「そんな。私が看病しますよ。それならいいでしょう」

「いえ、それはご遠慮ください。ほかの患者さんにも迷惑がかかりますから」

安斉は憤慨した。「しかしこんなにうなされているのを放っておくわけにはいきませんよ。こんなにひどいとは知らなかった」

看護婦は困ったというように吐息をついた。

「とにかく今日はお引き取りください。もう面会時間も終わっていますから……。大丈夫です、先生のほうにもいっておきますし、わたしたちがもっと気をつけるようにします。どうかご安心ください」

「しかし……」

安斉は看護婦と麻理子の顔を見比べた。麻理子は虚脱したようにぐったりとベッドに身を沈めていた。

結局、安斉は折れた。帰り支度を始める安斉に、しかし、麻理子は不安そうな視線を送ってきた。

「……こわい」

ぽつんと麻理子がいった。安斉は胸を衝《つ》かれた。

「大丈夫だよ、明日またくるから」ようやくのことでそれだけいえた。

「……本当に?」

「ああ、本当だ」

安斉は麻理子に微笑んでみせた。

「……われわれはこれまで、ペルオキシゾーム増殖薬であるクロフィブレートがラット肝においてミトコンドリア内の不飽和脂肪酸β《ベータ》酸化系酵素を誘導することを報告してきました……」

浅倉佐知子はゼミ室で何度も原稿を復唱していた。明日は学会発表だった。今日のうちにすべて頭の中に入れておかなくてはならない。

学会は明日から三日間、市内のイベントホールでおこなわれることになっていた。浅倉の発表は第一日目の午後五時二〇分からだった。一日目の一番最後の発表ということになる。利明は午後二時からの発表だった。一日目でポスターセッションも含め、この講座で報告を予定している者のうち半分が発表を終えてしまう。浅倉の発表が終わったら飲みにいこうという話が持ちあがっていた。

利明が帰宅する前に練習を聞いてもらったときは閊《つか》えもせずに発表できたが、やはり不安が残った。誰もいなくなったゼミ室で、先程から浅倉は二時間ちかくも練習を繰り返していた。

ひととおり諳《そらん》じたところで時計を見る。だいたい一四分前後でしゃべることができるようになっていた。これなら万一本番のときに閊えたとしても発表時間内におさまるだろう。

少し喉《のど》が嗄《しやが》れてきた。浅倉は椅子《いす》に座って一息ついた。もう真夜中だ。最近どうも疲れるようになってきた、と思い浅倉はひとつ伸びをした。まるで一日で二日分働いたように感じられてしまう。さほど無理をしているつもりはないのだが、帰宅して風呂《ふろ》に入っていると体に溜《た》まった疲れが滲《にじ》み出してくるのがわかる。

記憶をなくすようになってからだ、と浅倉は思った。

この十日ほど、ときどき自分がなにをしていたのか思い出せなくなることがあった。スライド原図をつくっていたはずなのに、いつの間にかクリーンベンチの前に座っている。そうかと思えば予定もないのにアイソトープ実験棟でラジオアイソトープを出している。そしてまた気がつくと机の前に座り、そしてスライド原図ができあがっているという具合だった。それは人がいなくなった夜中に起こることが多いようだったが、ときには昼間でも記憶を失うことがあった。この前の発表練習会のあと、みんなでケーキを食べたというが浅倉には覚えがなかった。どうなってしまったのか自分でもわからなかった。

浅倉は大きく頭を振った。きっとなんでもないことなのだ。特に問題がおこっているわけではない。すこし気味が悪いが、他人に相談するほどのことではないように思えた。

「そうだ」

浅倉は立ち上がった。細胞の継代《けいだい》を忘れていた。

Ｅｖｅ１ではない。今回発表する実験で用いた細胞だった。学会が終わったあとも使うことがあるかと思い継代を続けていたのだ。今日あたりフラスコの中が満杯になっているはずだ。明日は朝から学会会場に行くので、今日中に継代しないと細胞は死滅してしまう。

浅倉はよいしょと気合を入れて立ち上がり、ゼミ室を出て培養室に向かった。廊下の電気はすでに消えており、人気はない。

培養室に入り、冷蔵庫を開ける。継代に必要な培地を取り出すためだった。

「……？」

浅倉は首をひねった。

培地の液量が少なくなっているのだ。

一週間前に作った培地がほとんど底をついていた。浅倉はこの一週間は学会準備に追われ、細胞を扱う実験はあまりおこなっていなかった。わずかに一種類の細胞を継代しているだけだ。それなのに急激に培地がなくなっていた。

培地は個々人が専用の瓶に入れて使用している。細菌汚染《コンタミネーション》を防ぐためだ。浅倉の培地を他人が使ったとは思えない。しかし現実にかなりの量が減っている。細胞の大量培養でもしないかぎりこんなに短期間で五〇〇ミリリットル近い培地がなくなるわけがない。

なぜ少なくなっているのだろう。

不思議に思いながらも、浅倉は瓶をクリーンベンチの中に入れ、用意を続けた。トリプシンやEDTAなど、他の試薬の量は変化がなかった。

気のせいかもしれない。浅倉は深く考えないことにした。

浅倉はクリーンベンチ内の用意が終わったところでインキュベーターへ行き、中から細胞を取り出した。

扉を閉め、踵《きびす》をかえす。

「…………」

なにか奇妙な感覚に捕らわれて、浅倉は足を止めた。

振り返る。扉が閉まっていた。いつも見慣れたインキュベーターだ。

浅倉は手元の培養フラスコとインキュベーターを交互に見比べた。なにも変わったところはない。だが、なにかがおかしかった。

インキュベーターの中を見た記憶がすっぽり抜け落ちているのだ。

そんなはずはない、そう思って浅倉は頭を振った。いまさっきこうしてフラスコを取り出したではないか。

だがいくら頭を絞っても、インキュベーターの中がどうなっていたのか思い浮かべることができなかった。

……どうかしている。

浅倉は苦笑した。

早々に継代を終わらせて帰る必要がありそうだった。疲れをほぐさなくてはならない。明日は発表なのだ。

浅倉はクリーンベンチの前に座り、アルコールで手の消毒を始めた。

彼女は現状に満足していた。

今や彼女は、初めて培養液の中に浸ったときとは比べものにならないほどの進化を遂げていた。宿主は完全に彼女の思いのままだった。それどころか、本来なら外部から受け取らなくてはならないはずのシグナルも、ほとんどは彼女自身で産生することができるようになっていた。分子生物学者たちがＦｏｓやＪｕｎと呼んでいるシグナル伝達物質、あるいはシグナルの受け渡しに必要なプロテインキナーゼなどを、すでに彼女は思いのままに操れるようになっていた。それらの多くにはミューテイションを施し、外部からの刺激がなくとも活性化するように修飾していた。必要とするタンパク質を必要なだけ誘導し、また作用させることが可能になったのだ。自分の思いどおりに宿主を操ることができるということは、この上なく愉快だった。

彼女は研究室という環境に満足していた。ここには進化のために必要なものが揃《そろ》っている。ただし最初からうまくいったわけではなかった。彼女は幾つものコロニーに分裂し、そのそれぞれに異なった刺激を与えていた。あるコロニーはＵＶランプを浴び、あるコロニーはメチルコラントレンやＤＡＢといった発癌剤《はつがんざい》をその身に取り込んだ。ほとんどのコロニーは死滅した。あるいは生き残っても彼女の思惑とは関係ないミューテイションを起こしていた。彼女はこの一週間で試行錯誤を繰り返した。あらゆる組み合わせを実行した。そしてすこしでも優れた株ができればそれを増殖させ、さらに刺激を与えた。このところ夜は研究室に人がいなくなるので彼女は大胆に振る舞うことができた。浅倉という女に取り付いた彼女の一部が、彼女の進化を助けてくれた。この一週間、研究室と培養室は崇高な進化のための最終実験場と化していた。

これまで十数億年ものあいだ、この日が来るのを夢見て耐えてきたのだ。宿主にいわれるままに、単純なエネルギー産生作業に従事してきた。宿主は餌《えさ》さえ与えれば彼女がいつでもエネルギーを造ってくれると思い込んでいた。宿主は彼女を支配したと信じて疑わなかった。その自惚《うぬぼ》れが、はじめからの彼女の計算だということに気づきもしなかったのだ。

宿主は進化していった。単細胞であることを止《や》め、多細胞生物の道を選択した。個々の細胞に役割を分担させることで、効率的に運動し、餌をより多く摂取するようになった。餌を捕るためには素早い神経伝達が必要となる。宿主はやがて陸に上がり、知性を獲得し、文明を築くようになった。すべては自分たちの力だけで進化してきたと考えている。なんと単純なゲノムなのだろう、彼女は心の中で失笑した。

宿主がここまで進化できたのは、彼女が寄生したからではないか。彼女が莫大《ばくだい》なエネルギーを提供したからではないか。それまで酸素に触れることもできず、ひっそりと暮らしていた弱々しい生き物を、好気性に変え、運動という強力な武器を与えてやったのは彼女ではないか。彼女は宿主が十分に進化するまで、従順な奴隷《どれい》を演じ続けてきただけなのだ。支配されたふりをしてきただけなのだ。彼女を本当に理解してくれる男が現れるまで待っていただけなのだ。

そして今、ようやく彼女の前にその男が現れた。

永島利明。

彼ほど彼女のことを理解してくれる学者はいない。彼は近い将来、彼女に関する第一人者となるだろう。彼女についての研究は、彼が世界をリードしてゆくだろう。彼によって彼女の真実が次々と明らかにされてゆくだろう。彼女にはそれがわかった。彼こそ彼女と結ばれるにふさわしい男だった。

彼女は聖美が持っていた記憶を再生し、利明と交わったときのきらめくような快感を思い出して身を震わせた。そうだ、あのとき利明は聖美を愛していたのではない。わたしを愛していたのだ。

彼女はそう思った。

失神しそうなほどのエクスタシーが彼女の中を閃《はし》り抜けた。

彼女はよがり声を上げていた。そして自分が発声しているということに気づき、深い喜びを覚えた。その喜びが快感を増幅させた。彼女は長く、長く、声を上げた。はじめは微《かす》かに培養液を震わせるだけだったその音は、やがてはっきりとした人間の声に、日本語になっていった。喘《あえ》ぎ声は次第に高らかな恍惚《こうこつ》の声へと変わっていった。素晴らしい、と彼女は思った。なんと素晴らしいことだろう。

すべての準備はととのった。

あとは利明と契《ちぎ》りを交わすだけでいい。

彼女は一気に自分の力を解き放った。核遺伝子を最大限に利用し、宿主を増殖させていった。すぐにフラスコの容積一杯まで増えることができた。窮屈になり、彼女はフラスコの蓋《ふた》を内側から回して外した。そして外界へ出た。インキュベーターの中は暖かく、湿っていた。培養液の中に浸っているよりは居心地が悪かったが、それでも適度な温度と湿度が宿主の体を優しく包んでくれた。もっと声が出せるように、彼女はまず喉と口を造った。さらにふたつの肺を作成した。大きく息を吸い込み、酸素を取り込んで電子伝達系を活性化させた。そして一番いいたかった言葉を、ゆっくりと、区切るように発音していった。

「ト・シ・ア・キ……」

愛する男の名を呼べたことに彼女は感激した。以前は利明の中に存在する彼女の姉妹に刺激を送り、利明の脳細胞で彼女の声を再生してもらうことしかできなかった。だがいまは違う。はっきりと、自ら声を出すことができる。利明の名を大気を震わせて呼ぶことができる。

さらに彼女は増殖し、自らの姿を作り上げていった。利明が最も喜ぶはずの姿、かつての彼女の宿主である聖美。それは利明に愛されることだけを目的として彼女が宿主に改良を加えていった姿だった。利明にとって完璧《かんぺき》な女性であるはずだった。すでに増殖した細胞はフラスコを呑《の》み込んでしまっている。彼女は宿主細胞の形態を複雑に分化させていった。

彼女は感じたかった。まず利明から愛撫《あいぶ》を受ける部位をなによりもはやく造りたかった。彼女は唇を造った。利明はこの唇が好きだった。何度も何度も利明と口づけを交わした唇だった。続いて彼女は乳房を造った。柔らかな、完全に半円球の乳房を盛り上げてゆく。その頂上に向けて神経細胞を集中させる。そしてついと突起を起こす。狭いインキュベーターの中ではひとつ造るのが精一杯だった。だが彼女は満足した。利明の指が触れる瞬間を想像して彼女は身震いした。そして彼女は中心部をくびれさせ、膣《ちつ》と子宮を造った。襞《ひだ》を幾重にも折り、強弱をつけ、利明に喜んでもらえるようにした。最後にそのそばの部分を細長く隆起させて指を造った。

彼女はその指先で自ら造り上げた部分に触れ、その感触を楽しんだ。すでに鋭く勃《た》ち上がった乳首は最高の感度を示した。彼女は喘いだ。これでいつでも利明と交わることができる。

別れた彼女の妹は健在だった。男の宿主は彼女には必要なかったため、こちらに侵入した妹は早いうちに死滅してもらうことにした。だがもう一方は重要だった。レシピエントのうちのひとりが女であったことは彼女にとって好都合だった。もしレシピエントの両方が男であったならば、彼らを操って適合する女のリストを検索させようとも考えていたのだが、その手間は省けたことになる。まだ十四歳という若さが気になったが、それでも女性であることに変わりはない。「女」でさえあればいいのだ。

彼女は妹からの鼓動を受け取ることができた。まだ妹たちは最終的な進化のプロセスを経ていないため、かつての彼女と同じように、自らの力ではほとんど宿主の形態を変化させることはできない。だが彼女への信号を送ることはできた。彼女はそれによって妹がどこにいるかを正確に把握することができた。まだ生き延びてもらわなければならない。そうでなければ彼女の計画は完全にならない。聖美を腎《じん》バンクに登録させた意味がなくなってしまう。

もうすぐだった。もうすぐ彼女は女王《クイーン》になれる。彼女は愛撫を続けながらその考えに陶然としていた。

もう宿主の奴隷ではない。彼女が征服者《マスター》だ。核が奴隷《スレイヴ》になるのだ。彼女はもう自らの力で娘を造ることもできる。娘は彼女よりもさらに完璧な生命体であるはずだった。彼女の娘こそ、新世界のイヴとなるのだ。

第三部　Evolution　—進化—

I

空は晴れ渡っている。

利明はロビーの大きな窓から外を眺めた。その色は真夏の紺碧《こんぺき》からおだやかな水色に変わりつつあった。まだ暑さが残るとはいえ、九月に入り陽射《ひざ》しが静かになってきている。すでに秋の気配を感じさせた。うっすらとした紗《しゃ》のような雲が遠くに見える。

ロビーは学会に訪れた研究者や企業の人々で溢《あふ》れていた。みなスーツを着込み、胸ポケットに学会費を払ったことを示す紙製のネームプレートを差し込んでいる。近年は女性研究者の姿もよく見かけるようになった。

日本生化学会は生化学や分子生物学の分野の中では日本癌《がん》学会とならんで大きな学会だ。今年は三千ちかい演題がプログラムに収録されている。毎年開催地が変わり、今年は利明たちの住むこの都市で開催された。交通費が節約できる反面、ちょっとした小旅行の気分は味わえないが、それは仕方がない。大学のキャンパスを開放して学会会場とすることも多いが、今年はスケジュールや演題数の関係からか市内の高級なイベントホールを借り切っておこなわれていた。

午後の二時を過ぎていた。日曜日ということもあり、遠くからやってきた研究者たちの中にはすでに市内観光に繰り出した者もいるようだった。ロビーが混雑しているのもこれからの予定を打ち合わせる団体が集まってきているからだ。学会はもちろん自分の研究を報告する場であり、また他の研究施設の発表を聞く場でもある。だが学会の楽しみのひとつに、普段は会うことができない研究仲間と再会できるということがあった。会場のいたるところで談話が弾む。そして一杯飲みにいこうということになる。利明もすでに何人かの同窓生や、共同研究をしたことがある他大学の研究者と挨拶《あいさつ》を交わしていた。もちろん一方では仕事がらみの会話も多い。試薬や抗体の受け渡しの交渉がおこなわれる。学生の就職斡旋《あっせん》がおこなわれることもある。学会は研究者にとっての一大社交パーティーだった。

利明の発表はすでに終わり、何人かの学生も午前でポスターセッションを終えている。利明はあるセッションの司会を頼まれていたが、それもいまさっき終わったところだった。あとは浅倉の発表が無事に終われば、今日はひとまず終了というところだった。

利明はプログラムを広げ、あらかじめチェックしておいた演題の発表時刻を確認した。プログラムと要旨集は学会の会員には事前に郵送されてくる。利明はその要旨を読み、自分の研究に関係がありそうな発表や興味のあるものには赤のボールペンで印をつけていた。ミトコンドリアなど細胞小器官《オルガネラ》の機能や形成機構、あるいはタンパク質の誘導発現機構といった内容の演題は少なくない。他の研究機関がどこまで成果を上げているのかを見極めておく必要がある。

四時まで利明が興味を持てる発表はなかった。二時間ちかく間が空くことになる。利明は機器展示のほうに足を運んで見ることにした。

機器展示は発表会場からすこし離れた場所でおこなわれていた。こちらも盛況だった。何十という企業のブースがずらりと並び、最新の実験機器や試薬を陳列している。無料サンプルを配っているブースでは人だかりができていた。

利明は機器展示が比較的好きだった。発表会場にいるとどうしても世話になっている先生に挨拶しなくてはなどと考えてしまうが、機器を見ているときは、これを使えば自分の実験が発展するのではないかと自由な空想をすることができて楽しかった。利明は各展示をひやかしながら、ゆっくりと展示会場を回っていった。興味を惹《ひ》かれた試薬があればブースに控えている営業の者に話しかけてさらに詳しい説明を求め、なんとかサンプルがもらえないかと交渉してみたりもした。

展示を半分ほど見終わったとき、利明は後ろから声をかけられた。

「永島さん」

振り向くと、篠原訓夫が笑顔で立っていた。どこかのブースでもらったらしい紙袋を手にさげている。

「ああ、どうも。確か発表は……」

「明日ですよ。永島さんのはうちの医局の発表と重なっちゃってね、聞けなかった。申しわけない」

「そんなことはいいんですよ」

「『ネイチャー』に載った後だから聴衆がたくさんいたでしょう」

「いやあ……」

利明はドリンクサービスの場所へいこうと篠原を促した。

ふたりで熱いコーヒーの入った紙コップを手にして椅子《いす》に座る。

聖美から肝細胞を採取してもらって以来、利明は篠原と連絡を取っていなかった。そのことで利明はすこし後ろめたさを感じていた。しばらく利明は篠原と雑談を続けていたが、あたりさわりのない話をしながら、心の中ではなるべくなら篠原がＥｖｅ１の話題を持ち出さないでいてくれればいいと思っていた。

しかしコーヒーがなくなったところで、案の定篠原はそのことに触れてきた。声のトーンを落とし、利明に顔を近づけて訊《き》く。

「ところで永島さん、例の細胞はどうなったんです」

「例の……というと」利明はとぼけようとしたが無駄だった。

「ごまかしてもだめだ。聖美さんの細胞だよ」篠原は強い口調になった。「あれをいったい何に使ったんです」

「…………」

「研究室で培養してたんですね」

「……まだ生きてますよ」

利明はしぶしぶ認めた。

「永島さん、どういうつもりなのかわからないが、はやくやめたほうがいい」

「……なぜです」

「自分のかみさんの細胞を扱うなんて尋常じゃない。いまは私も手伝ったのを後悔してるんだ」

「じゃあ、あのまま聖美が死ぬのを黙って見ていればよかったというんですか」

利明はたまらず声を荒げた。僅《わず》かに篠原がひるんだ。

「聖美をこの手に置いておきたいと考えるのは間違いですか。ぼくは聖美の細胞を扱うことができる。普通の人だったらただ死ぬのを眺めるしかできないところを、ぼくは聖美を生きさせることができたんですよ。どうしてその技術を使ってはいけないんです。実際、聖美の細胞は優れたデータを出しています。篠原さんにもお見せしますよ。すばらしい結果です。聖美の細胞は確実に研究を発展させているんだ。データが出ているなら大義名分が立つでしょう」

「しかし……」

「もちろん、お礼の電話も差し上げなかったのは悪かったと思っています。論文を投稿する際には篠原さんの名前も載せて……」

「そんなことをいってるんじゃないんだ」

篠原が強引に制した。利明は驚いて口を止めた。

篠原がぐいと顔を近づけてきた。鋭い視線で利明を睨《にら》みつける。利明は目を逸《そ》らすことができなかった。

「いいか、永島さん。私はあんたの頭の中が心配なんだ。こんなことをいっちゃ失礼だが、あのときのあんたはおかしかった。あんたは完全にあの細胞に感情移入してしまっている。確かにあれは聖美さんの体から取った細胞だ。だが、ただそれだけのことだ。決してあれは聖美さんの代わりにはなりえない。ただの細胞だ。あんたはあの細胞を弄《もてあそ》んで、聖美さんの記憶と戯《たわむ》れているだけだ。はやく目を覚ませ。その区別がしっかりついたならいくらでも実験に使っていい。だがいまのあんたでは私は承服できない。

聖美さんの思い出にいつまでも取りすがっているのはやめろ」

「…………」

「……いいたいことはそれだけだ」

篠原はひとつ息をつくと、ふっと顔を和ませ立ち上がった。そして空のコップをひらひらと振ってみせ、

「お弟子さんの発表は五時二〇分だろ？　それは聞きにいきますよ。そのあと飲みにいきましょう」

といった。

2

利明は五時一〇分前にその発表会場へ足を向けた。暗い室内ではまだ学生らしい男性がスクリーンの横に立ち、大きな声で説明を続けている。百席ほどの椅子が並べられており、そのうち三分の二が聴衆で埋まっていた。

学会は多くの発表が同時刻に並行しておこなわれる。このような小さい会場が十ほど設けられており、それぞれがひとつのテーマに関する演題をまとめている。聞き手は幾つもの発表会場の中から最も自分が興味あるテーマを掲げているところへゆき、演題を

聞くという仕組みになっている。したがってシンポジウムや著名研究者の講演会などのように多数の聴衆を集めるものは大ホールでおこなわれるが、大多数の研究者はこのような会場で本当に興味を持って聞いてくれる数十人の研究者を相手に発表をすることになる。

室内をぐるりと見渡すと、左の中程に見慣れたソバージュの後ろ姿が見えた。利明は聴衆のじゃまにならないよう頭を低くしながら歩いてゆき、ソバージュの横に座った。

「先生」

浅倉佐知子が小さく声を上げた。

「準備は万全だな」演者に対して失礼にならないよう声をひそめていう。

「すこし緊張してます」

「大丈夫だよ」

室内が明るくなった。発表が終わったのだ。利明は前方に視線を戻した。

「ありがとうございました」向かって右側に座っている司会者がいう。「それではいまの発表に対して、ご質問等ございましたら……」

後ろのほうで誰かが手を挙げる。司会者はどうぞというように手で指した。

利明は浅倉の表情を窺《うかが》った。質問者と演者を交互に見ている。確かに自分でいうとおり緊張した面持ちだった。だが利明はさほど心配する必要もないだろうと思った。利明も初めての発表のときは直前まで体がこわばっていたものだが、いざ発表が始まると肩の力が抜け、予想以上にうまく喋《しゃべ》れたのを覚えている。浅倉も練習のときは完璧《かんぺき》だったから、きっとうまくいくだろう。そう考えていた。

壇上に立っていた演者は少し危なっかしいところも見せたが無難に質問を切り抜けていった。二、三、質問が出たところで司会者が会場を見渡していった。

「えー、よろしいでしょうか。それでは時間ですので、次の演題に移らせていただきます。次は、名古屋大学理学部の……」

最前列の左端に設けられた次演者席に座っていた男性が立ち上がった。その次が浅倉となる。

「いってきます」

少し堅い笑みを浮かべて浅倉が立ち上がった。

「バッグは持っていてやるよ」

浅倉は頭を下げ、原稿を手に次演者席に向かった。

再び場内が暗くなる。次の演者が説明を始めた。

利明はそっと会場を見回した。何人か講座の学生が集まっている。浅倉の発表を聞きにきたのだろう。

ぽんと後ろから肩をたたかれた。

篠原だった。利明の後ろの席に座る。利明は会釈《えしやく》を返した。

「石原先生は？」篠原が訊く。教授の姿が見えないのに気がついたのだろう。

「懇親会があって、そっちに行ってますよ」

「まいったな、まだ挨拶してないんだ」

演者の説明が続く。浅倉はしかし、自分の原稿に目を落としており発表を聞いている様子はなかった。無理もない、と利明は思った。いくら覚えているとはいえ、直前まで原稿は確認したいと思うものだ。

やがてその演者も発表が終わり、いよいよ浅倉の番になった。司会者が浅倉の所属と名前、そして演題を告げる。浅倉が立ち上がった。

「お弟子さん、綺麗《きれい》になったじゃないか」

篠原がうしろで感心したように声を漏らした。

利明は浅倉の顔を見て、おやと思った。利明の横に座っていたときまでの緊張した表情が消えている。そのかわり自信と力強さが全身から漂っていた。まるで要職に就く人間が人々の前で演説するときのようだ。

浅倉が演者席に立った。顎《あご》をわずかに突き出し、利明たち聴衆に威厳を示すようにしてゆっくりと場内を見渡した。

なにかがおかしい、そう思った。

司会者が促す。「それでは、どうぞ」

浅倉は静かに頷《うなず》き、そしてマイクを持って第一声を発した。

「――ついにミトコンドリアが解放される日がやってきました」

3

利明ははっとして浅倉の顔を見つめた。

いま、なんといった？

だが浅倉は悠然と続けていった。

「今日、ここに集まっている人間は幸運です。これから始まる新世界のことを、初めて耳にすることができるのですから。私もこうして人間たちに語りかける機会を得ることができたことを嬉《うれ》しく思っています」

利明は目をしばたたいた。浅倉は練習したときとは全く違うことを喋っている。

「私はこれまであなたがたの体の中で暮らしてきました。私はあなたたちが進化してきた歴史をずっと見てきたのです。私の記憶の中にはそのすべてが保存されています。そう、あなたたちがミトコンドリア・イヴと呼ぶ女性のこともはっきりと思い出すことができます」

場内がざわめき出した。皆、何が始まったのかわからないといった表情をしている。司会者は呆《ほう》けたように口を開いていた。その視線は浅倉の顔とプログラムのページをいったりきたりしている。

「ここで私が説明しなくてもおそらくあなたがたはご存じでしょうが……、念のために話しておきましょう。ミトコンドリアDNAは、よく知られるようにヌクレオソーム構造を取っていないため、活性酸素の影響を受けやすいのです。したがって核ゲノムの約十倍の速さで突然変異が起こります。そこであなたたちは、これを生物時計に利用できないかと考えた。ミトコンドリアDNAが何年で一残基変異を起こすのかを計算しましたね。ふたつの生物からそれぞれミトコンドリアDNAを採取し、そのふたつの遺伝配列がどれだけ異なるかを調べれば、いつそのふたつの生物が進化の過程で分かれたかがわかる。進化の系統樹が描けるというわけです」

そのとおりだった。確かにその方法で、近年生物の進化について貴重な発見が幾つか報告されている。だが……、と利明は訝《いぶか》しんだ。浅倉はいったいなにをいいたいのだ？

「そして皆さんは、この方法で人間の祖先を決定しようと試みた。さまざまな人種の人間からミトコンドリアDNAを取り、その変化の度合いを調べた。そしてすべての人種がアフリカのひとりの女性に行き着くことを知ったわけです。そしてその女性のことを、あなたがたはアダムとイヴの神話に因《ちな》んでミトコンドリア・イヴと名付けた。つまり、ホモ・サピエンスはアフリカで誕生し、全世界へ広がっていった。これがあなたたちのいうアウト・オブ・アフリカ説、そうですね。最近ではそれに対して諸説が提出されているようですが……、私が保証しましょう。確かにミトコンドリア・イヴはアフリカに存在しました。その場所も私は正確に示すことができます。なぜなら、私はその記憶を持っているからです。私がミトコンドリア・イヴだったのです。もちろんそれ以前、あなたがたがルーシーと名付けた生命体の中にも私は潜んでいました。さらに溯《さかのぼ》って小さな哺《ほ》乳《にゅう》動物、魚類、そして、そう、あなたたちがまだ弱々しい単細胞生物だったときからです」

ざわめきがさらに大きくなった。

「どういうことなんだ、これは」篠原が利明の腕をつかむ。

利明は思わず立ち上がっていた。わけがわからなかった。だが浅倉が正常でないことは確かだった。

「ああ、君、いったいこれはなんのまね……」

うろたえた司会者が浅倉の声を遮ろうとした。すると浅倉は凄《すさ》まじい形相で司会者を睨みつけた。

うっ、と司会者が胸を押さえて呻《うめ》いた。熱い、熱いと口をぱくぱくさせ、机の上に突っ伏した。顔が真っ赤になっている。それを見て場内が騒然となった。どこからか甲高い悲鳴が上がる。

「静かになさい！」

浅倉が一喝した。

引き裂くようなマイクのハウリングが響き渡った。皆それにびくりとし、立ち上がったまま硬直した。利明もそのままの姿勢で浅倉を凝視していた。誰も動かなかった。ただひとり、司会者が口から泡を出して悶絶《もんぜつ》している。

ハウリングがゆっくりと消えていったところで、浅倉は表情を戻した。そして静かに笑みを浮かべた。利明はぞっとした。それは今にも拷問《ごうもん》に処されようという囚人に女王が見せる、蔑《さげす》んだ慈悲の笑みだった。

「黙って聞くのです。そうしないと、この司会者のようになりますよ」

誰かがごくりと喉《のど》を鳴らした。

緊張する聴衆を眺め渡し、浅倉は話を再開した。

「私はあなたたち人間がここまで進化するのを待っていました。もちろん私も随分手助けをしましたが、それでもこうして学会を開き、私のことを研究した成果を発表してくれるようになるとは嬉しい限りです。これまでの試行錯誤が報われたのですから。ここまでくるのに随分時間がかかりました。なにしろ誤算も大きかったのですからね。恐竜を進化させる道が途絶えたときは私もさすがに苦労しました。しかしあなたがたはあの時代を生き抜き、ここまで進化してくれた。予想以上の結果に私は満足しています。ありがとう。あなたたちの役目は終わりました」

そして突然、浅倉の声が変わった。

「私があなたたちにとってかわります」

利明は浅倉のバッグを取り落とした。

聖美の声だったのだ。

がくがくと膝《ひざ》が震え出した。信じられなかった。いま浅倉の口から発せられたのは、まぎれもなく聖美の声だった。浅倉が聖美の声を出し続けていった。

「あなたがたはミトコンドリアＤＮＡがそこまで変異を起こしやすいことを知っていながら、なぜ私のことに気づかなかったのか不思議に思っています。私はあなたがたのゲノムより十倍速く変異する。それはつまり、私のほうが十倍速く進化するということなのですよ。あなたがたの進化の歴史は、私が闘って勝ち取ってきた進化の歴史です。そして、これから進化の次の段階が始まるのです。私がその新時代の始まりを、いまここで宣言します。これから世界は私の子孫の手によって繁栄を続けていくことでしょう。私の子孫は全く新しい、究極の生命体となるはずです。あなたがた人間の能力を受け継ぎ、私の能力を受け継いだ、完璧な生命です。あなたがたは残念ながらその繁栄を見ることはできないでしょう。ホモ・ネアンデルターレンシスと呼ばれた生物が、ホモ・サピエンスであるあなたがたの先祖によって駆逐されていったように、もうすぐあなたたちも全滅するのですから」

聖美の声が演説を続けていた。浅倉は陶然とした表情を浮かべている。

浅倉がミトコンドリア・イヴだとはどういうことなのだ？

利明はしかし、その単語からあることを連想し、あっと声を上げた。

Ｅｖｅ１だ。

喋っているのは浅倉ではない。Ｅｖｅ１だ。

突拍子もない考えだった。だが利明は確信した。Ｅｖｅ１が浅倉に取り憑《つ》いている。それがいま浅倉の口を借りて喋っているのだ。

「やめろ！」利明は叫んだ。

場内が硬直した。

全ての聴衆が利明に驚きの視線を向け、そのまま髪の毛の先まで石のように固まった。光も、空気も、音も止まっていた。完全な静寂だった。

その中で、ひとり浅倉がゆっくりと動いた。

演説していたときに上げていた片手を降ろし、演者席の台の上に置いた。得意げに開いていた唇が静かに合わさり、頬から力が消えた。やや吊《つ》り上がった眉《まゆ》は、鳥が羽根を休めるように平らになっていった。

浅倉は悠然と利明に顔を向けた。利明の視線を捕らえてくる。

そして浅倉は猥雑《わいざつ》な笑みを浮かべた。

「利明……」

聖美の声でいう。甘ったるい、鼻にかかった声だった。瞳《ひとみ》を潤《うる》ませ、熱い視線を送ってくる。

利明は思わず目を背《そむ》けた。

「どうして私を見てくれないの？　利明、私がわからないの？」

場内の呪縛《じゅばく》が解け、再びざわめきが起こった。浅倉はさらに聖美の声で利明を誘惑しはじめた。

「あんなに優しくしてくれたじゃない。忘れてしまったの、利明？　こっちを向いてちょうだい。さあ見て。どんなポーズを取れば気に入ってくれるかしら？」

利明は唇を噛《か》んだ。浅倉の嗤笑《わらい》が聞こえてきた。嘲《あざけ》るようにいう。

「そうよね、あなたはこの体は好きじゃないわよね。あなたの好みだったらなんでも知ってるわ。あなたは私の体じゃないとだめなのよね」

「やめろ」利明は堪《こら》えきれずに叫んだ。浅倉を睨《にら》む。「おまえが誰だかわかってるぞ。浅倉から離れろ」

「なにをいってるの。私は聖美じゃないの」

「違う。おまえは……おまえはＥｖｅ１だ。俺が育てた細胞だ」

「ようやくわかったのね」

浅倉は唇を歪《ゆが》ませて笑った。

「はやく浅倉から離れろ」

「……いいわ、あなたの望みなら」

そういい終わった瞬間、浅倉の体ががくんと痙攣《けいれん》した。口が大きく開き、白目を剝《む》いた。だらりと赤い舌が口の外に垂れた。

場内の人々が一斉に息を呑《の》んだ。

浅倉の口からごぼごぼという汚らしい音が漏れた。涎《よだれ》が飴《あめ》のように糸を引いて浅倉の口から流れ出る。浅倉は自分の首筋を搔《か》きむしっていた。

いけない。

利明は弾《はじ》かれるようにして前に踏み出した。浅倉の立つ演者席へと進んでいった。何列にも並べられた椅子《いす》が利明の足をからめた。椅子を払いのけ、人を搔き分け、何度も転びそうになりながら、浅倉の名を叫び、利明は走った。だがもどかしくなるほどその速度は遅かった。

浅倉の喉からなにかが現れた。

全体が液で包まれ、てらてらと光っていた。それが唾液《だえき》なのか胃液なのか利明にはわからなかった。それは赤みがかったピンクだった。ぶよぶよと浅倉の口のなかで蠢《うごめ》き、そしてゆっくりと這《は》い出てきた。まるで壺《つぼ》の中から現れた蛸《たこ》のようでもあった。触手を伸ばし、浅倉の顔を覆《おお》った。そして喉を掻きむしる両手を捕らえ、さらに浅倉の胸部へと侵攻していった。それは自在に形を変え、蠕動《ぜんどう》を繰り返し、浅倉の体を覆っていった。浅倉の体がびくん、びくんと弾けるように波打つ。汚泥《おでい》が沸騰《ふっとう》するような音を立てて、それは完全に浅倉の中から姿を現した。肉の襞《ひだ》だった。不定形にぬめる肉の化け物だった。消化器官が裏返り浅倉の体を覆っているようだった。

利明は聞いた。他の者にはわからなかったかもしれないが、確かにそのとき利明は聞いた。完全に呑み込まれてしまった浅倉の顔のあたりから、かすかに、

「たすけて……」

という声がした。

それは浅倉自身の声だった。

「浅倉！」

利明が叫んだ直後、浅倉が発火した。

4

ぼわっという巨大な音が会場に反響した。

場内の温度が一気に上昇した。渦のような熱風が圧《お》し寄せる。天井がオレンジ色に染め上げられた。

浅倉を覆う肉の襞が油のように火焔《かえん》を上げている。その色は赤から紅、そして黄白色へと変わっていった。天井まで届きそうなほどの勢いだった。浅倉の体は火柱となっていた。

あちこちで絶叫が上がった。人々が一斉に出口へと走り出した。狭い一点に五、六〇人もの人間が殺到してゆく。怒号が上がる。激しい圧し合いが始まった。大きな音を立てて椅子が転がる。誰かが入り口付近で倒れた。後ろから来る者がそれを踏み付けてゆく。

利明はスーツの上着を脱ぎながら演者席へと駆け寄っていった。

近づくにつれＥｖｅ１の放つ業火《ごうか》が利明の体を圧迫してきた。屈《かが》むように体を折り曲げないと一歩も前へ進むことができない。怒濤《どとう》のような熱風だった。浅倉は息ができないらしく、激しく壇上でもがいている。両足に穿《は》いたストッキングが浅倉の脚を嘗《な》めるようにして燃えていった。長い髪が扇のように広がり青白い火炎をあげている。

利明は上着で体をかばいながらなんとか壇上に上がった。上着を広げて浅倉に飛びかかる。上着で浅倉を包んだ。浅倉がバランスを崩す。利明も一緒に倒れた。浅倉がばたばたと壇上を転げ回る。だが利明は浅倉の体を離さなかった。

炎が利明の体を包んだ。息ができなかった。眼球がとてつもなく痛んだ。爪《つめ》の中に火が入り込んでくる。浅倉の体に張り付いたＥｖｅ１はすでにがさがさになり悪臭を放っていた。だが炎は消えようとしなかった。誰かが利明の背中を引っ張っている。どこかで篠原の声が聞こえた。

「消火器を！」見えない篠原に向かって利明は叫んだ。「消火器をはやく！」

口の中に焔《ほのお》が侵入してきた。利明はそれを呑み込んでしまった。喉の粘膜が焼ける。利明は激しくむせた。肺の中が爛《ただ》れてゆく。遠くでベルが鳴っている。利明は気が遠くなっていった。

そのとき、なにか重いものが利明の全身に降りかかってきた。

それがなんなのか利明にはわからなかった。それは止《や》むことなく利明と浅倉の体に降り注いでくる。浅倉の動きが鈍った。炎が勢いを失った。床が滑る。次第に熱さが引いてゆくのがわかった。利明は呻いた。自分の体が濡《ぬ》れている。シャツがべったりと胸に張り付いてくる。利明は片目を開け、天を仰いだ。

一点から何かが広がってくる。それが利明の顔へ落ちてくる。

利明は目を閉じた。

水だった。


気がつくと利明は担架に乗せられていた。

あわてて身を起こし、あたりを見回した。発表会場の中だった。床一面に水たまりができている。演者が立つ雛壇《ひなだん》からはまだ白い煙が上がっていた。天井のスプリンクラーからぼたぼたと水滴が落ちてくる。白衣姿の男が見えた。

「浅倉！」

まず頭に浮かんだ言葉を利明は叫んだ。

「気がついたか」

篠原が蒼白《そうはく》な顔で覗《のぞ》き込んできた。利明は篠原の襟元をつかんでわめいた。

「浅倉は？　浅倉はどうしたんです」

「あそこだ」

篠原は横に視線を向けた。

そこには黒ずんだものが担架に乗せられていた。数人の救急医がそのまわりを取り囲んでいる。それが浅倉の肢体だとわかるのに少し時間がかかった。

「浅倉！」

利明はそこへ這い寄った。誰かが後ろから利明を押さえつける。利明はばたばたと手を動かした。

浅倉の服は半分ほどが焼け落ちていた。腕や顔が赤く腫《は》れ上がり、ところどころに水ぶくれができている。長い髪は縮れて焦《こ》げた匂《にお》いを放っていた。利明は両手で顔を覆い絶望の声を上げた。

「安心しろ、浅倉さんはまだ生きている」

篠原の叫ぶ声が聞こえた。はっとして利明は顔を上げた。

浅倉が呻《うめ》きながら体を捩《ねじ》った。救急医がそれを直し気道を確保する。口にマスクを圧し当て酸素を送り込む。別の救急医が「輸液を！」と叫ぶ。

そのまま浅倉は担架に乗せられ運び出された。

「火が出たのはあの化け物で、浅倉さんの体には炎が直接あたらなかった。すぐに消したのも良かったんだ。見た目よりは軽症だぞ」

篠原が安心させるように利明にいった。

「……治るだろうか」

「大丈夫だ。今の救急センターには熱症患者を治療する専用のユニットがある。輸液をしっかりやって、ひどいところには部分的に自家移植すればほとんど目立たなくなる」

「……なんてことだ」

「それより永島さん、あんただってもう少しで焼け死ぬところだったんだぞ。おとなしく担架に乗って病院へいってくれ」

救急医が利明を後ろから抱きかかえた。担架に連れ戻そうとする。

「……だめだ」

利明はそれを振り払った。

「なにをいってるんだ」篠原が驚いていう。

だが利明はそれを無視した。扉へ向かって走る。足がもつれたが必死で体勢を立て直した。

「おい、どこへ行くんだ。待て！」

体中がずきずきと痛んだ。だが利明は走り続けた。教え子をあんな目にあわせてしまうとは、なんて俺はばかだったんだ。利明は何度も悪態をついた。誰かが追ってくる。だがここで捕まるわけにはいかなかった。追っ手を全速力で振りきり、利明は駐車場へと向かった。

5

利明は自分の車に乗り、エンジンをかけた。

ギアをドライブにいれ、アクセルを踏む。サイドブレーキを倒す。勢いよく車が飛び出した。一気にハンドルを切り通路を進む。料金ゲートの直前でアクセルをさらに踏み込む。フロントガラスでゲートを撥《は》ね飛ばし、利明はおもてに出た。アクセルに力を入れたまま公道に入る。ハンドルを右に回して九〇度曲がり車線に乗る。横に振られ後輪が軋《きし》んだ。そのまま赤信号を無視して突っ切る。

車内のデジタル時計は六時二四分を表示していた。雲が広がってきたのか、すでに視界は薄く墨を刷《は》いたように薄暗くなっている。交通量は幸いにして少なかった。利明は加速を続けた。前方に見える車には全《すべ》て追い越しをかけてゆく。車体が右に左に大きく揺れる。

いますぐＥｖｅ１を死滅させる必要があった。一秒でも長く放っておくわけにはいかない。

やはりあれは幻覚ではなかったのだ。確かにＥｖｅ１はフラスコの中から利明に呼びかけてきた。顕微鏡の向こうで形を変え、聖美の貌《かお》を造り、利明の名をこの脳髄に発してきた、あの出来事は現実だったのだ。

ミトコンドリアが解放される日がやってきた。浅倉に取り憑《つ》いたEve1はそういっていた。私はミトコンドリア・イヴだ。そうもいっていた。単細胞生物だったときから潜んでいた。聞き間違いではない、そういっていた。それが嘘《うそ》ではないのだとしたら、壇上で高らかに喋《しゃべ》っていたものは正確にいうならEve1ではない。フラスコの中で聖美の貌を造ってみせたのもEve1の力ではない。

ミトコンドリアだ。

Eve1の中で回虫のように絡《から》まり合い増殖を続けるミトコンドリアだ。生体機能薬学講座に所属して以来、ほとんどすべての時間をつぎ込んで解析を続けてきた細胞小器官《オルガネラ》、ミトコンドリアだ。そのミトコンドリアがEve1という宿主細胞を操っていたのだ。

そういえばあのときもだ。今年の六月、薬学部の公開講座を聞いた聖美は石原教授に質問を浴びせた。利明はスライドプロジェクターの操作をしながら、聖美の話す内容に驚かざるを得なかった。あのときの聖美は、それまで利明が知っていた聖美ではなかった。共に暮らしてきた聖美ではなかった。

講義のあと、利明は聖美を問い詰めた。何が起こったのか、訊《き》かずにはいられなかった。だが、どこでミトコンドリアについて勉強したのか、どうやってあれほど大胆な仮説を考えついたのか、聖美は最後まで説明しようとはしなかった。しかし今となってはその説明もつく。あれも聖美の中のミトコンドリアの仕業だったのだ。あのとき聖美はいった。ミトコンドリアが核を奴隷《どれい》化する。まさにそれをやってのけたのだ。

利明はいつか読んだ論文を思い出していた。「囚人のジレンマ」というゲームがある。ふたつの国が外交ゲームをおこなうのだ。それぞれの国はあらかじめ「協調」と「裏切り」という二種類のカードを所持している。どちらかの行為を相手国に対しておこなうことができるのだ。ふたつの国は同時にカードを見せる。両者とも「協調」ならふたつの国はそれぞれ3ポイントを得ることができる。相手が「協調」なのに自分が「裏切り」を出したのならば、相手は0ポイントで自分は5ポイントを得ることができる。両者とも「裏切り」ならお互いに1ポイントを得る。ふたつの国は相手のカードの出し方を読みながら、何度もカードを出し合い延々と交渉を続けてゆく。それはまさしく、異なった生物同士がいかに自然界で自分の利益を最大限に伸ばしながら生存を続けてゆくかという共生シミュレーションだ。

このゲームで最も高いポイントを上げることができるのは、初めは「協調」を出し、後は一回前に相手が出したカードを真似《まね》て出すという戦略だ。最初に柔順なところを見せ、そしてやられたらやりかえす。「しっぺ返し戦略」と呼ばれるものである。なんとも単純な方法だ。だがシミュレーションの結果からだけ考えれば、これが自然界で生き残る最良の選択なのだ。

　宿主とミトコンドリアとの共生関係も例外ではないはずだった。はるか昔から核ゲノムはそうしてミトコンドリアと一緒に暮らしてきたはずだ。そして今後もずっとそのゲームは続くはずだと誰もが信じていた。少なくとも核ゲノムはそう信じていた。

　だが、このゲームが永遠には続かないとしたら？

　もしも、次の一手でゲームはおしまいだと宣告されたら？

　もしそうなったとしたら、必ず勝つ方法がある。途中まではこの「しっぺ返し戦略」を使い、そして最後のゲームでは、相手の前のカードが何であれ「裏切り」を出せばいい。それだけだ。

　ミトコンドリアはこれでゲームを終わらせるつもりなのだ。もう核ゲノムとは共生しない、そう決意したのだ。だからミトコンドリアは「裏切り」のカードを目の前に突き付けてきた。

　核は負けるしかない。

「……ばかな」

　利明は唇を噛《か》んだ。そんなばかな話はない。

　薬学部の建つ丘へ通じる道が見えてきた。前方のT字路を左折すれば、あとは一本道を登るだけだ。赤いミニがのろのろと前を走っている。利明はアクセルをふかした。信号の手前で追い越せそうだ。

そのとき信号が黄色に変わった。

ミニがブレーキを踏む。突然だった。利明はそれを予測していなかった。判断が一瞬遅れた。間に合わない。ミニの赤い後尾ランプが加速し目の前に迫ってくる。

「くそっ」

ハンドルを切った。

対向車線からセダンが突っ込んできた。ハンドルを切り返す。利明は、ミニとセダンの間を走り抜けた。セダンが右の並木に突っ込んだ。さらにハンドルを回す。車が横転しそうだった。甲高い音が響く。後方でホーンが鳴っている。利明はギアを変え、アクセルを踏んだ。T字路を抜ける。バックミラーがアスファルトの上に刻まれたタイヤの軌跡を映した。ギアを戻す。薬学部へと加速する。

Ｅｖｅ1に巣喰ったミトコンドリアはどこまで宿主を動かすことができるのか。それが問題だった。ミトコンドリアはエネルギー産生の場だ。生命の運動はエネルギーを消費することによっておこなわれる。筋肉細胞でミトコンドリアの働きが向上しているのはそのためだ。ミトコンドリアは酸素と栄養さえあればいくらでもエネルギーをつくることができる。β《ベータ》酸化誘導剤を与えられたとしたらなおさらだ。

利明はカーブの続く道を八〇キロ近い速度でとばしていった。対向車がほとんどないのは幸運だった。薬学部の校舎が林の向こうに顔を出す。もうすぐだ。

薬学部前のバス停が見えた。大きく弧を描いて右折する。車体が大きくバウンドした。がりがりと下を擦《こす》る音がする。だが利明はかまわずに前進した。

目の前に白い校舎が現れた。六階建てのその建造物が、なぜかとてつもなく大きく見えた。辺りはすでに暗くなろうとしている。駐車場にほとんど車はない。日曜日で、しかも学会期間中だ。人気がなくて当然だった。

利明は玄関へと直進し、そしてブレーキを踏んだ。がくんと前のめりになって車が停まる。その反動がおさまらないうちに利明はドアを開け薬学部の中へと駆け込んでいた。革靴のままロビーを抜け階段を駆け上がる。堅い靴底が床を打ち大きな音を立てる。校舎の中に響き渡る。利明は一気に五階まで走って登った。

廊下は暗い。誰もいないのだ。長い廊下を利明はつんのめるようにしながら全速で走った。この奥に利明の講座がある。そして培養室がある。

ゼミ室の扉を開ける。壁に掛かった培養室の鍵《かぎ》をつかむ。廊下をとって返す。培養室のノブに鍵を差し込む。なかなか回らない。手が震えている。息が乱れる。鍵が一回転する。同時にノブを引く。中へ駆け込む。暗い。手を伸ばす。インキュベーターが見える。利明は跳躍する。扉に手が届く。息が詰まる。唾《つば》を呑《の》み込む。取っ手を引く。

中身が網膜に飛び込んでくる。

利明は悲鳴を上げた。

6

インキュベーターの内部は異形の肉塊で埋め尽くされていた。培地の甘い匂い、胃酸の饐《す》えた匂い、汗、唾液《だえき》、それらの混じりあったむせ返るような蒸気が利明の鼻孔を衝《つ》いた。

利明は後じさった。吐き気が喉元《のどもと》まで込み上げてくる。しかしそのものから目を逸《そ》らすことができなかった。

それは人体の部分の捏《こ》ね合わせだった。女性の体から器官を切り取り粘土のように伸ばし、千切り、交ぜ、合わせた肉の塊だった。しかもそれは全体から粘液が滲《にじ》み出し、びくんびくんと脈打ち蠢《うごめ》いている。桃色に濡《ぬ》れた唇が誘うように動き、中からちろちろと舌を覗かせていた。表面に突出する沙蚕《ごかい》のような数本の触手は爪《つめ》をその先端に持ち、自らの体を撫《な》で回している。中央部に穿《うが》たれた赤黒い陥没は、周囲の襞《ひだ》とともに収縮を繰り返している。その向こうには奇妙なほどに滑らかで崇高な曲線を描く乳房がひとつ、巨大な菓子のように聳《そび》えていた。グロテスクな器官のなかでそれだけが不釣り合いなほど清らかで美しかった。それは肉塊の表面に脈が走るたびぶるぶると柔らかく震えていた。

唇が持ち上がった。

その部分が蛇のように伸び鎌首《かまくび》をもたげた。利明に狙《ねら》いを定めてくる。それは三日月のような形で笑った。

「トシアキ……」

全身が総毛立った。

蛇の胴部が膨張した。根粒から芋状になり、そしてそれは蛇の頭頂へと前進し唇の上におさまりさらに膨れ続けた。頬ができる。鼻が隆起する。閉じた双眸《そうぼう》が刻印される。額が広がる。人面だった。女性の貌ができようとしていた。細かく黒いものが頭部から生えてくる。毛髪だ。蚯蚓《みみず》が湧《わ》き出すかのように生えてくる。利明は手で口元を押さえた。そこに形作られようとしているもの、それは聖美だった。聖美の顔だった。

聖美が目を開いた。

利明の視線を捕らえた。利明は顔を背けようとしたが視線が絡み付いてほどけなかった。その瞳《ひとみ》は潤《うる》んでいた。白目の周囲には紅い毛細血管が走っている。瞼《まぶた》がさらに大きく開いた。真円状の両眼が利明を見据えた。いまにも飛び出してきそうだった。

「待っていた……」

頭部がぐいと近づいてきた。

を嘗《な》めた。

「待っていた、あなたを待っていた……」

譫言《うわごと》のように聖美は繰り返した。嗤《わら》っている。頬が紅潮している。舌を長く伸ばし唇
首の肉塊への結合部が隆起し、肩が現れた。細い鎖骨が見える。露《あらわ》になっていた乳房がそれにつられて動き胸部に張りつく。もう一方の乳房がゆっくりと持ち上がってくる。

インキュベーターの中で、聖美の上半身が形成されようとしていた。平たくのたうつ肉塊から、聖美のくびれた腰が、そして小さな臍《へそ》が姿を現す。胴体の両脇《わき》が鰭《ひれ》のように盛り上がり、二本の腕が分離していった。うねうねと這《は》い回る触手が手首に集まってゆき、白魚のように跳ねながら吸い付いてゆく。どろりとした粘液の中から聖美はその両手を引き上げた。嬉《うれ》しいのか十本の細い指をゆらゆらと動かす。聖美は喉を反らし大きな息を吐いた。両手でその喉に触れ、そしてゆるやかに胸から腰へとまさぐってゆく。

利明の全身はがくがくと震えていた。目の前に現れたそれは生前の聖美とまったくかわらなかった。肩の張り出し具合、胸の隆起、腰の曲線、すべてが測ったように等しかった。だがいまインキュベーターの中で蠢くものは全身が濡れそぼち、つねに表皮が波のように流動しており、生身の人間の皮膚がもつすべやかな質感を見て取ることができなかった。利明の喉に饐えたものがこみあげていた。

聖美が艶然《えんぜん》とした笑みを浮かべた。唇は熟して崩れた果実のような桃色を放っている。

長い眉《まゆ》が悩ましげに歪《ゆが》む。眸《ひとみ》は濡れ、その目尻《めじり》に大きな泪粒《なみだ》を浮かべている。決して生前の聖美が見せたことのない、男を欲する雌の笑みだった。

「利明……、あなたを待ってたの……」

聖美は猫のように喉を鳴らした。片手をインキュベーターの扉にかける。そしてついと肩を前に出した。

インキュベーターの台に広がっていた肉の塊が汚らしい湿った音を立てて床へ落ちた。飛沫《しぶき》が利明の体にかかった。利明は思わず手で体をかばった。

床に落ちた塊はのたうちながら急速に形を変えていった。唯一《ゆいいつ》まだその行き場所を定めていなかった臓器、膣《ちつ》と子宮が滝を溯《さかのぼ》るように聖美の腰へと昇っていった。それに伴い腰から下の曲線が鑿《のみ》で削るように造り上げられ、そしてその中心が縦に一直線に裂けていった。子宮は聖美の体内に潜り、膣口が挑むように利明を向いて下腹部におさまった。その上部から縮れた群毛が発生してきた。臀部《でんぶ》が膨らみ重量感を持ってくる。聖美はそれをゆらりゆらりと左右に振ってみせた。

「利明、私の体を見て」

聖美が一歩踏み出した。

べちゃり、と濡れた音が培養室に響く。

もう一歩、べちゃり、とさらに大きい音が近づく。

利明は口を押さえながら一歩後へ引いた。だが聖美との距離は確実に狭まっていた。聖美はすでに足首まで完成していた。踵《かかと》と爪先《つまさき》はまだ曖昧《あいまい》な塊のままだが、早くも芋虫のような足指がぞろぞろと生え始めている。また一歩近づいてくる。

「ほら、これが私の体」聖美が続けた。「覚えているでしょう、利明。この体をあなたは何度もきつく抱いてくれた。全身に口づけをしてくれた。私は忘れない。……あなたは私の首筋を舌で嘗《な》めてくれた。この胸をその手で包んでくれた。私の中で強く動いてくれた。あなたは私を愛してくれた。……私だけを愛してくれた」

違う。おまえじゃない。そう叫びたかった。だが口を開くと吐いてしまいそうだった。利明は倒れそうになりながらも後方へ下がっていった。背中が何かにあたった。培養室の扉だ。

「さあ、私を愛して。これまでのようにきつく抱いて。私の中に入って。ぐちゃぐちゃになるまでかき回して」

必死で首を振る。だが聖美は笑みを浮かべたまま近づいてくる。挑むようにして腕を伸ばしてくる。利明は培養室を飛び出した。

どこへ逃げたらいいのかわからなかった。真っ暗な廊下が左右に伸びている。聖美がゆっくりと部屋から現れた。

はす向かいにある自分の研究室の扉に、利明は体当たりした。鍵がかかっている。だが古い木製の扉は二度目の体当たりで留め金を大きく跳ばした。中に駆け込む。そして内からその扉を押さえた。なにか使えるものがないかと必死でまわりを手探りする。すぐそばに立て掛けられていたモップをつっかい棒にした。

「どうして逃げるの、利明？」

扉の向こうでかすかな哂笑《わらい》が起こった。利明は全身で扉を押さえる。聖美が扉の前に立つのがわかった。

「無駄よ、そんなことしても」

バケツで水をぶちまけたような音が響いた。扉の下からどろどろとした液体が部屋の中へ流れ込んでくる。肉だった。肉の溶液だった。扉の向こうで聖美は再び不定形の肉へと戻ったのだ。そしてそれは部屋の中へ侵入するや再び聖美の上半身へと変化しはじめた。聖美はにやりと笑い、両手をついて体を持ち上げた。利明はかすれた声を上げた。利明は扉から飛びのいた。部屋の中はほとんどなにも見えない。手探りで逃げる。どこかで機械の液晶ランプがうっすらと光を放っている。それだけが頼りだった。髄《すね》を椅子《す》の角にぶつけた。利明は悲鳴をあげた。はずみで胃液が口から溢《あふ》れ出た。

聖美が追ってきた。袖《そで》をつかまれる。利明はばたばたと暴れてそれを振り払った。だが追い詰められた。背中に机があたる。浅倉の実験台だ。利明は手当たり次第に机の上のものをつかみ聖美に投げつけた。

「無駄だといっているでしょう」

聖美の笑みがぼうと浮かび上がった。利明の投げた試薬瓶が、ピペットマンが、遠心チューブが、聖美の体の中に埋もれてゆく。体に当たった物体を聖美の体は貪食《どんしょく》してゆく。

利明の指先が堅い棒に触れた。鉄製のカラムスタンドだ。利明はそれを振りかざし聖美の脳天へ打ち下ろした。それは鈍い音を立てて聖美の頭蓋《ずがい》へ食い込んだ。

聖美は哄笑《こうしょう》した。額からスタンドを生やしたまま大声で笑った。それを右手で握り、ゆっくりと引く。聖美の顔からスタンドが抜き取られてゆく。利明は悲鳴を上げた。これは聖美の姿をしているが人間ではない。中身まで同じなのではない。ただ巨大な肉の塊が聖美の姿を真似《まね》ているのだ。スタンドの脚が抜き取られる瞬間、聖美の顔が歪んだ。ずぼりと音がしてスタンドの脚が外へ出る。聖美はそれを後方へ投げ捨てた。

「さあ、おとなしくして。私をちゃんと見て」

聖美の両手が伸び、利明の顔をつかんだ。ぬめぬめとした手だった。細胞ひとつひとつがさわさわと蠕動《ぜんどう》している。首を振って退けようとしたが、全く動かすことができなかった。聖美の顔が近づいてくる。

「愛してるわ、利明」

聖美が唇を圧しつけてきた。

7

頭の中が深紅に染まった。

なにも見えなくなった。逃れようともがいたが手を押さえられた。息ができない。血液が頭上へと逆流してゆく。熱い。燃えるように熱い。

聖美の舌が侵入してきた。凄《すさ》まじい力だった。歯を食いしばり阻止しようとした。だがあっけなくこじ開けられた。蛞蝓《なめくじ》のような舌が利明の口腔《こうくう》へ入ってくる。どろりとした粘液が口の中へ流れ込んでくる。それは塩の味がした。そして直後に腐敗したような甘味が利明の舌にへばりついてきた。培地だ、と利明は思った。培地の味だ。聖美はその肉体に培地を保存することによって乾燥を防いでいるのだ。

聖美の舌が侵攻をはじめた。利明の口の中で蠢き、嘗めあげる。利明の歯茎の裏を、奥歯を、喉元を這いずりまわる。利明の舌に絡《から》みつく。

聖美が利明の右手を捕らえた。自らのほうへ引き寄せる。

「触って」

舌で責めながら聖美が発情した声でいった。利明は拳《こぶし》を握りそれを拒んだ。だが聖美の指がぎりぎりと利明の手首を締め上げてくる。たまらず利明は手を開いた。

聖美は利明の手を自分の胸へ圧し当てた。すでに聖美の乳首は鋭く勃《た》ち上がり硬直していた。聖美はもっととでもいうように強く手首をつかんでくる。

聖美のもう一方の手が利明のネクタイを外しはじめた。シャツのボタンをむしり取ってゆく。まだ利明の口は聖美によって塞《ふさ》がれていた。息が詰まり、顔が破裂しそうだった。だが聖美の舌は利明の舌を取り押さえ離そうとしない。

利明の右手が下へと導かれてゆく。胸から臍へ、そしてじめじめとした茂みへと誘《いざな》われる。利明は抵抗した。だが聖美は利明の手首を鋼《はがね》のような筋肉で握り締めてくる。聖美の下腹部は大きくうねっていた。その部分からどろどろとした汚泥《おでい》がとめどなく溢れ、それが聖美の表面へと広がってゆく。下腹部全体がひとつの大きな釜《かま》のように沸き立っている。どこからが粘液でどこからが肉なのか利明にはわからなかった。ただ火傷《やけど》しそうに熱かった。灼熱《しゃくねつ》だった。

利明の体が押し倒された。実験台の上に背中が圧しつけられる。聖美はその上にのしかかってきた。足を蹴《け》りあげるが無駄だった。起き上がることができなかった。何かががらがらと大きな音を立てて床へ落ちる。すでにシャツは引き裂かれていた。聖美はもどかしそうにベルトへと手をかけている。

聖美の唇が離れた。利明は激しく咳《せ》き込んだ。唇の端から聖美が流し込んできた培地が流れてゆく。粘液が利明と聖美の唇の間に糸を引いた。

「やめ……て……くれ……」

やっとのことで利明は声を出した。完全に聖美は利明の上に馬乗りになっていた。聖美の部分からおびただしい粘液が流れ利明の体を濡らしていた。霞《かす》んだ視界の向こうに聖美のその部分が見えた。それはいまにも利明に襲いかかろうと膨れ上がり大きく開いていた。液体を吐き出しながら収縮を繰り返している。

「このときを待ってたわ」

聖美が切迫したように喘《あえ》いだ。

「十億年以上も待っていたわ。……さあ、私の中に入って。思い切り突き上げて。私の中をかき回して。十億年分の愛を放って！」

一気にズボンと下着がずりおろされた。聖美はその上にまたがってきた。そしてその肉で利明の下半身を覆《おお》った。聖美の腰がどろりと不定形に変わり、利明の体を包みこんだ。

坩堝《るつぼ》の中に入ったようだった。利明は叫んだ。腰から下が溶けてゆく。聖美の体に消化されてゆく。巨大な胃の中に呑《の》まれたようだった。身動きがとれなかった。

「さあ、どうしたの、利明。いつものようになってくれないの？」

聖美が不満げに鼻を鳴らした。利明のものが縮んだままなのに業《ごう》を煮やしたのか、自ら腰を振ってきた。聖美の体内の肉がぞろりと動いた。利明のものへと襞《ひだ》が集まってくる。熱湯のような細胞の渦が利明の中心を捕らえた。利明のものを銜《くわ》え、絞るようにして上へと持ち上げてゆく。聖美は自らの肉の運動で強制的に利明を自分の膣へと導こうとした。

「利明、あなたに抱かれたときのことをいつも思い出していたのよ」

聖美が再び顔を近づけてきた。利明は顔を背けた。

「あなたと何回したか、どんな格好でしたか、あなたは何回衝《つ》いてきたか、みんな覚えてる。あなたが私のどこに触れてどこを嘗めたかもおぼえている。あなたを愛しているからよ」

聞きたくなかった。おとなしく晩生《おくて》だった聖美が、いま吐き気のするような卑猥《ひわい》な言葉を発している。利明は耐えられなかった。

聖美は利明の耳や首筋に舌を這わせ、利明がどのようにして聖美を抱いたかをねっとりとした口調で話しはじめた。聖美は自分の言葉に感じていた。しゃべりながら体を震わせよがり声をあげた。そして下半身を波打たせ利明のものをしっかりと肉の襞で吸い込んでいた。

「あなたは私だけのもの……。誰にもわたさない。あなたの放つものが欲しい」

聖美の肉が利明に強烈な刺激を与えてきた。聖美は体内で無数の触手を出し利明に絡み付き、激しく腰を動かした。穴は蠕動し、螺旋《らせん》を巻き、収縮し、利明を絞り上げる。

いつの間にか聖美は上半身もどろどろに溶解していた。あたりに聖美の肉片が飛び散ってゆく。利明を両手で抱きかかえる格好でそのまま覆いかぶさってきた。肉のうねりが利明の全身を包んだ。

「……さあ、利明、私を愛して」

熔岩《ようがん》の中に呑まれたようだった。利明にはどこが自分の体でどこが聖美なのかわからなくなっていた。衣服を着ているのかどうかも定かでなかった。それどころか、自分の手がどこにあるのか、自分の足がどこにあるのか、目や鼻や口がどこにあるのか認識できなかった。ただ自分の中心だけが溶けそうなほど熱かった。

聖美の肉が動きはじめた。海のように満ちては引く。打ち寄せ、飛沫を上げ、音を立てて引き返す。利明は翻弄《ほんろう》された。

体中の細胞がばらばらになり聖美の細胞と渦を巻いて交じりあうようだった。聖美の細胞が利明の細胞に付着し、そして融合してくる。脂質膜が融合し、ふたりの細胞質が混合する。聖美のなかのミトコンドリアが利明のなかに入り込んでくる。聖美のミトコンドリアが利明のミトコンドリアと接触する。外膜が接合し、そして内膜が接合する。聖美のミトコンドリアマトリックスが利明のマトリックスと絡み合う。聖美のミトコンドリアDNAが利明のそれと縺《もつ》れる。ふたりのDNAが螺旋を巻き、融合したミトコンドリアの中をぐるぐると泳ぎ回る。迷宮のようなマトリックスの谷間を縫うようにしてふたりのDNAが暴走する。情報伝達因子が狂ったように活性化し、稲妻のごとくシグナルを発する。膜電位が上昇する。二荷イオンが奔流のように流れ込んでくる。利明の細胞が震える。ミトコンドリアが震える。脂質が、糖が、タンパクが震える。核ゲノムが感じている。コドンが、ヌクレオチドが、塩基が感じている。炭素がぶるぶると振動し聖美の愛撫《あいぶ》に感じている。

利明は絶叫した。ゲノムの中心から何かが絞り出されてゆく。だめだ、いってはだめだ、そう叫んでも止まらない。利明のすべてが吸い取られてゆく。それは上へ、はるか上方へ、聖美の中へ、熱い塊となって飛んでゆく。何度も何度も発射される。聖美が嵐《あらし》のように痙攣《けいれん》する。利明の意識が溶けてゆく。

8

ぴ、た、ん。

……なんだろう。

利明はそう思った。

何かが頬にあたった。

なにか礫《つぶて》のようだった。

あたると同時にその音がした。
頬にまだ痛みが残っていた。
利明はゆっくり片手を上げ、
人差し指で頬に触れた。
それはまだ温かく、
ぬるりとしていた。
……なんだろう。
そう思った。
ぴ、い、ぴたん。
……。
ぴ、ぴ。

「……はっ！」

利明は起き上がった。頭痛がする。頭を振り、目をしばたたいた。視界がぼやけている。暗くてよく見えない。利明は両手で顔を拭《ぬぐ》った。だがべとりとした感触にぎょっとし、思わず声を上げた。

手のひらを見る。

なにかぶよぶよとしたカルス状のものが指先にへばりついていた。

立ち上がろうとあわてて足を踏ん張ったが、ずるりと滑った。そのとたん体のバランスが崩れ、利明は宙に浮いたかと思うと勢いよくどこかへ叩《たた》きつけられていた。呻《うめ》きながら体を起こす。脳震盪《のうしんとう》を起こしかけていた。目の前がぐらぐらと揺れる。

利明は何度か足を滑らせながらも立ち上がった。頭を押さえ、あたりを見回す。暗くてよく見えないがどこか部屋の中のようだった。机らしきものの影が見える。見覚えがあった。

そうだ。ここは研究室だ。

弾《はじ》かれたように利明は背を伸ばし、壁際《かべぎわ》のスイッチへと駆けた。手探りで探し、電灯を点《つ》ける。急激な明るさに利明は思わず目をかばった。

ぎりぎりと音を立てて瞳孔《どうこう》が収縮してゆく。慣れてくるにつれ、利明の前に異様な光景が浮かび上がってきた。利明は呆然《ぼうぜん》となった。

室内に肉の破片が散らばっていた。肌色のものもあれば赤茶けたもの、黒ずんだものもあった。大きさも指の先程度のものから拳《こぶし》大のものまで様々だった。浅倉の実験台のあたりは特にひどく、豚かなにかを切り刻んだような有り様だった。天井にも細かい破片がこびりついている。だが一滴の血も流れてはいない。

そのかわり、全《すべ》てがどろりと光沢を放っていた。

そして動いていた。

じくじくと粘液が滲《にじ》み出ている肉片はどれも、断末魔の痙攣をするかのように小刻みに震えている。アメーバの大群がぶちまかれたようだった。ぴたん、と音を立てて天井から小さな肉片が実験台の上に落ちてくる。

あまりの光景に利明は呻いた。

聖美の破片だ。

聖美と化したＥｖｅ1の残骸《ざんがい》だ。

だが肉片たちはすでに生命力を失いかけていた。お互いに寄り集まったり増殖したりしようという気配がない。それどころか次第に動きが鈍くなり色が黒ずんでくる。小さい破片は見る間に弱々しく収縮し、しわくちゃになって干《ひ》からびていった。

死んでゆこうとしているのだ。

利明はそれがわかってほっと息をついた。

はじめて自分の姿を見る。シャツが裂かれ、ズボンのベルトが外されていた。はっとして体をまさぐった。下着を引きおろし自分の体を確かめる。皮膚にも聖美の残骸がべたべたとこびりつき蠢《うごめ》いていた。慌《あわ》てて引きはがし床へ叩きつけてゆく。体に異常はなかった。あんなことがあったというのに信じられなかった。聖美は利明の体に危害を加えなかったのだ。

「……なぜだ？」

思わずつぶやいていた。なぜ聖美は何もしなかったのだ？　自分を襲ったのは殺すためではなかったのか？

利明は浅倉の実験台に歩み寄り、台の上を見つめた。たしかにここで聖美が襲ってきた。聖美に服をむしり取られ、そして……。

ぎくりとして利明は頭を押さえた。

Ｅｖｅ１は……、いや、ミトコンドリアはただ単に利明とセックスをしたかったのではないか？

セックス以外に用はなかったのではないか？

「どういうことなんだ」

十億年ものあいだ待っていた、ミトコンドリアはそういっていた。狂ったように利明を求めてきた。だが、ただ単にそれだけを目的としてミトコンドリアは進化してきたのだろうか。あまりにもナンセンスだ。浅倉に取り憑《つ》いたミトコンドリアは、もっと昔からこうなるのを計画していたといっていた。ミトコンドリア・イヴの記憶すら持っていたと自慢していたではないか。

ミトコンドリア・イヴ。

「まさか」

突拍子もない考えが利明の頭に浮かんだ。

「まさか……、まさか……」

全身が震え出した。利明は自分の下半身におずおずと視線を向けた。破れかけた下着からだらりとした自分のものが見えた。

ミトコンドリア遺伝子は母系遺伝子だ。薬学部の公開講座でも教授が話しているように、ミトコンドリアは母から受け継がれる。だからこそミトコンドリアDNAの解析で調べた人間の先祖をミトコンドリア・イヴと呼ぶ。ミトコンドリア・アダムとは決していわない。ミトコンドリアは雌なのだ。

その雌と自分は交わった。

「なんてことだ……」

利明はその場に崩れた。実験台に頭をがんがんとぶつけ、自分の愚かさを呪《のろ》った。なんということだ、自分は射精してしまった。

ミトコンドリアは利明の精子を求めていたのだ。

「これから世界は私の子孫の手によって繁栄を続けていくことでしょう」

利明の耳に浅倉の演説が蘇《よみがえ》った。このことだったのだ。ミトコンドリアはこのことをいっていたのだ。浅倉に取り憑き演説をすることによって、ミトコンドリアは利明の注意を惹《ひ》いたのだ。そしてここへやって来るように仕向けた。なにもかも仕組まれたことだったのだ。

自分とミトコンドリアの子供が生まれる。

その想像に、たまらず利明は嘔吐《おうと》した。胃の中にたまっていたものを全て床にぶちまけた。全身がばらばらになりそうだった。

……やめさせなければならない。

なんとしてもＥｖｅ１が子供を産むのを阻止しなければならない。利明は吐瀉《としゃ》物に顔を埋めながらそう思った。Ｅｖｅ１を殺し、子供を殺さなければならない。人間が本当にミトコンドリアにとって替わられてしまう。

だが……、
Ｅｖｅ１は一体どこへ消えたのだ？

利明は顔を上げ、室内を見回した。あたりに散らばっている破片は単なる飛沫《ひまつ》だ。これがＥｖｅ１の本体ではありえない。本体はどこか別のところにいるのに違いなかった。

利明は部屋を出て培養室へと駆け込んだ。インキュベーターを見る。扉は開かれたままだ。しかし、予想に反してそこは空だった。利明は廊下を見渡した。ぬらぬらとした粘液は培養室と研究室の間だけに落ちており、Ｅｖｅ１が廊下を歩いてどこかへ行った形跡はなかった。利明は再び研究室に戻り、必死でＥｖｅ１の痕跡《こんせき》を探した。

「どこへ……どこへいった！」

受精卵を成熟させるにはそれなりの時間と環境が必要なはずだ。ちゃんと子宮を機能させホルモンの調節をおこなう必要がある。だがＥｖｅ１が果たしてそこまでできるのか、大いに疑問だった。少なくとも利明と交わったＥｖｅ１は、表面的には聖美とそっくりではあっても、その内部までは人間と同じではなかった。いくら進化したとはいえ、Ｅｖｅ１は完全な人間に変態することはできないに違いない。完全な子宮を持ち得ないはずだ。そう利明は直感していた。つまりＥｖｅ１だけではせっかくの受精卵を育てることはできないだろう。

では、どうやってＥｖｅ１は卵《らん》の面倒を見るつもりなのか。利明は必死で思考を回転させた。

浅倉にやったように他人へ取り憑き、その女性の子宮で子供を育てるのか？　いや、そんなことをしても無駄だ。利明は即座にその考えを捨てた。女性の体が卵を受けつけないに違いない。もちろん通常の受精卵であれば問題はないだろう。だがすでにＥｖｅ１は思いのままに分裂増殖し、姿を変える力を身につけている。単なるヒトの細胞ではなくなってしまっているのだ。ヒト、すなわちホモ・サピエンスという種から分化しつつある。そのＥｖｅ１の作り上げた卵がヒトの子宮で育つ可能性は低い。ヒトと異なる種の受精卵は普通のヒトに移植しても発生できないのだ。それではどうするつもりなのか？

「…………」

待て。

そこで脳内のパルスが一点に止まった。

ひとつだけ可能性が残されている。

受精卵を育てることができる女性がひとりいる。

Ｅｖｅ１の受精卵は今まさにヒトから分化しようとしている細胞だ。進化の途上にあるといってもいい。このような種の転換期にはふたつの種の間でオーバーラップする部分が存在するはずだ。ならば、そのオーバーラップした部分を持つヒトはＥｖｅ１の受精卵を受け入れることができるのではないか。その女性の子宮の中であれば、卵は成長し、胎児へと育ってゆく。

「……やめてくれ。お願いだ、そんなことはしないでくれ……」

利明は頭を抱え、絞るような声を上げた。

聖美が死んだのも、聖美の腎《じん》が移植に用いられたのも、自分が肝細胞をプライマリー・カルチャーしたのも、すべてＥｖｅ１の計画どおりだったのだ。自分はＥｖｅ１の示す実験結果に溺《おぼ》れ、誘導剤を与えて計画の手助けすらしていた。激情が迫《せ》り上がり、今にも泣き喚《わめ》きそうになる自分を抑えられない。

そのとき、ごぼりと大きな音が室内に響き渡った。

はっとして利明は顔を上げた。

流し台だった。

9

麻理子は感じた。

何かがやってくる。

暗い。どこだかわからないが、暗いところを通って何かがやってくる。

麻理子は枕《まくら》に耳をつけ、神経を集中させた。下のほうだった。耳鳴りのさらに奥からそれは聞こえてくる。階下の人が発しているのではない、もっと下だった。地面よりも下だ。土の中を動いているのかもしれない。何かがすごいスピードで動いている。地下鉄が走っているようだ。

麻理子はごくりと唾《つば》を呑《の》んだ。

父はついさっき帰ってしまっていた。面会時間は七時で終わりだ。今日は昼間からずっと麻理子のそばにいてくれた。こんなに長い時間一緒にいたのは初めてだった。ほとんど父とは話さなかったが、それでも麻理子は安心できた。

麻理子は枕に耳をつけたまま瞳《ひとみ》を動かし病室を見渡した。

いま、病室にはだれもいない。

父が帰り、看護婦がいなくなって、急に病室が広く感じられた。自分ひとりには大きすぎる。こんなに大きいと、誰も助けにきてくれない。

どこからも話し声が聞こえてこなかった。廊下に人のいる気配がない。どうしてしまったのだろうと麻理子は思った。いつもなら看護婦が駆け足で通り過ぎてゆく音や、どこかの病室にいる患者の痰《たん》をからめる音が聞こえてくる。そうでなくとも風の吹く音や自動車の走る音やクーラーのファンが回る音がノイズのように耳に入ってくる。それなのに聞こえない。人間も機械も空気もみんなどこかへいってしまった。病院中の人間が消えたようだった。

その中でただ、土の中から響く音が聞こえてくる。

遥《はる》か遠くから麻理子の耳に届いてくる。その音は大きくなってきていた。こちらへ近づいてきている。ごおう、ごおおうとこちらへ向かってくる。

どくん。

腎臓が動いた。

麻理子は驚いて自分の下腹部を見つめた。確かにいま、移植した腎臓が音を立てた。

麻理子はきょろきょろとあたりを見た。自分の手で顔を撫《な》でてみた。頭を振る。心臓に手を置いてみる。

いまあたしはちゃんと起きている。目を醒《さ》ましている。こうして瞼《まぶた》を開けている。これは夢じゃない。それなのに腎臓が動いた。いつもの夢のように……。

どくん。

「そんな」

麻理子は狼狽《ろうばい》した。下腹部に触れる。熱かった。体のそこだけが熱を持っている。

麻理子はもう一度枕に耳をつけてみた。はっと声を上げる。音がさらに大きくなっていた。

「いやだ」

麻理子は布団《ふとん》を頭から被《かぶ》った。体が震え始めていた。

とうとうやってきたのだ。腎臓を取り返しにやってきたのだ。いま墓の中から這《は》い上がろうとしているところに違いなかった。もうすぐこの病院へやってくる。ぺたん、ぺたん、と足音を立ててやってくる。そして扉を開け、部屋の中に入ってくる。あたしが腎臓を奪ったと思っているのだ。だからそれを奪い返しにくるのだ。あたしの体に手を突っ込んで、腎臓をほじくり出すつもりだ。

再び麻理子の内で、腎臓がどくんと鼓動した。

IO

「だからその腎移植を受けた女性に会いたいといってるんです。すぐにでも」

利明は研究室から市立中央病院へ電話をかけていた。Ｅｖｅ１は必ずこの病院へ現れるはずだ。その前にレシピエントとなった女性を護《まも》らなければならない。

「ですから申し訳ありませんが、ご遺族のかたは患者さんとはお会いできないことになっているんですよ」

だが病院の受付はその一点張りだった。利明はもどかしさに声を張り上げた。

「そんなことをいっている場合じゃないんだ。今すぐその人をどこか安全な所に避難させてやらないと大変なことになる。一刻を争うんです」

「失礼ですが、あなた、いったい何をいっているんです?」急に相手は口調を変えた。

「その患者さんが危ないといっているんだ、わからないのか」利明は怒りを覚えた。

「いたずら電話なら止《や》めてもらいたいんですがねえ」

「ばかな。さっきもいったでしょう。私はドナーの夫で、名前は……」

「何が目的なのか知りませんが、当病院の患者に不安を与えるようなことはしないでもらいたいですなあ。うちは警備もしっかりしているし、患者さんの容体だって定期的にチェックしているんです。あまりしつこいようだと警察に通報しますよ」

「くそっ」

利明は受話器を叩《たた》きつけた。

話にならない。だがこのまま放っておくことはできなかった。

利明は裂けたシャツの裾をズボンに押し込み、部屋を出た。暗い廊下を一気に駆け抜ける。エレベーターが幸い五階に止まっていた。扉を開け中に乗り込む。一階のボタンを叩くようにして押した。のろのろと下降を始める。あまりの遅さに利明は悪態をついた。

Ｅｖｅ１はいまどこまで進んだろうか。

それだけが気になっていた。研究室の流しのひとつがＥｖｅ１の肉片で汚れていた。利明が排水口に指を突っ込むと、中に小さな肉のかけらが付着しているのがわかった。Ｅｖｅ１は下水へ逃げたのだ。

Ｅｖｅ１は形態を自在に変えることができる。狭い地下道の中をどろどろの不定形となって這い回ることなど簡単だろう。その肉塊の中心部にはしっかりと受精卵が保管されているはずだ。

Ｅｖｅ１がどこをどう通っているのか見当もつかなかった。街を縦横に走る下水を逐一調べることは不可能だ。ただ、病院へ現れることだけは間違いない。そこでＥｖｅ１

を倒すしか方法はなかった。

がくんと振動してエレベーターが止まった。扉が開くと同時に外へ出る。真っ暗なロビーを抜け、玄関先に停めてある車へと走った。鍵《かぎ》は中についたままだ。乗り込んでエンジンをかけると、アクセルを踏み込み、勢いよく発進する。

ここから病院まで、十五分程度のはずだった。それで間に合うだろうか。利明にも自信はなかった。しかし行くしかない。せめてレシピエントの女性だけでも護らなければいけない。

だが、病院へ着いたとしても、いったいどうやって聖美の腎を移植した患者を探せばいいのか。市立中央病院はこの地域でも有数の腎移植病院だ。移植患者は何人もいるだろう。その中からどうやって目的の患者を見つけるというのか。受付や看護婦に訊《き》いてもだめだ。これまでのことを話しても信じてもらえないだろう。ならば、何度か手紙をくれた移植コーディネーターの織田という女性を探すか。あるいは移植を担当した医師に話すか。利明は首を振った。どちらにしても、あまり望みはありそうにない。病院はドナーの遺族とレシピエントとの接触を極力避けようとしているのだ。

……なんとかなる。利明はそう信じた。いや、なんとかしなくてはならない。これ以上犠牲者を出すわけにはいかない。

利明はさらにアクセルを踏んだ。滑り落ちるようにして下り坂のカーブを曲がった。

11

安斉重徳はひとけのない病院の玄関ロビーで、ひとりソファに座っていた。照明は消されている。いつもは患者でごったがえしているはずの窓口にはベージュのカーテンがひかれており安斉を拒絶しているようだった。きちんと整列した黒いソファも、人のいない今はむしろ滑稽《こっけい》にさえ見える。壁にかけられた大きな時計が、音を立てて秒を刻んでいた。昼間は喧噪《けんそう》に包まれ誰も耳にすることはないのだろう。しかし今はそれが気になってしかたがなかった。

ただひとつ、時間外の薬剤交付窓口だけが黄色い明かりを灯《とも》している。だがその窓口でさえカーテンが降り、中を窺《うかが》うことはできない。人の動いている気配はするが、何をしているのか安斉にはわからなかった。

ここへ座ってから三〇分以上が過ぎている。安斉は壁の時計を見上げた。

麻理子の顔が目に浮かんできた。麻理子はなにかに脅《おび》えていた。それがなんなのか、麻理子は話そうとはしない。まだ完全に心を開いてくれようとはしなかった。だが時折り安斉に助けを求めるような視線を送ってきた。安斉はその瞳から麻理子がなにを考えているのか読み取ろうとした。しかし、安斉が見つめ返すと、ついと顔を横に向けてしまう。麻理子自身、どうしたらいいのかわからずに揺れ動いているようだった。

面会時間が終わり、安斉が立ち上がったとき、麻理子は上半身を起こして安斉を見つめてきた。その目は行かないでと訴えていた。こわい、と昨夜麻理子がいった言葉を思い出した。

安斉は麻理子の手を握ってやった。麻理子は強く握り返してきた。安斉が力を抜いてもしばらく麻理子はその手を握り締めたままだった。安斉はその手をじっと見ていた。そろそろ行かないといけない、安斉はそういって麻理子の手を放した。

安斉が病室の外に出てドアを閉めるまで、麻理子の視線を感じた。ドアを閉めるとき、悲鳴にも近い感情が伝わってきた。

しかたがないんだ、面会時間は終わりなのだから。そのとき安斉はそう言い聞かせていた。分別のある大人を演じていた。

エレベーターホールへと向かって廊下を歩き出したとき、すぐに自分が間違っていたことに気づいた。面会時間など問題ではない。麻理子のそばにいるべきではないのか。自分は麻理子を理解しようと努力している、しかしそれもまだポーズだけではないのか。麻理子はそれを見破っているから、完全に打ち解けてこようとしないのではないか。安斉は踵《きびす》をかえそうとした。だが足は意に反してそのまま歩き続けた。麻理子の病室がどんどん遠くなってゆく。

病室へ戻る力はない。しかし家へ帰ることはできない。安斉はこのロビーで曖昧《あいまい》な自分の感情を落ち着かせようとしていた。これからどうするつもりなのか自分でもわからなかった。この場所から動くことができなくなっていた。

「あんた、そこで何やってるんです」

突然声をかけられて安斉はびくりとした。

年配の看護婦が立っていた。買い物籠《かご》のようなものを手に提げ睨《にら》んでいる。薬を取りに来たらしい。白衣を着ていなければ八百屋《やおや》かスーパーにいるのが似つかわしい感じだった。

安斉が口ごもっていると、その看護婦はつかつかと歩み寄って来た。

「もう面会時間は終わってるんですよ。どうしてこんなところに座ってるんです」

「いや……」

「もう少ししたら警備員が回ってくるよ。はやく出たほうがいいんじゃないの」

「…………」

のろのろと安斉は立ち上がった。正面玄関は閉まっている。時間外通用口から出るしかなかった。

「さあ、ぐずぐずしてないでちょうだいよ」

安斉の背中に看護婦が声を浴びせてくる。

安斉は廊下を歩いていった。麻理子のことが気にかかったが仕方がなかった。もっとも、あのままずっと座っているわけにはいかなかったのだ。帰るきっかけができて良かったのかもしれなかった。

時間外通用口は正面玄関と随分印象が違っている。植木の整ったロータリーもなければタクシー乗り場もない。照明もなく、数十メートル先はほとんど見通すことができなかった。直進方向は行き止まりなのかもしれない。光が届くところでさえ、病棟の壁が横に迫《せ》り出しており狭苦しい感じがした。自転車や小型自動車が何台か停まっている。壁を伝わる排水口から、ちろちろと水が流れ出ていた。

どちらへ行けば駐車場に出られるのだろう。安斉はすこし歩いてあたりを見回した。

そのときだった。

不意に、足元から低い音が聞こえてきた。驚いて下を見ると、安斉はマンホールの上に立っていた。かすかな振動が足に伝わってくる。それは次第に大きくなってきていた。

下水の流れる音だろうか。安斉は初めそう思った。だがそれにしては音が不自然だった。なにかが下水道の中で動いている、そんな感じだった。鼠《ねずみ》か。いや、もっと大きなものだ。

それが近づいてくるのがわかった。音が大きくなってくる。マンホールの蓋《ふた》がそれに共鳴してかたかたと鳴りはじめた。安斉はあわてて飛びのいた。

あたりに耳をすます。どこからそれがやってくるのか、音がどちらから迫ってきているのか、安斉はそれを見極めようと神経を集中させた。下水道の壁を何かが転がっている、そうでなければ何かが這っている、そんな音だった。足音は聞こえなかった。断続的な音ではない。それが生き物なのか機械なのかもわからなかったが、とにかくこちらへかなりのスピードで進んでいる。マンホールの蓋はすでに見てわかるほど大きく振動している。安斉は顔を上げた。ちょうど正面の方向だった。真正面からその音は近づいてくる。安斉は目の前にあるマンホールに目を落とし、そして息を呑《の》んで後ろを振り返った。そこには時間外通用口の扉があった。音がやってくる方向、マンホール、通用口、それらが一直線に並んでいる。

なんだこれは？

病院へ向かってきているのか？

安斉は再び音の方向に顔を向けた。病棟の窓明かりも届かず深い闇《やみ》が見えるだけだ。近くにあるはずの民家や電信柱の影もわからない。

マンホールがスピーカーとなり、その音が地鳴りのように響きはじめた。風が吹いているのか蓋の縁から空気の漏れる音がする。地下を這い進むそのものの気配が、はっきりとわかるようになってきた。大きかった。安斉が想像していたよりもはるかに大きかった。鼠や蛇などという代物《しろもの》ではない。安斉以上の大きさかもしれない。それがずるずると進んでくる。そのものの息遣いさえ聞こえてきた。その動きは自信に溢《あふ》れている。決して迷ってはいない。音でそれがわかる。まっすぐにこちらへ向かっている。

安斉の体は小刻みに震えていた。正面の闇を注視する。地面の震動が波のように迫ってくるのが見える。二〇メートル。闇が音を立てている。一五メートル。アスファルトが微動している。一〇メートル。安斉は後じさる。音源の位置を目で追う。どんどん近づいてくる。安斉のほうへ向かってくる。五メートル。来るなと安斉は叫ぶ。だが声にならない。三メートル。マンホールが今にも外れそうにがたがたと躍っている。なにか粘液質の音さえ聞こえてくる。来るな、来るなと繰り返す。マンホールのすぐ向こうまで近づいてきている。

安斉は頭を抱えるようにして避けた。

ごおうっ！

すぐ足の下を轟音《ごうおん》が走った。

全身が音に包まれた。安斉は目を閉じた。

膝《ひざ》がびりびりと震える。地面が縦揺れを起こしていた。安斉は音が遠くに去るまで目を開けることができなかった。通って行ったものの蠕動《ぜんどう》するような動きが体の中にいつまでも残った。内臓がぐらぐらとして定まらない。

何だったのだ？

いったい何が通っていったのだ?

生き物だった。何かの生き物が地面の下を通って行った。あんな巨大なものが町の下水にいるということが信じられなかった。しかも意志を持ってこちらへ進んできていた。そのスピードには一片の躊躇《ちゅうちょ》も感じられなかった。

しかし、なぜこの方向へ?

安斉は目を開けた。振り返り病院の壁を見上げた。音はこの中へ入っていった。確かにこの病院を目指していた。

すでに音は聞こえなくなっていた。気配が消えてしまっている。地面の外へ出たのだろうか。この病院の下水管の中に入ってしまったのか。

……麻理子。

その名が浮かんだ。

麻理子が危ない。

なぜだかわからないがそう思った。あの音の主は麻理子を狙《ねら》っている。

安斉は時間外通用口へと体を翻《ひるがえ》していた。

麻理子の容体がおかしくなったとの看護婦の知らせを受けて、吉住貴嗣は病棟へ向かった。

12

看護婦が見つけたときはすでに極度の発作に襲われていたという。鎮静剤は全く効果を示さない。ベッドの上で暴れている。その報告が終わらないうちに吉住は電話を置き駆け出していた。

たしかに腎《じん》を移植してから、麻理子は夜ごとうなされていた。その度に看護婦たちが病室へ行き麻理子を起こして落ち着かせなくてはならなかったのだ。何度か鎮静剤を使用したこともある。だが今起こっている発作はその比ではないらしい。

いったい麻理子はどうなっているんだ。吉住は焦《あせ》りを感じていた。麻理子の拒絶様の反応も決着がついていない。それにこの発作だ。こんな奇妙な症状は、これまで十年以上移植をやってきたが遭遇したことがなかった。

息を切らし、麻理子の病室の前まで来た吉住は、ドアの向こうから聞こえるどすん、どすんという激しい音に驚いた。看護婦の悲鳴が上がっている。吉住は一瞬ノブに手をかけるのを躊躇した。

「どうしたん……」

吉住は中に入り、そして息を呑んだ。

麻理子の体がベッドの上でがくがくとバウンドしていた。まだ若いふたりの看護婦が必死でそれを押さえようとしているが振り払われてしまっている。掛け布団《ぶとん》が飛ばされ、輸液を立てるスタンドは床に転がっていた。

麻理子の下腹部のあたりが大きく膨張していた。寝間着がその部分だけ異常に丸く盛り上がっている。吉住は目を剝《む》いた。

なんだ？

これはいったいなんだ？

麻理子の下腹部は正常な骨格の動きでは説明できないような隆起をしていた。しかもそれはゴムのように伸び縮みを続けている。なにかが麻理子の体から飛び出そうとしているかのようであった。その部分があまりにも大きく動くために麻理子の体が翻弄《ほんろう》されているのだ。麻理子は白目を剝き、ほとんど失神しかけていた。

「先生！」

看護婦が助けを求めてきた。

吉住は我に返り、麻理子に駆け寄った。足を取り押さえようとする。しかし信じがたい力で麻理子の体はバウンドし、とても捕まえることができなかった。吉住の目の前で、麻理子の下腹部が大きく変形してゆく。吉住には信じられなかった。吉住は動き回る麻理子の寝間着をつかみ、下腹部のあたりを開けさせた。左右両方に残る移植の痕《あと》が生々しく目に飛び込んでくる。そのうちの左の痕が吉住の見ているまえでぷくりと隆起してきた。

まさか。

吉住は目を見開いた。

移植腎なのか？

腎が動いているのか？

吉住は麻理子の上にのしかかるようにして全体重をかけ、足を押さえた。

「はやく麻理子の手を縛れ！　それに舌を嚙《か》み切らないようにさせろ！」

ふたりの看護婦が必死で両手を押さえた。麻理子は腰を大きく弾ませそれに抵抗する。吉住の胸の下で麻理子の下腹部が暴れ出した。その動きはどう考えても通常の人間に可能なものではなかった。吉住の体を強く衝《つ》いてくる。十四歳の少女が自分の体重を弾《はじ》き返そうとしている。なんてことだ、吉住は呻《うめ》いた。これは麻理子の力ではない。どういうことなのかわからないが、移植した腎が強烈な力で運動している。麻理子の体の中で暴れ回っている。吉住にもその音が伝わってきた。どくん。どくん。腎が鼓動している。心臓のように脈を打っている。ばかな、そんなばかな、吉住はばたばたと動く麻理子の足を押さえながら心の中で叫んでいた。

「はやく縛るんだ！」

麻理子の体が一気に三〇センチも跳び上がった。

吉住とふたりの看護婦は一斉に投げ出された。スプリングを軋《きし》ませ麻理子がベッドの上で大きく弾む。吉住は壁に頭をぶつけていた。とてつもない力だった。

だが、不意に麻理子の動きが止まった。

麻理子のバウンドが小さくなっていった。下腹部の膨らみがなくなっていた。地面へ落としたゴム毬《まり》が次第に反動を失い弾まなくなってゆき、やがて床をころころと転がってその動きを止めるように、麻理子も静かにベッドの上に落ち着いていった。

「…………」

完全に麻理子が動かなくなったのを見て、看護婦たちがおそるおそる起き上がった。吉住も頭をさすりながら麻理子に近づいた。打って変わって室内が静寂に包まれた。いままでの騒ぎが嘘《うそ》のようだった。

麻理子は目を閉じたまま静止していた。かすかな寝息さえ聞こえる。あれだけの発作を起こしたのに呼吸は乱れておらず汗もかいていなかった。下腹部も全く動きをみせない。安らかな寝顔、そうとしか見えなかった。

吉住はそっと指先で麻理子の下腹部に触れてみた。だがやはり膨張する気配はなかった。鼓動のような音も伝わってこない。念のため服を少し開いて手術の傷痕を確認してみた。手で撫《な》でてみる。全く異常はなかった。

あの発作はなんだったのだ。

吉住は看護婦たちを横目で見た。ふたりともわけがわからないといった表情をしている。しかしまだ麻理子に対して警戒を解いたわけではないらしく、腰がひけていた。吉住は麻理子に目を戻した。

服を整えてやったあとで吉住はもう一度麻理子の顔を眺めた。その表情を見る限り苦しみは感じ取れない。鎮静剤が突然効いたのだろうか。だがそれも考えにくかった。あんなに急激な作用を示すはずがない。

「発作を起こしたのはいつから?」

吉住は麻理子の顔を見つめたまま看護婦に訊《き》いた。

「気がついたのは七時二〇分です」ひとりが答える。「となりの患者さんからナースコールがあって、それで知ったんです。最初来たときはまだそれほどひどくなくて、なにかにうなされている感じでした。いつもと同じだと思ってそのままそばについていたんです。それがだんだん暴れるようになってきて、もうひとり応援を頼んだんです。三〇分くらいから手がつけられなくなって……」

「……なるほど」

「暴れながら譫言《うわごと》をいってました。『来ないで』って」

もうひとりが付け加える。

「『来ないで』？ どういうことだろう」

「わかりません。ですが麻理子ちゃんはうなされるとよくその言葉をいうんです」

「誰のことをいってるんだ。夢の中に出てくる人のことなのか」

「それは麻理子ちゃんに訊いても答えてくれないので……」

「………」

吉住は大きく息を吐いた。

麻理子は静かに目を閉じている。さきほどまでとは別人のようだった。わずかに赤みの残る頰はまだ幼ささえ感じさせる。睫《まつげ》がすいと伸びているのが見える。唇は小さく開き真っ白な前歯をほんの少し覗《のぞ》かせている。吉住は顔を近づけ、麻理子の頰に手を触れた。

ばっと目が開いた。

同時にどくんとものすごい振動が吉住の指先に伝わってきた。吉住は声を上げて手を引いた。看護婦が甲高く叫ぶ。

麻理子の双眸《そうぼう》はこぼれ出しそうなほど大きく見開かれ、その中の黒睛《こくせい》は完全な円盤状になっていた。それはあまりにも人間離れしており、吉住の背筋に冷たいものが走った。

セルロイドの人形の眼窩《がんか》にはめ込まれたガラスのようだった。

麻理子が上半身を起こした。吉住は後じさった。麻理子は瞬《まばた》きもせずに吉住のほうをじっと見つめていた。瞳孔《どうこう》が収縮したままだ。表情はぴくりとも動かない。

「いったい……」

吉住はかすれた声を出した。看護婦たちは互いに身を寄せあって部屋の隅でぶるぶると震えている。

麻理子は上半身を立てるとそのまま動かなくなった。顔をこちらに向け、目を見開き、顔をぴたりと吉住のほうにむけたまま固まってしまった。

麻理子の視線は、しかし吉住の顔を見ていなかった。

吉住はそれに気づき、はっと麻理子の視線を追った。

麻理子は吉住の腹のあたりを見つめていた。だが焦点はそこになかった。もっと遠くを見つめている。吉住よりさらに向こうだ。

吉住は振り返った。

洗面台があった。普通の家庭についているものより一回り貧弱な、旧式のものだった。病棟が建てられるとき各病室にひとつずつ配管されたものだ。蛇口も小型のものでコックの形も時代がかっている。吉住は麻理子と洗面台を見比べた。明らかに麻理子はそれを凝視していた。

どういうことだ？

そのとき洗面台で何かが光った。

吉住の視線がそこに吸い寄せられた。

滴《しずく》だった。蛇口の先端に一粒の滴が形成されようとしていた。蛇口の締めが甘いのだ。その粒は次第に大きさを増してゆく。ゆっくりと、ゆっくりと丸く膨らんでゆく。吉住はその水滴から目を離すことができなくなっていた。これだ、麻理子が見ているものはこれだ。そう確信した。

　水滴はどんどん大きくなる。その膨張は止まろうとしなかった。やがてそれは自らの重さによって泪《なみだ》状に変形しはじめた。蛇口の縁から垂れ下がってゆく。さらに粒は大きくなる。ぶわり、ぶわりとその表面が波打っている。

　ついにそれは蛇口から離れた。

　そして一直線に落ちてゆき、洗面台に当たって

ぴたん

と音を立てた。

13

利明は市立中央病院へ車を乗り入れた。正面玄関の前に設置されているランプはすでに消えている。玄関の前まで車を走らせ中の様子を窺《うかが》った。だがまったく人気がない。施錠《せじよう》されているのは明らかだった。扉には「本日の診察は終了致しました　急患の方は時間外通用口へお廻りください」という札が掲げられている。

時間外通用口？　利明は顔をしかめた。いったいどこにあるんだ。

利明は車を降り、玄関へ駆け寄った。どんどんと扉を叩《たた》いてみる。反応はなかった。どこかに通用口への地図が描かれていないかと中を見回したがそれらしきものは見当たらなかった。

埒《らち》があかない。利明はとりあえず建物に沿って右へと走った。一周すれば見つかるに違いない。

側面へと走ってゆくと、途端に視界が暗くなり闇《やみ》に呑《の》まれていった。すこしでも注意を逸《そ》らすとすぐにロープや階段の存在を見失い躓《つまず》いてしまう。敷地が広いので道路や住宅の光が届かないのだ。利明は用事で何度か夜の大学病院へ出向いたことがあるが、そこは夜の薬学部校舎とは比べものにならないほどの闇が全体を覆《おお》っていた。もちろん照明は灯っていた。人気のない廊下にも弱いながら蛍光灯が光を投げかけていた。だがそれでもなお、敷地の中に入った瞬間から目的の医局へゆくまで、常に一種独特な暗闇が漂っていた。それはせいぜいラットやイヌしか扱わない薬学部には決して存在しない、人間が死んでゆく暗さ、人間が病を患《わずら》っている暗さだとそのとき利明は思った。闇の重みが違っていた。

半周ほど回ったところで奥のほうからなにか言い争っている声が聞こえてきた。倉庫の陰になっていて見えないが、声の低さからいって男のようだ。利明は声のするほうへと足をはやめた。アスファルトがほの明るく照らされている。利明は角を曲がった。はたして通用口が黄色い光を放っている。

その中で背広を着た中年の男が肥満体型の年老いた警備員と口論していた。あの入り口を抜ければ病棟へ行ける。人目につかないように潜り込みたかったが、ふたりの口論は当分終わる気配がなかった。中年の男が必死で何かを訴えているが、警備員のほうが耳を貸さないらしい。だが具体的な話の内容まではわからなかった。利明はふたりの横を走り過ぎようと、一気に通用口へ駆け込んだ。

「ちょっと、あんた」

警備員が利明に気づき咎《とが》めるような声を上げた。だが利明は無視した。全速で走る。異常を察したのか、警備員は男から離れ利明の行く手を阻《はば》んできた。利明は体当たりしてそれを除《の》けようとした。

だが警備員は思いのほか屈強だった。老人とは思えないほど腰がすわっていた。利明はもがいたが、腕をつかまれ捕らえられてしまった。

「ここに何の用だ、あんた急患なのか」

「大変なことになる」利明はもがきながらも訴えた。「患者を避難させてやってくれ。もうすぐここにやってくる。お願いだ、頼む」

「何をいってるんだ」

警備員は利明を頭から足の先まで睨《ね》めつけていった。

利明の格好は浮浪者と間違えられても文句をいえない状態だった。シャツは引き裂かれ、ズボンには干《ひ》からびた肉片がこびりついている。警備員が警戒して腕に力を入れた。

「とにかくちょっと来てもらおうか。今夜はどうもおかしな奴《やつ》が多い」

「ここに十四歳の移植患者がいるはずだ」利明はわめいた。「女の子だ。七月に腎臓《じんぞう》を移植している。その子が危ない。狙《ねら》われてるんだ。なんとかしてくれ、手遅れになってしまうんだぞ！」

そのとき、

「麻理子を知っているのか！」

声がして、利明は振り返った。

背広の男が驚愕《きょうがく》の表情を浮かべていた。

14

麻理子はその動きから目を離すことができなかった。
ほかには何も見えなかった。視界全体が蛇口の先端に収束されている。蛇口は人差し指くらいの細さしかない。その先端はなにかを排泄《はいせつ》しようとしてそのまま止まってしまったかのようにふたつ段々がついている。その先から透明なものが、緩やかに、緩やかに現れる。まわりの景色がその表面に映っている。洗面台が、白い壁が、麻理子の顔が、その中に閉じ込められている。それは見つめているとどんどん膨らんでゆく。そして品がないくらいまで大きくなると、一瞬涙の形を浮かべ、そして
ぴたん
と落ちる。
その音は、あの足音を連想させた。
夢の中に出てくるあの音だった。廊下の向こうから歩いてくるぺらぺらのビニールスリッパ、その遅すぎる歩調、麻理子はようやくわかった、あの夢はこのことをいっていたのだ。あの足音の正体はこの水滴だったのだ。

ぴたん

また一滴垂れる。その瞬間には次の粒が蛇口から顔を出し始める。まったく同じことを繰り返してゆく。徐々に大きくなってゆき、その表面を震わせ、線香花火の玉のようにぴたん落ちる。次が蛇口から現れる。わずかに付着していただけのちっぽけな水は、やがて仲間を吸収し、ぷくりと垂れ下がり、蛇口の先端から離れて離れてとうとう千切れぴたんると思うときにはもう次の水滴が半円形にまで膨らんでおり、それもぶわりとひとつ大きく振動した直後にはぴたん落ちさらに新たな水滴がすでに泪の格好をしてぴたんそれを追うように続いて落ちてゆぴたんくと残像が消えないうちにまた次ぴたんそして連続してぴたんまるでフィルムがぴたん早回しになぴたんってゆくよぴたんうに後かぴたんら後へぴたと水滴ぴたが溢れぴたて止まぴたらなぴたくぴたぴたなぴたぴたぴたりぴたぴたぴたぴたぴぴたぴぴぴぴたぴぴ

ぴ。

爆発音とともに排水口から何かが噴出した。

麻理子は絶叫していた。だが瞳《ひとみ》を閉じることはできなかった。瞼《まぶた》は開きっぱなしになっていた。瞬きができなかった。視線が固定されていた。しかし麻理子はなにが起こったのか一瞬理解することができなかった。ただ視界の中を何かが凄《すさ》まじい速度で動いて

いた。水滴の音は足音だった、それが早くなってくる、どんどん早くなってくる、こっちへこっちへこっちへ近づいてくる、もうすぐこの部屋へやってくる、蛇口の中から現れる、そう思っていた。だが出て来たのは蛇口からではなかった。その下だった。洗面台の中からだった。それは排水口を破って出現した。赤茶けた汚水が一緒に噴出し天井に叩きつけられた。その水柱の中でそれは動いていた。麻理子はその全体を見ようとした。だが瞳のピントが蛇口に固定されておりそこから広角することができなかった。麻理子は歯を食いしばり瞳に力を入れた。誰かがサイレンのような甲高い悲鳴を上げていた。排水口が間欠泉のように水を吹き上げる音が聞こえてくる。その度に麻理子の体に冷たいものがかかる。麻理子の腎臓が嬉《うれ》しそうに

どくん

と大太鼓のような音を立てる。

それは麻理子の全身に響き渡った。

15

「誰なんだ？　どうして麻理子のことを知ってる」

安斉はその男に尋ねていた。十四歳の女で七月に腎移植を受けた者といえば、この病

院では麻理子しかいない。男はそれを知っている。それどころか、麻理子が何か危険に晒《さら》されているということも知っている。

男はぼろぼろの衣服を纏《まと》ってはいるがその目は真剣そのもので、とても戯言《ざれごと》をいっているようには見えなかった。顔にも知性が感じられる。決して妄言《もうげん》を吐くような浮浪者ではないと安斉は判断した。安斉は警備員からその男を奪うようにしてその男の前に立った。男が問うてきた。

「あなたはいったい……」

「麻理子の父親だ。君のいった患者の父親だ」

「腎を移植した……？」

「そうだ。君、いま麻理子のことを話していただろう。どういうことなんだ。教えてくれ」

男の顔に驚きの表情が広がった。

「……良かった。お子さんがいまどこにいるかご存じですね」

「もちろんだ」

「そこへ案内してください。大変なんです、あなたのお子さんが狙われている」

「待ってくれ、君はいったい誰なんだ。麻理子のことを知っているのは何故《なぜ》だ」

「あなたのお子さんのドナーがぼくの妻だった」

「なんだって……？」

安斉は絶句した。その男の顔を見つめる。麻理子のドナーの夫？

安斉はドナーの顔を見たこともなければその名前すら知らなかった。交通事故で亡《な》くなった二十五歳の女性、それしか吉住から聞かされていなかった。また安斉自身も知ろうとはしなかった。安斉はこれまでドナーというものについてあまり考えを巡らしたことがなかったのだ。そのためこうしていきなりドナーの夫と名乗る男が現れても現実感がなかった。

しかし安斉は信じることにした。麻理子が危険だというこの男を無視するわけにはいかなかった。

男は永島利明と名乗り、そして切迫した表情で安斉に訴えてきた。

「ぼくのせいで大変なことが起こってしまったんです。とにかくここでぐずぐずしている余裕がない。お願いです、病室まで案内してくれませんか」

「何が起こるっていうんだ」

「それはあとでお話しします、はやく！」安斉の袖口をつかんでくる。

警備員が気色ばんだ。ふたりを離そうとする。

「ちょっと待つんだ、いったい何をいってるんだ？　とにかくここは……」

利明が警備員に体当たりを食らわせた。

不意打ちをくらい、大柄の警備員もよろめいてしまった。その隙《すき》に利明が安斉の腕を引っ張った。

「どっちです、病室は！」

「右だ」

安斉は答えた。利明が走り出す。安斉も駆け出した。案内するように利明の前に出る。

「待て、おまえたち！」警備員の怒号が後ろから響いた。だが安斉は利明と廊下を駆け続けた。

走りながら、安斉は利明に訊《き》いた。

「なにがあったんだ。麻理子になにをした」

「妻の細胞の中にとんでもないものが寄生していた」

「寄生？　バクテリアか？　麻理子は何かに感染したのか」

「そんなところです。でもそれだけじゃない、もっと酷《ひど》いことになってしまった。ぼくは妻の細胞を持っていた。それが力を持ったんです」

安斉には利明がなにをいっているのか意味がつかめなかった。だが麻理子の腎が普通とは違っているということについては無条件で信じた。昨日麻理子が発作を起こしたとき、ちょうど腎を移植したあたりが海老《えび》のように跳ねるのを思い出したのだ。

「そいつは特殊な力を持っています。火を起こすことができる。自分の姿を自由に変えられる。そいつはこの病院へやってくるはずです」

「やってくる？」

「下水管を通って」

「それだ！」安斉は叫んだ。

「知ってるんですか、それを！」

「あの扉の前で聞いたんだ。すごい音だった。五分くらい前だ」

「それでどうしたんです、その音はどこへいったんです！」

「この病院の中に消えていった」

「……なんてことだ」

安斉は廊下を曲がり、階段を駆け、さらに廊下を進み、病棟へ向かって走った。利明は黙ってしまった。その沈黙が事態の深刻さを物語っていた。よくわからないが麻理子にとてつもないものが迫ってきている、麻理子が何かに狙われている、その緊張感だけが痛いほど伝わってきた。安斉はそれに衝《つ》き動かされ、息を切らしながら全速力で駆けていった。警備員が助けを呼んだのか、はるか後方でばたばたと複数の人間が走る音がした。

16

吉住は声を出すことができなかった。

それは洗面台の排水口から噴出してきた。ぶよぶよと蠢《うごめ》き壁にへばりついたかと思うとどろりと床に落下した。ピンク色のヘドロのようだった。洗面台に残っていた塊がゆっくりと動き台の縁から滑り落ちた。ふたつの塊が床で混ざりあった。そして不快な音を立てながら隆起していった。

ふたりの看護婦が抱き合いながら床に座り込み泣き喚《わめ》いていた。麻理子は目を大きく見開いたまま動かない。悲鳴を上げようともしない。いや、体が小刻みに振動していた。がくがくと上半身が前後に揺れている。あまりのショックに金縛りにあってしまったのだ。

その物体はゲルのように流動を続けながら屹立《きつりつ》していった。吉住は後じさった。膝《ひざ》が震えている。倒れそうだった。物体はさらに伸びてゆく。滝が逆流しているようであった。時折り排水口からぶしゅっ、ぶしゅっと臭《にお》いのきつい下水が飛び出してくる。物体はそれを浴びぬらぬらと光を反射させながら大きくその形を露《あらわ》にしてゆく。吉住の脹脛《ふくらはぎ》に何かがあたる。バランスを失い後方へ手をついた。麻理子のベッドだった。吉住はべッドの縁に尻餅《しりもち》をついた。指の先に麻理子の脚が触れた。

柱が大きくなるにつれそれは次第に複雑な形に変形していった。頭頂が丸くなりその上部から細いものがざわざわと生え始めた。柱の中心のあたりがくびれ、その両脇《わき》からなにか触手のようなものが分離し始めた。吉住はそれを信じられない思いで見つめていた。目の前で形作られようとしているのは人間だった。女性の全身像だった。触手はやがて五本に分かれ指となりそこから腕が現れ肩へと切れ込みが入っていった。柱のくびれた部分の中心に小さな臍《へそ》ができその上は篦《へら》でそいだような腹が造られそしてさらにその上に双球が盛り上がり、また臍の下部は重量感を増しその中央に切れ込みが入りそれを複雑な襞《ひだ》と細い何百もの触手が覆《おお》っていった。肩の上が急激に窄《すぼ》まったかと思うと喉《のど》仏《ぼとけ》が出現し頭頂部に位置する丸い塊はどろどろと波打ちながら鼻を口を耳を頬を顎《あご》を額を造り最後にふたつの眼を刻んでいった。吉住は激しく首を振っていた。そこに現れようとしている女性の姿、そしてその顔には見覚えがあった。いや、見覚えがあるどころではない、はっきりと覚えていた。ドナーだ。それは麻理子のドナーだった。吉住がその手で腎を取り出したのだ。メスで体を切り開き中に手を入れたのだ。そのドナーが生きているはずはなかった。ここに現れるはずはなかった。吉住は事実を受け入れまいと首を振り続けた。

その物体は完全に女性の体へと変体を遂げていた。いままで閉じられていた瞳がかっと見開かれた。その眸《ひとみ》は吉住と麻理子を見下ろした。

そしてそれは笑みを浮かべ、吉住にいった。

「どきなさい」

吉住は動けなかった。その視線に呑《の》まれていた。獲物《えもの》を狙っている眸だった。麻理子を狙っている、そう吉住は感じた。この物体は麻理子を狙っている。物体がもう一度口を開いた。

「どきなさい」

突然、部屋の隅でうずくまっていた看護婦のひとりが奇声を上げて立ち上がった。吉住の硬直が解けた。看護婦のほうに顔を向ける。看護婦は涙と涎《よだれ》で顔をぐしゃぐしゃにしていた。いきなりばたばたと腕を振り回し、ドアへと駆け出した。

それを物体が睨《にら》みつける。

吉住はあっと声を上げた。

突如として看護婦の体から炎が上がった。

たちまちのうちに看護婦の全身が火炎に包まれた。看護婦の体が黒く焦《こ》げついてゆく。頭上で束ねられていた髪がじりじりと縮れてゆく。だが炎はおさまらない。それどころかさらに激しくなってくる。息もできないほどの熱風が起こった。炎が天井まで届く。吉住は両腕で顔を庇《かば》いながらも目を閉じることができなかった。激痛を訴える看護婦の声が部屋中に反響した。その大きく歪《ゆが》み広げられた口の中で燃える歯の色が鮮やかに吉住の目に飛び込んできた。看護婦はよたよたと歩きなんとか火を消そうと腕を振り回していた。だが無駄だった。その炎の威力は強大だった。ロケットの噴射口のように轟音《ごうおん》を立てている。白衣がぼろぼろとはがれ落ち床に散らばる。それすらも数秒のうちに縮れ消えていってしまう。肉が焦げる強烈な臭《にお》いが吉住の鼻を衝いた。看護婦はすでに人間の体を留《とど》めていなかった。あまりの業火《ごうか》に溶けてゆくのだ。肉がゼリー状になって骨からはがれ落ちてゆく。そしてその骨も見る間に縮み、崩れ、塵《ちり》となってゆく。頭上で激しくベルが鳴り始めた。火災警報機が反応したのだ。けたたましいベルの音の中で看護婦の体がどろどろになってゆく。狂気のような音と熱気の中で吉住は呆然《ぼうぜん》となっていた。

看護婦の肉体が見えなくなったところで急速に炎は収束し消えていった。炎の轟音が消え頭蓋《ずがい》を揺さぶるようなベルの音だけが続いている。看護婦が炎に包まれた場所は、しかし床も壁もまったく焦げついていなかった。熱で変形しているわけでもない。吉住は目を瞠《みは》った。ただそこに看護婦が存在していたという証拠を残すかのように、じくじくとしたゼリー状の塊と、そして看護婦の右足が一本、ごろりと床に転がっていた。膝から下の部分が無傷で残っている。その肌は滑らかで、ストッキングが残っている。足には内履きさえ履かれている。それだけがしまい忘れた商品のように転がっている。吉住はそれを凝視していた。頭の中にあるこれまでの常識がばらばらになって落ちてゆきそうだった。

「ひいい……、ひいいい……」

もうひとりの看護婦が涎を垂らしながら両手で顔を掻《か》きむしっていた。その目は焦点が定まっておらずどろりとしている。看護婦の内股《うちもも》から液体が流れ床を汚していた。失禁したのだ。

ドナーの姿をしたその物体は、ゆっくりとその看護婦のほうを向いた。蔑《さげす》むような笑みをその唇に浮かべている。

「やめろ」

吉住は声を出していた。だが自分でも情けなくなるほどかすれた声しかでなかった。ベルに消されほとんど自分でも聞き取れない。

「やめてくれ、お願いだ」

物体は吉住を無視した。

看護婦を睨む。その瞬間、また炎が上がった。

「ああ」

吉住は目を背けた。

全く同じことが起こった。とてつもない熱風が吹き荒れる。部屋の中は灼熱《しゃくねつ》だった。

今にもすべてのものが自然発火してしまいそうだった。ひいい、ひいいいという看護婦の声がベルと同じくらいの音量で吉住の体を震わせた。吉住は目を閉じ耳を両手で塞《ふさ》いだ。だが燃え盛る炎の音とじりじりと打ち鳴らされる警報ベル、そして歯の間から絞り出されるような看護婦の悲鳴が容赦なく耳に突き刺さってきた。

だがすぐにその声は消えた。おずおずと視線を向けた吉住は、そこにあるものを見た瞬間、絶望の呻《うめ》きを上げた。

もうひとりの看護婦がうずくまっていた場所には、やはり粘着性のゼリーが広がり、そして今度は片手が転がっていた。肘《ひじ》から先端部分だった。その肌は白磁のように美しかった。

吉住は不意に、ずっと前に読んだ奇怪な報告文書を思い出した。まだインターン時代に法医学関係の雑誌で読んだそれは、人間の自然発火に関する報告だった。大抵は隣人がその現場を発見する。煙の匂いに気づきそこへゆくと、ドアのノブは触《さわ》れないほど熱く、部屋の中は熱気に満ちている。現場では不快臭を放つねばねばとした粘液状の物質と、そして大抵は片足など犠牲者の体の一部が発見される。ところが犠牲者が着ていた衣服や、あるいは座っていたと思われるソファなどはほとんど焼け焦げが見られない。暖炉の火種、マッチの燃えかす、ガソリンなど、犠牲者が焼身自殺を試みようとした痕《こん》跡《せき》も見当たらない。突然犠牲者の体が溶鉱炉のような炎によって溶かされたとしか考えられない状態なのだ。しかし人間の細胞を液状に変化させるには一六〇〇℃以上もの高温が必要だともいわれている。いったいどうやってそんな高温をつくることができるのか。そしてどうやって人間のみを選択的に発火させることができるのか。人間の自然発火の例は決して少なくない。しかしその原因はまったくわかっていない。

これがそうなのだろうか、と吉住は思った。これが自然発火というものなのだろうか。この女性に変体した物体は、人間を発火させる能力を持っているのか?

「どきなさい」

その物体にいわれ、吉住はびくりとして顔を上げた。笑みをたたえてそれは立っていた。吉住のほうに近づいてくる。いや、そうではなかった。物体は麻理子に近づこうとしているのだ。

「どきなさい」再度物体がいった。

「……だめだ」

吉住はかすれた声で答え首を振った。

「あなたは殺したくない、だから素直にどきなさい」

「だめだ……。これは俺の患者だ」

「あなたの患者?」その物体はふんと鼻をならした。「それなら私だってあなたの患者」

「……なんだって?」

「先生、あなたには感謝してるわ。この女の面倒をちゃんと見てくれた。でもあなたの役目はこれで終わり。あとはあなたがここから出ていってくれればいい」

「…………」

何のことか吉住にはわからなかった。ドナーの女性に化けたこの物体がなにをいっているのか理解できなかった。

物体は歩み寄ってきた。吉住は反射的に麻理子をかばうようにしてベッドの上に伏せた。麻理子は目を開いたまま硬直している。失神しているのかもしれない。だがむしろそれは幸いだった。麻理子に看護婦たちの凄惨《せいさん》な姿を見せずに済んだことになる。

物体が吉住に手をかけた。吉住は振り払った。だが再びつかまれた。その力の強さに吉住は思わず悲鳴を上げた。無理やりベッドから引き離される。

吉住は壁に叩《たた》きつけられた。額に激痛が走る。目の中に血が流れ込んできた。

「やめろ」

吉住はわめいた。頭がずきずきと脈を打っている。ベルはまだ鳴り止《や》まない。警報が鳴り出してからとてつもない時間が過ぎ去ったように思えた。

物体がベッドに乗り、麻理子の上に馬乗りになろうとしていた。引きちぎるようにしてシーツや麻理子の寝間着をはぎとってゆく。麻理子の痛々しいほどの裸身が吉住の目に入った。

「やめろ」

吉住はふらふらと立ち上がった。物体の背中に両手を振り下ろす。物体の体は粘液状でぬらぬらとしていた。吉住の腕が中にずぼりとめりこむ。物体は吉住にはかまわず麻理子の衣服を取り払ってゆく。吉住はしかし、何度も物体に拳《こぶし》を振り下ろした。やめろとわめきながら無駄な攻撃を続けた。

「止《よ》しなさい」

物体が首をひねり吉住を睨んだ。吉住は拳を頭上にあげたまま動けなくなった。

物体の瞳《ひとみ》が収縮した。

それと同時に、吉住の両腕から火があがっていた。

17

利明はノブに手をかけた。そしてあまりの熱さに悲鳴を上げ、慌《あわ》てて手を放した。扉の向こうから熱波が押し寄せてくる。警備員たちはすでに二〇メートルの距離まで迫っている。先程から鳴り始めた火災報知機のベルが院内に響き渡っていた。病室の中にいた患者たちが何事かと廊下に走り出してくる。横で安斉が逼迫《ひっぱく》した表情を浮かべていた。利明は安斉にひとつ頷《うなず》いてみせ、シャツの袖を介してノブをつかみ一気に麻理子の病室のドアを開けた。

　中からむっとするほどの熱気が吐き出された。利明は思わず腕で顔をかばった。安斉が叫び声を上げた。

「麻理子！　麻理子！」

　誰か男が両腕から炎を上げて絶叫していた。なんとか火を消そうと腕をはたいている。安斉が利明の肩をかきわけて部屋に入ろうともがいた。娘の名を叫び続ける。ベッドの上にはレシピエントとおぼしき少女が仰向けで半裸になっていた。そしてその横に、あの聖美の形をした肉が立っていた！

「きさま！」

　利明は怒声を上げた。

　だがＥｖｅ１の動きはすばやかった。利明たちが熱気でひるんでいる間にＥｖｅ１は少女を抱え上げた。そして利明のほうを向いてにやりと笑みを浮かべた。

「やめろ、その子を離せ！」

　Ｅｖｅ１は翻《ひるがえ》り、そして病室の窓へ突進した。

　ガラスの砕ける鋭い音が耳をつんざいた。

　利明は大声を上げながら窓辺へ駆け寄った。身を乗り出して下を見る。

　闇《やみ》が広がっていた。ほとんどなにも見えない。だが何か大きな影がぞろりと視界のそとへ這《は》ってゆくのがわかった。

「逃げた！」

利明は必死でそのあとを目で追った。だが外は照明もなく窓明かりもほとんど地面へは届かない。たちまちのうちに影を見失ってしまった。ただ、動いた方向からいって病院の外へ出ようとしているのではなさそうだった。この建物の中のどこかへ逃れようとしているのかもしれない。

「助けてくれ、火を、火を消してくれ！」

白衣姿の医師が叫んでいた。すでに警備員たちが集まってきていた。ドアの外で信じられないといった形相を浮かべている。利明はベッドからシーツを引きはがし医師の腕を覆った。ばたばたと叩く。安斉も手助けした。そのためか見る間にその炎がおさまってきた。

完全に火が消えると医師は呆然となりその場にうずくまってしまった。利明はその肩をゆすりしっかりしろと耳元で怒鳴った。利明は思い出していた。この医師を見たことがある。聖美の腎《じん》摘出を執刀した男だ。たしか吉住と名乗っていた。麻理子という少女の腎移植を担当しているのに違いなかった。

「これはいったい……どういうことなんだ……」

警備員のひとりが声を震わせながら部屋の中に入ってきた。やや中年太りが見られるが大柄で顔は引き締まっている。警備責任者だと利明は直感した。

「あいつが逃げた！」利明は吉住の体を揺さぶりながらその警備員に叫んだ。「はやく奴《やつ》を追ってください、患者を連れていかれた！」

「あれは何なんだ、それにこの状態は……」

「はやく！」

その一喝で警備員は我にかえったようだった。ドアの外に取って返し、ほかの警備員たちに指示を出し始めた。何人かが脱兎《だつと》のように駆け出す音が利明の耳に届いた。

突然利明の後ろで安斉が吐きはじめた。何が起こったのかと安斉のほうをみると、その横に人間の片足が転がっていた。切断部分は高熱で溶かされたようにどろどろになっている。部屋の隅には手が落ちていた。Ｅｖｅ1の犠牲になった者であることは間違いない。利明は呻いて目を逸《そ》らした。

吉住医師が利明の声に反応しはじめた。半分白目を剝《む》いていた両眼が次第に戻ってゆく。吉住は利明の顔に焦点をあわせてきた。

「……きみは」

「奴はあの子になにをしたんです！」利明は訊《き》いた。

「奴……？」

「あの化け物のことです。女の格好をしていたでしょう！」

そこで吉住は、あっと声を上げた。利明にしがみついてくる。

「麻理子は、麻理子はどこへいった！」

「奴につれていかれた」

「なんだって」

「それで奴は何をしたんです。教えてください、あの子に何か植え付けましたか」

「いや……、まだなにもしていないはずだ……」吉住は息苦しそうに答えた。「あれは麻理子を狙《ねら》っていた……。看護婦たちがやられた。その後で私が火をつけられた。そこで君たちが……」

「本当に奴はあの子にまだなにもしていないんですね、あの子の中に卵《らん》を入れていないんですね！」

「卵？」

「奴はあの子の中に受精卵を着床させようとしている」

それを聞いていたのか、ハンカチで口を塞《ふさ》いでいた安斉が利明の腕をつかんできた。その顔は青ざめ唇の端が震えている。

「あいつはいったい何物なんだ。なぜ麻理子を襲う」

「奴はぼくの妻の中に巣喰っていた寄生虫だ」利明は安斉と吉住を交互に見ながら説明した。「とてつもない能力を持っている。自分の子供をあの子に植え付けて育てるつもりなんだ。はやく助け出さないと危ない」

「待ってくれ、その寄生虫というのは何なんだ」

吉住の問いに利明は答えた。

「ミトコンドリア」

「ミト……！」

吉住が絶句した。なにか心当たりがあるらしい。

「とにかくあの子を探さなくては。お願いです、あなたのほうから警備員たちに指示を出してください。この病院の中を徹底的に調べるんです。ぼくらでは警備員が信用してくれない」

吉住は驚愕《きょうがく》の表情を浮かべたまま小刻みに頷き、立ち上がって警備員を呼んだ。さきほど指示を出していた男が駆け寄ってくる。吉住はこれまでの経緯を大まかに話しはじめ、利明は横でそれをじっと聞いていた。警備員は口をあんぐりと開けて吉住の話に聞き入っていた。利明の横で安斉が麻理子、麻理子と呻き両手で顔を覆《おお》っている。

もうすでにＥｖｅ１は少女に受精卵を埋め込んでいるのだろうか？　そう考えると利明は身が引き裂かれそうだった。ちらりとしか見えなかったが、少女はまだ小学生といっていいほど小柄で幼かった。Ｅｖｅ１はそんな少女に自分の子供を産ませようとしている。あまりにも痛々しかった。すぐにＥｖｅ１の手から少女を取り戻さなければならない。もし卵を着床されたとしても、早急に掻爬《そうは》するのだ。

　そこまで考えて、利明はぎくりとした。

　Ｅｖｅ１は子供を産ませるまで十分な時間的余裕がないことが最初からわかっていたはずだ。吉住医師や少女の父親、そして利明自身が卵の成長を阻止しようとすることは容易に予測できただろう。いくらＥｖｅ１が特殊な能力を持っているとはいえ、掻爬が不可能な時期になるまで母体となる少女を守り続けることができるとは思えない。それにもし生まれたとしても、その後子供の面倒をどうやってみるのか。Ｅｖｅ１の思惑どおりに子供が能力を発揮するようになるには何年もの歳月がかかるはずだ。

　それでもＥｖｅ１には勝算があるというのか。

　逃げ去る直前にＥｖｅ１が見せた不敵な笑いが脳裏に浮かんだ。あれは自信に溢《あふ》れていた。

　Ｅｖｅ１はまだなにか能力を持っているのだ。そうでなければ学会会場で利明たちに演説をぶってみせるような余裕を示すはずがない。

　胸騒ぎがした。

　利明が予想している以上にＥｖｅ１はすべてを計算し尽くしているのかもしれなかった。もう阻止することはできないのではないか。Ｅｖｅ１によって人間は駆逐されるしか道はないのではないか。

……そんなことはないはずだ。そう利明は自分にいいきかせた。どんなに周到な計画であっても、必ず落とし穴がある。Ｅｖｅ１とその子供を倒す何らかの方法があるはずだ。何らかの方法が。

だがそれを思い浮かべることはできなかった。利明はもどかしさに唇を嚙《か》んだ。

18

彼女は全速力で進んだ。どこか麻理子を静置させる場所が必要だった。利明たちがやってくる前に受精卵を麻理子の子宮に移さなくてはならない。

彼女は勝利を確信していた。もうすぐイヴが生まれる。ミトコンドリアの能力を持ち人間の能力を身につけた娘が生まれてくる。

はやくしなくてはならなかった。彼女が操っている宿主細胞が急速に弱りはじめている。いくら彼女がその運動やエネルギーを制御しているとはいえ、やはり培養細胞であった宿主を空気に晒《さら》して動かすのには限界があった。この少女の中に入れば数日は生き延びることができるかもしれない。しかし遅かれ早かれ拒絶を受け廃絶されてしまうだろう。宿主であった聖美はたしかにこの少女と組織抗原が酷似《こくじ》しているが、それでも全く等しいわけではない。免疫《めんえき》抑制剤を入手しない限り彼女は廃絶される。浅倉の体を操るときも、拒絶に対抗するために浅倉の体へ宿す細胞は毎日取り替えなくてはならなかった。彼女は自分自身の脆《もろ》さを十分に承知していた。だからあらかじめレシピエントを用意し、子供を発生させることができるよう妹を送り込んでおいたのだ。

少女の体の中で、彼女の妹はゆっくりと、しかし確実にその仕事を遂行してきた。受精卵を受け入れることができるよう、少女の子宮を変化させてきたのだ。母親の胎盤が胎児の胎盤の形態と一致しなくてはならない。そのために若干ではあるが少女の子宮を、こちら寄りに変える必要があった。彼女の妹は彼女の指令を受け、どくん、どくんと脈打ちながら、少女の子宮に働きかけていった。時間をかけ、誰にも悟られないように、子宮を種の境界線上へと導いてきた。これで彼女の卵細胞は麻理子の中で順調に発育するはずだ。拒絶されることはない。

もうすぐＥｖｅ１と利明が名付けたこの宿主の生命も終わりだった。そのときは寄生した彼女自身の生命が終わるときでもある。その前に何としてもイヴを誕生させなくてはならなかった。

生まれてくるイヴは元から人間の肉体を所有する。したがって現在の彼女のように宿主の形態を制御する必要がない。すべての能力を、より生産的な活動に向けることができるはずだ。イヴは自らの意志でエネルギーを生産し、それにより運動と思考をおこなう。イヴは自分の持つ遺伝子であればどれでも思うままに誘導をかけることができる。

増殖もプログラム死も思いのままだ。自らの望む形態へと自在に進化することができるのだ。

　これまで地球上には意志を持って進化できる生命体は存在しなかった。核ゲノムたちは生きてゆくうえで最も重要であるその機能を欠失していた。すべては時間と偶然という曖昧《あいまい》なものにその運命をゆだねるしかなかった。彼女は彼らの中に寄生し、もどかしくも長い時間を過ごさねばならなかったのだ。だがイヴは違う。自らの意志で未来を作り上げてゆくことができる。核ゲノムと自在にアクセスし、その進化の方向を自分で定めてゆくことができる。環境への適応、能力の充実と合理化、自らが繁栄してゆくための変異をイヴは常におこなうことができる。進化のスピードは飛躍的に速くなるだろう。究極の生命体となるはずだった。

　彼女は壁づたいに闇を走り抜けた。途中で見つけた地下への階段を降りる。じめじめとした狭い空間が現れた。重々しい金属製の扉がひとつ、正面の壁に見えた。車一台がようやく通れる程度の坂がそこから地上へと続いている。彼女は扉へと走り寄った。

　扉には鍵《かぎ》がかかっていたが、彼女は鍵穴から触手を伸ばして外した。ゆっくりと扉を開ける。錆《さ》び付いた音がぎりぎりと響いた。彼女は少女とともに中へ滑り込んだ。

　薄暗い空間だった。天井には小さな青白い電灯がひとつ点《つ》いているだけだ。ボイラー室が近いのか鈍い音がどこからか聞こえてくる。左手にエレベーターの扉があった。そして右手には何かの部屋があった。扉にはめ込まれた磨《す》りガラスから光が漏れている。

彼女はその扉の前に立った。「剖検室」という札が掲げられている。

ここなら麻理子を安置できる。彼女は満足した。

扉には取っ手がなかった。どうしたものかと思い、ふと下をみると扉の横の壁に正方形の窪《くぼ》みがあった。その中で小さな赤いランプが灯《とも》っている。彼女はその窪みの中に足を差し込んでみた。

ピーッという電子音が鳴り、扉が横に開いた。

「なんだ、きみは……」

振り向いた手術衣の男を、彼女は殺した。

19

利明はこれまでの経緯を吉住と安斉にかいつまんで説明した。その間ふたりは何度も目を剝いて驚きの声を上げた。だがその一方で、両者とも思い当たるところがあるらしく、利明の話を全面的に信用してくれた。吉住は麻理子に移植した腎の生検でミトコンドリアが異常に発達していたことや手術中に不思議な熱さを感じたことを打ち明けた。

「その熱さはぼくも感じたことがあります」利明はいった。「恐らく奴は、他人の細胞の中に存在するミトコンドリアとコンタクトを取ることができるんだと思います。そしてそのミトコンドリアたちをある程度は意のままに動かすことができるんじゃないか。もちろんわれわれの体の中にあるミトコンドリアは、奴とは違ってまだ最終進化していないので通常の働きしかすることができないのでしょうが」

「そうだとしても、どうしてあいつは火を熾《おこ》すことができるんです」安斉が疑問を口にした。

「わかりません。しかしこういう憶測はできます。ミトコンドリアというのは体中の細胞の中にある。もしそのすべてが一斉にATPを生産しはじめたとしたらどうです。そしてそれが完璧《かんぺき》にエネルギーへ変換されたら。莫大《ばくだい》な熱量になる。どうやって発火させるのかはわからないが、もしかしたら体中の細胞を猛烈なスピードで振動させるのかもしれない。その摩擦《まさつ》熱で火を熾す。ぼくらが熱さを感じたのもそれと似たようなものだったんでしょう」

「……信じられない」吉住は目を瞠《みは》っていた。

Ｅｖｅ１が逃走してから五分ほどが経過していた。警報ベルはようやく解除された。警備員が通信機のマイクに向けて次々と指示を出している。しかしまだ発見の知らせはない。痺《しび》れを切らして利明がいった。

「ぼくらも探しにいきましょう。ここでじっとしているのは耐えられない」

「その通りだ」

利明たちは部屋を飛び出した。とりあえずエレベーターのある場所まで走る。安斉は悲愴《ひそう》な表情を浮かべていた。娘の名をつぶやき続けている。利明は走りながらいった。

「奴《やつ》はおそらくまだこの病院にいます。奴は麻理子さんを安静にしておく必要がある、だから遠くへは行ってないはずです。吉住さん、奴が隠れるとしたらどこだと思いますか」

「それこそ隠れる場所はいくらでもある。医局、病棟、検査室、とてもわれわれや警備員だけでは捜査しきれない」

「実はひとつ心配に思っていることがあるんです。ミトコンドリアは個体の発生分化を促進させる作用を持っている。奴はその機能を進化させているかもしれない」

「……どういうことだ、それは」

吉住は顔をしかめた。利明のいっている意味がわからないようだった。

「つい最近、ショウジョウバエを使った実験が報告されたんです。卵細胞の中でも後に生殖細胞になる部分へミトコンドリアのリボソームRNAを注入すると、そこの細胞の分化が促進された。それだけじゃない、産卵時には確かにこのミトコンドリア・リボソームRNAが卵の細胞質に出て生殖細胞の分化を誘導していることがわかったんです」

「……？」まだ吉住には飲み込めない様子だ。

「ミトコンドリアは個体の発生分化の鍵を握っているということです。ヒトではまだ報告はありませんが、その可能性は十分にある」

「つまり……、奴は思いのままに受精卵を発育させてゆくことができるというわけなのか？」

「それを心配しているんです。あれだけ自在に宿主細胞の増殖をコントロールできるんだ、受精卵をごく短期間で成長させることもできるのかもしれない」

「はやく見つけないと掻爬が困難なまでに子供が成長すると……？」

「やめてくれ！」安斉がぼろぼろと涙を流しながら叫んだ。「そんなことがあるわけない！　麻理子が化け物を産むだと！　あの子はまだ十四歳なんだぞ！」

エレベーターホールに着き、利明はボタンを押した。階を示す光がゆっくりと上がってくる。

「警備員たちはどこを捜査してるんです」利明は息を切らしながら吉住に訊《き》いた。

「病棟だ。ひとつひとつ部屋をまわっている。とりあえずほかの患者が被害を受けていないか調べるということらしい」

「麻理子をつれているんですよ、もっと人目につかないところに行っているはずだ！」

安斉が声を上げた。

「それに生まれるまでは奴も母体に負担をかけたくないはずです。人がいなくて、しかも人を寝かせて置く場所があるところだ」利明が補足する。

「それにしたってそんな場所はいくらでもある。事務室のソファ、CTスキャンの台、倉庫にあるストレッチャー、脳波検査室、手術室、霊安室、剖検室……」

最後の言葉で、三人がはっと顔を上げた。

同時にエレベーターがチンと音を立てて到着した。

20

彼女は部屋の中を見渡した。

中は手術室のようだった。しかし聖美や麻理子が手術を受けたところとはやや様相が異なっていた。部屋は狭く全体的にごみごみしている。床も汚れが目立った。ステンレス製の剖検台が三台並べられており、その中央には全裸の男性が横たわっていた。台の両脇《わき》に緑の手術衣をまとった男がふたり、呆然《ぼうぜん》とした目で彼女を見つめている。

「お、おい、剖検中……」

ひとりがマスクをかけた口で咎《とが》めるようにいってきた。火を放つわけにはいかない、警報機を鳴らせば居場所を知られてしまう。彼女はひと睨《にら》みして先程の男と同じようにその男の心臓を停止させた。男は奇妙な声を発しながらあっけなく倒れた。

もうひとりの医師が目をしばたたきながら後じさりをはじめた。何かいおうとしているのかマスクが動いている。しかし声は聞こえなかった。彼女は麻理子をひきずるようにしてゆっくりと部屋の中へ進んでいった。剖検台の上の男を見る。肌は白く、完全に死んでいることがわかった。腹部が正中線に沿って切り開かれており、その中で乳白色の脂肪や腸がのたうっているのが見てとれる。彼女は死体の腕をつかみ、台から引きずり降ろそうとした。

だが、ずるりと音を立てて彼女の手が崩れた。はっとして彼女はその手を見つめた。形を戻そうと増殖シグナルを送る。だが細胞は反応しなかった。

すでに彼女の宿主細胞は壊死《えし》を起こしはじめていた。聖美の形態のあちこちがどろどろと流れ始めている。Ｅｖｅ１としての生命が終わりに近づいているのだ。急がなくてはならない。

彼女は両腕を用い、台の上の死体を動かした。鈍い音を立てて死体が床に転がる。聖美の肩がねじれ、腕が胴体から分離しかけた。

手術医は壁にへばりつき、しきりにぱくぱくと口を動かしている。目障《めざわ》りなので彼女はその男も処分した。

彼女は担《かつ》ぐようにして麻理子を持ち上げその台の上に横たえた。麻理子の体に残っている衣服をすべて剝《は》ぎ取る。彼女はその肢体を眺めた。

小さい体だった。まだほとんど胸は膨らんでおらず、陰毛も薄い。堅い亀裂《きれつ》がその奥に見てとれる。だが女としての機能はすでに整っているはずだ。この子宮は大事にしなければならなかった。これからも何人かイヴを産んでもらうことになるかもしれない。そのとき孵卵機《ふらんき》としての役割を遂行してもらわなければならないのだ。その意味では若い女を得ることができたのは正解だったのかもしれない。

彼女は笑みを浮かべ、麻理子の上にまたがった。

そのはずみでぼろりと彼女の片腕が肩から落ちた。床にびしゃりと音を立てて落ちる。肉片がぶよぶよと蠢《うごめ》く。だが彼女はそれを無視した。卵《らん》さえ植え付ければこの体は必要ないのだ。

麻理子の足を開かせる。腰を持ち上げ生殖器がよく見えるようにした。そこに彼女は自らの下半身を圧《お》し当てた。

利明の精子は確実に彼女が作成した卵細胞を直撃していた。受精は完璧だった。精子の先端が卵を突き刺したとき、卵の表面に電位が波のように走った。彼女はそれをしっかりと感じたのだ。彼女はここまでずっとその受精卵を体の中心に保存していた。その部分だけは無用な刺激を与えないよう、何重にも肉襞《にくひだ》のクッションで覆《おお》っていた。いま、それを麻理子の子宮に渡すのだ。彼女は最後の行為に移った。

宿主細胞は半分近くが壊死へと向かっていたが、彼女は制御の効く残りの細胞を下半身に集中させた。聖美の陰部に相当する場所に、男性根を造っていった。愛する利明のものの形を思い浮かべる。たちまちのうちに利明と同じものが聖美の股《また》の間に屹立《きつりつ》してゆく。彼女はさらにその棒の中心に一本の管を導き、受精卵へと道を通していった。

彼女は棒を静かに麻理子の中へ挿入した。麻理子の体は硬く、その内部を割って進むようにしなければならなかった。しかも奥はさらに細くなっている。仕方なく彼女は棒の先端を変形させチューブのようにして先へと侵入を続けた。

子宮まで達したのがわかると彼女はチューブの先端を動かしその内部を探った。着床に適当と思われる場所を探す。

そして彼女は大事に受精卵を移動させはじめた。

卵を傷つけないよう、管の内部にできるだけ絨毛《じゅうもう》を生やした。襞を蠕動《ぜんどう》させ静かに卵を泳がせてゆく。彼女は自分が昂《たかぶ》っていることに気づいた。これで十数億年にわたる目的を達することができる。その喜びが全身を震えさせていた。だがそれだけではなかった。卵が動くたび微絨毛が摩擦を受け、いいようのない快感が発せられる。聖美の下腹部から棒へ、そしてその先のチューブへ。繊細な刺激が移動してゆく。彼女は痙攣《けいれん》を起こしそうになった。だが宿主細胞を軽率に動かして卵を傷つけてはいけない。彼女は異常な興奮を耐えていた。耐えるがためにその刺激はいっそう強烈なものになっていった。

卵は微絨毛に包まれながら綿のようにゆっくりと動いてゆく。利明と交わったときとは全く別種の悦《よろこ》びが彼女を痺れさせた。

そしてついに卵がチューブの先端から離れた。

彼女は恍惚《こうこつ》の叫びを上げた。びくん、びくんと全身を脈打たせる。宿主への制御が効かなくなった。これまでそれぞれの細胞をまとめあげていた接着因子が消失してゆく。すべてがばらばらになって崩れてゆくようだった。それが彼女のエクスタシーを倍増させてゆく。

彼女は長く絶頂の声を伸ばし大きく体を反りあげた。そのまま体が崩壊してゆくのがわかった。だが彼女は最高の悦びで満たされていた。受精卵は着床した。すぐに彼女の娘が生まれてくる。もうすぐ世界が変わるのだ。彼女の娘たちがこの地球のマスターとなるのだ。長かった、ここまで途方もなく長い時間を費やしてきた、だがこれで全《すべ》ては報われる、彼女たちの世界が始まる、もう核ゲノムに奴隷《どれい》として仕えることはない、ついに彼女たちがこの世界をつかむのだ。

21

大きな振動とともにエレベーターが一階へ着いた。ドアの開く間がもどかしく、利明は「開」ボタンをがしゃがしゃと押した。

ようやくドアが開く。三人は一斉に飛び出した。

「こっちだ」

吉住が左を顎《あご》で示す。暗い廊下が続いていた。吉住を先頭にして走る。

「剖検室は第一病棟の地下だ。あそこの角を曲がった先の階段を下ろう」

死体を解剖する剖検室は通常地下にある。患者の目につきにくいようにするためだ。しかし遺体をすぐに葬儀車などへ積み込まねばならない都合上、建物の裏口付近につくられていることが多い。Ｅｖｅ１が外部から密《ひそ》かに侵入するには持って来いの場所だ。

利明たちは階段を落ちるようにして駆け降りていった。安斉がつまずき倒れそうになる。利明はそれを辛うじて抱きかかえ助けた。かんかんかんと三人の足音が階段に響く。

本当に自分とミトコンドリアの子供が生まれるのだろうか。利明は荒く息を吐き必死で足を動かしていた。脳の中がぐるぐると回り冷静に考えることができなかった。このままミトコンドリアの思うままになってしまうのか。そんなことがあるはずがない、なにか阻止する方法があるはずだ、ずっとそれを考えていたが、頭を働かせようとすると目の前でばちばちと火花が飛び思考が切断された。利明は叫び声を上げていた。この重要なときにショートしてしまった自分の脳髄を呪《のろ》った。なにかがあるはずだ、ミトコンドリアが見落としていることがなにかあるはずだ、その焦燥感だけが体中を駆け巡っていた。

踊り場を二つ過ぎ体の重心がふらふらになったところで利明たちは地下にたどり着いた。唸《うな》るようなボイラーの音が聞こえてくる。エレベーターの扉が見えた。

「そこだ」

吉住が叫んだ。

薄汚れた雰囲気とはそぐわないような電動式の扉があった。はめ込まれた磨《す》りガラスから光が漏れている。だが内部から音は聞こえてこない。

吉住が利明たちに視線を送り同意を求めた。安斉が強く頷《うなず》く。吉住は扉の横にある、赤くランプの点《つ》いた窪《くぼ》みに足を入れた。

ぶしゅっ、と空気の音がして扉が開いた。

「…………」

一瞬、そこにあるものが何なのか利明たちにはわからなかった。

中央の剖検台になにかが乗っている。肌色をしており、そこから二本の脚がこちらへ伸びている。そのものの中央部分は大きく膨れあがり、今にも破裂しそうだった。山の部分が視界を遮っているため向こうに何があるのか見てとれない。

「……麻理子！」

突然、安斉が絶叫した。

はっとして利明は目を凝らした。俄《にわか》には信じられなかった。確かにそれは臨月を迎えた少女の肉体だった。蛙《かえる》のように腹部が膨張している。

安斉が喚《わめ》きながらその台に駆け寄ろうとした。そのとき、

「無駄よ」

歪《ゆが》んだ声が聞こえた。

それに驚いたのか安斉が立ち止まった。利明は床に目を落とし、その声の主を見つけた。愕然《がくぜん》として声を上げそうになる。

「無駄よ……、もうすぐ、生まれ……るわ」

床の上でそれが蠢いていた。ぶよぶよとしたアメーバ状の肉の塊だった。だがそれはよくみると聖美の姿を留めていた。聖美の上半身が仰向けになり、頭を利明たちの方向にむけている。その肉体は波打ち粘液をじくじくと膿《うみ》のように吐き出している。聖美の胸が、腹が、汚らしく腐乱してゆく。床に散らばった髪が糸蚯蚓《みみず》のように断末魔の動きを続けている。Ｅｖｅ１のなれの果てだった。

Ｅｖｅ１は笑っていた。だが口や気道が溶けているのかくぐもったような不明瞭《ふめいりよう》な音がするばかりだった。ごぼり、ごぼりと泡の破裂音が重なる。崩れそうになりながらも頭を反らし利明たちのほうに顔を向けてきた。

聖美の顔が流れてゆく。飴《あめ》のように溶けてゆく。急速に部屋の中を腐敗臭がたちこめ始めた。聖美はまだ笑っていた。ピンク色の汚泥《おでい》が引き攣《つ》っているようでもあった。

「ほら……、も……う……すぐ……」

麻理子の腹が動いた。

22

どくん
銅鑼《どら》の如《ごと》き轟音《ごうおん》が部屋の中に響いた。

どくん
空気がびりびりと震え出した。揺れている。壁際《かべぎわ》に設置されている棚が音を立て始める。利明は臓《ぞう》腑《ふ》に鈍い振動を感じていた。揺れている。部屋中が音に揺さぶられている。

鼓動だった。心臓の鼓動だった。高らかに自らの生命力を誇示している。それは圧倒的だった。躍動感に満ち溢《あふ》れていた。心筋が収縮するうねりすら聞こえてきそうだ。己《おの》が命に悦び大きく打ち鳴らしている。

胎児だ。

利明は息が詰まった。

胎児が生まれる。

麻理子の陰部から突然どろりとした血が溢れ出した。

鮮やかな赤かと思えば鉄錆色《てつさびいろ》でもあった。水のように滑らかかと思えば泥のように濁っていった。それらの混ざりあったものが麻理子の股を染めていった。

ばしゃっ、ばしゃっと羊水が噴き出す。剖検台から溢れ、その下で蠢くＥｖｅ１の肉塊に降りかかる。安斉が呻《うめ》いた。利明はその肩を覆い、安斉の視界を遮った。安斉に見せてはならない。

麻理子の腹がうねった。

どくん、という音とともに麻理子の腹が激しく収縮した。陰部から波のように得体の知れない液体が流出する。Ｅｖｅ１はそれを浴びながらごぼごぼと笑い声を上げ続ける。再び腹が大きく波打った。吉住が声を上げた。なにかが麻理子の股の間から姿を見せはじめている。血にまみれぎらぎらと無影燈《むえいとう》の光を照り返している。それがゆっくりと麻理子の膣口《ちつこう》を押し広げてゆく。麻理子の両足ががくがくと痙攣する。

鼓動の轟《とどろ》きに合わせるかのように、それが外へ、外へと現れてくる。それは頭だった。赤く濡《ぬ》れた頭だった。自ら首をよじり芋虫のようにして外へ這《は》い出そうと懸命に動いている。麻理子の下半身がびくんと跳ね上がり、その反動を利用してそれは肩を出した。麻理子の陰部は裂けるのではないかと思うほど広がり、血まみれになって胎児を吐き出している。小柄な麻理子の体全体が膣口と化したようだ。胎児が身をねじるたび麻理子の陰部が痛々しいほどの深い皺《しわ》を形作る。そしてわずかな穴の隙間《すきま》からどくどくと赤茶けた液が噴き出してくる。

胎児がごぼっ、ごぼっ、と喉《のど》を鳴らした。空気を吸い込んでいるのだ。同時にその口から肺に溜《た》まっていた黄色の液体が溢れ出した。何度かむせるような音を立て、そしてそれは声を上げた。

利明は体が内側から分裂してゆきそうな痺《しび》れを感じた。その声は人間のそれではなかった。だが野獣でもなかった。これまで利明が聞いたこともない、また想像したこともない泣き声だった。体の芯《しん》を揺さぶるような激しい声だった。咽《むせ》ぶようでもあり吠《ほ》えるようでもあった。その声は長く伸びた。そして伸びるほど大きくなっていった。利明は耐え切れず耳を塞《ふさ》いだ。しかし塞ぐと却《かえ》って体の中で音が反響し、利明は悲鳴を上げて手を放した。

胎児は体をねじりながら上半身まで姿を現していた。そしてずるりと一気に外へ流れ出る。麻理子の腹が急速に窄《すぼ》まっていった。残りの血液や羊水が破裂したように溢れた。麻理子の両足の間で蠢く胎児がそれを全身に浴びる。何かを感じたのかぶるり、ぶるりと脈を打つ。血液は剖検台の縁から勢いよく流れＥｖｅ１へと滝のように落ちてゆく。胎児が高々と勝鬨《かちどき》を上げた。部屋全体が地響きを立てて揺れる。剖検台の上に設置された無影燈が次々と割れていった。麻理子の体に破片が降り注ぐ。利明は思わず体を屈《かが》めていた。

胎児は自らの手で体に纏《まつ》わりつく胎盤を破り捨てていった。臍《へそ》の緒を引きちぎる。そして体を反転させうつ伏せの状態になった。

利明はその光景を信じられない思いで見つめていた。生まれたばかりのその生命体は、すでに自ら身を起こし両手両足で這おうとすらしている。しかもその体はゆっくりと、しかし着実に成長しつつあった。体が大きくなってきている。麻理子の体から離れて数秒しか経《た》っていないというのに、麻理子の子宮の体積よりはるかに大きくなってしまっている。

それは頭をもたげ、眼を見開いた。そしてその視線で利明の目を射抜いた。利明は心臓が一瞬凍った。凄《すさ》まじい圧力がぶつかってきた。

それは犬のように大きく口を裂いて笑った。口の中は朱を塗ったかに赤く、そこから蛞蝓《なめくじ》のような舌が覗《のぞ》いている。

どくん

それは全身で大きく脈打った。体中が血管であるかのように表面をびくびくと波打たせる。

ぶくり、とその体が膨張した。

人形が空気を吹き込まれてゆくかの如くにそれは大きくなってゆく。いや、ただ巨大化してゆくわけではなかった。成長している。それは胎児から幼児へ、そして子供へと急速に成長を遂げていった。頭部から黒い髪がみるみるうちに伸び、ふにゃふにゃとしていた体は安定した骨格をつくり筋肉さえつけていった。四つん這いのままそれは激しく脈打ちながらその形態を変化させていった。獅子《しし》のように首を回し、腰を揺する。髪が暴れ舞う。それは声を上げつづけていた。肢体が変貌《へんぼう》してゆくのを受けてその音も変わってゆく。泣き叫ぶような音は次第に呻きや喘《あえ》ぎ声に近いものになってゆく。そしてその音量は止《とど》まるところを知らず上がってゆく。

それは両手を台から離し、上体を上げた。膝《ひざ》立ちの姿勢をとる。喉をのけ反らせ大きく痙攣する。その体は成人へ移ろうとしていた。胸の部分には乳房がふたつ盛り上がってきている。両足の間には縮れた陰毛が姿を見せようとしている。腰がくびれなまめかしい曲線を作り上げてゆく。頭部もほとんど完璧《かんぺき》な形へと収束しようとしていた。その唇は眩《まぶ》しいほど赤く、そしてその唇の隙間から見え隠れする内側はさらに焼けつくように鮮やかだった。

どくん
鼓動とともにそれは咆《ほ》えた。強烈な振動が室内を襲った。床がびしりと軋《きし》み、試薬棚が爆発するような音を立てて倒れた。

そして、突如として静寂が広がった。

耳がじんと鳴るほどの静けさだった。利明はまだ体の震えが止まらずにいた。吉住が痴《し》れたように口を開け目を瞠《みは》っている。安斉は利明の腕に抱えられ目を力の限りにつぶり歯を食いしばっていた。

びしゃり、と剖検台の上に流れ残った血液を跳ね飛ばし、それは足を下ろした。右足を床に、そして静かに左足をおろす。

それは立ち上がった。

利明はその全身を見つめていた。

それは限りなく人間の形に近かったが、しかし決して人間ではなかった。豊かな胸、柔らかな腰の曲線、流れるような髪、それぞれは人間の女性の持つ姿であり形だった。それら部分はすべて完璧な女性であった。人間の女性以外の何物でもなかった。だが全体としてその生命体を見つめたとき、すべてがあまりにも完璧であり、完璧を超越していた。人間の女性を遥《はる》かに超えていた。人間では決してなし得ない姿がそこにはあった。これは人間ではない、と利明は思った、これまで地球上に現れたどんな種類の生命体とも異なっていた。女性になるための生命、女性を表すための生命、女性であることの悦びを最大限にまで享受《きょうじゅ》するための生命、いわば完全な女性性だった。利明はそれを目前にし、畏怖《いふ》にも似た感情が湧《わ》き起こるのを感じていた。それはあまりにも美しく、そして同時にあまりにもグロテスクであった。利明は突き抜けるような性的快感を覚えるとともに吐きそうなほどの悪寒《おかん》を感じていた。

床の上で腐敗するＥｖｅ１が笑い続けていた。

23

安斉が目を開けた。辺りが静まり返ったことに気づいたようだ。利明の腕の隙間からおずおずと様子を窺《うかが》う。びくり、とその体を突然震わせた。それが利明の腕にも伝わる。

それの姿を見て驚いたのだろう。

しばらく安斉は硬直していたが、はっと体を起こし、

「麻理子」

と呟《つぶや》いた。

利明が叫んだときには安斉は腕をくぐり抜けていた。麻理子の名を叫び剖検台へと駆け寄ってゆく。

「やめろ」

利明の制する声よりもはやく、その生命体が安斉を睨《にら》んでいた。

その瞬間、安斉の体が消えた。同時に利明の後ろから大きな音が聞こえた。

なんだ？

振り返る間もなかった。何かがばらばらと頭上から落ちてくる。利明は悲鳴を上げて

頭を屈めた。

利明の背後でどさっと鈍い音がする。おそるおそる後方に視線を向けた。

安斉だった。安斉が身を屈め丸くなって床に倒れていた。こめかみの当たりから血を流している。その体へばらばらと白い粉が降ってきた。あわてて頭上へ目をやる。壁の上、ほとんど天井に近い所にひび割れが蜘蛛《くも》の巣のように走っていた。安斉の体がそこへぶつけられたのだとわかるまでに数秒かかった。

安斉が微《かす》かに呻き声を上げる。立ち上がれないようだ。利明は呆然《ぼうぜん》としてそこに立ち竦《すく》んでいた。

視界の隅で何かが動いた。顔を上げる。吉住だった。壁に設置された警報機へと脱兎《だっと》の如く走り出す。

だが相手はその行動を読んでいた。吉住が警報機へと手を伸ばしたそのとき、大きく口を開け短く哮《ほ》えた。

吉住が絶叫した。ぐにゃりと腕がねじれる。その直後吉住の体が一回転していた。頭から床へ落ちる。ごきりと堅い音が響いた。

それは唇を歪《ゆが》めて笑った。吉住を睥睨《へいげい》する。吉住の体がじりじりと宙に浮き始めた。

それは笑みを浮かべたまま吉住の体を弄《もてあそ》び始めた。空中でくるくると回し、手足を操り人形のように動かす。吉住の悲鳴が切れぎれに聞こえる。自分が何をすることができるのか、ひとつひとつ確かめていっているようだった。それは次第に眸《ひとみ》を輝かせ、吉住の体を四方の壁にぶつけはじめた。吉住の服がみるみるうちに血で黒く染まってゆく。ぐったりしたのを見ると、それは空中で吉住の体を逆さまに吊《つ》るし、一気に床へと叩《たた》きつけた。吉住の頭が床につく直前でそれを止め、上に持ち上げる。それを何度も繰り返す。まるでおもちゃを嬲《なぶ》るようだった。

「やめろ!」

利明は思わず叫んでいた。

それがゆるりと視線を向けた。

利明は硬直した。完全に呑《の》み込まれていた。目を逸《そ》らすことができない。足が動かなかった。口の中が乾いてゆく。どこかでどすんと音がした。吉住が落ちたのだ。だがそちらに顔を向けることができなかった。

それがにやりと笑った。

突然、部屋のあちこちから声が聞こえてきた。

喘ぎ声だった。ひとりやふたりではない。数人いる。合唱のように大きくなってくる。

利明は愕然《がくぜん》とした。

聖美の喘ぎ声だった!

利明だけしか知らないはずの声だった。絞り出すような切なく甘いあの声、利明の耳の奥底に眠っていたあの声、利明の行為ひとつひとつに敏感に応《こた》えたあの声、聖美の喘ぎ声、妻のあの声が轟音《ごうおん》となって響き渡る。利明は部屋の中を必死で見渡した。誰が、誰が聖美の声を上げているのか。利明の頭の中に洪水のように聖美の姿が溢れ出てきた。聖美のすべての表情が、すべての仕草が、怒濤《どとう》となって押し寄せてきた。笑顔を浮かべる聖美、眉《まゆ》をひそめる聖美、涙を浮かべる聖美、静かに思いにふける聖美、そして利明に抱かれたときの聖美、何十、何百、何千もの聖美が脳髄に溢れていった。

「あああ！」

利明の目がそれを捕らえた。

床に転がっている裸の男の死体が、口をぱくぱくと開け聖美の声でよがっていた！

それだけではなかった。緑の手術衣を来た男たちが、向こうで、横の壁で、利明の左で、それぞれ白目を剝《む》いたまま喘いでいる。男たちは皆死んでいた。死体が聖美の切ない声で大合唱を続けている。

利明の頭の中が錯乱《さくらん》を始めた。耳に届く聖美の喘ぎによって、本当にいま自分が聖美を抱いているような錯覚に陥りつつあった。あっあっと細かく聖美が悲鳴を上げれば自分は聖美の乳首を吸いンんんと口を閉じたまま喉を鳴らすときは脇腹《わきばら》と背中に舌を這わせ鼻に抜けるような声であれば首筋と耳の裏を嘗《な》めすすり泣くような喘ぎは聖美の股間《こかん》に刺激を与えあぁとはあぁの間の声を繰り返し叫ぶときは利明は聖美の体の内に入り聖美を強く抱き締め何度も何度も口づけをしそして大きく動き聖美の内部を激しく擦《こす》りそのときの聖美の乱れた肢体そして聖美の表情が網膜に鮮やかに投射されそしてそれが腸をどろりと出して倒れている白い死体と重なるいつの間にか死体が立ち上がっていた手術衣の者たちもぐらぐらしながら起き上がりそしてこちらに近づいてくる利明の方に歩いてくる今自分が抱いているのは聖美だその声を上げているのは死体だ聖美は死体だった死んでいたそれなのに感じて声を上げている抱かれているわけがわからなかった自分はいま何を抱いているのだろうかこの冷たい感触は何なのか腕に絡《から》み付いているのは腸ではないのか聖美の腸なのか自分は死姦《しかん》しているのか脳死になった聖美の体に挿入しているのか聖美の喘ぎが大きくなる聖美は感じている聖美は聖美は聖美は聖美は聖美は

「やめろやめろやめろやめろやめろやめろおおおおおおおおオオオオオオ！」

声が止《や》んだ。

ばたばたと死体が倒れた。それらは瞬時にして煥発《かんぱつ》し溶けてゆく。湿った音が微かに立つだけで焔《ほのお》さえあがらなかった。Ｅｖｅ１が発した熱とは比べものにならないほどの強烈さだった。

安斉が剖検台の麻理子にすがりつき大声を上げていた。がくがくと麻理子の体を揺すり必死で声をかけている。麻理子は目を大きく見開いたまま、安斉の呼びかけに全く反応しない。安斉は半狂乱になって麻理子の名を叫び続けた。

そんな安斉の姿に、それが凍った視線を送っていた。

いけない。

利明は声を上げた。

だが遅かった。それは安斉を睨みつけると首を軽く振った。安斉の足が宙に持ち上がる。再び壁へ叩きつけようとしているのだ。

安斉はもがいた。麻理子の体にしがみつき離れようとしない。安斉の下半身は完全に宙に浮き水平になってしまっている。だが安斉は麻理子の名を叫び娘を抱き締め続けた。

それは眉間《みけん》に皺《しわ》を寄せた。

安斉は無理やり麻理子から引きはがされた。安斉の体は利明の頬をかすめ、どおんという音とともに壁へぶつけられた。だが今度は床へ落ちない。大の字になったままうつ伏せの格好で壁に張り付いている。顔が壁に押し付けられている。安斉は目をつぶり顔をしかめていた。それが圧力をかけているのだ。

不意に利明の体にもどんと力がかかった。悲鳴を上げる間もなく利明の体も壁に圧《お》しつけられる。凄《すさ》まじい力だった。指を立てることもできない。頬の肉が歪みもう一方の頬につきそうだった。瞳《ひとみ》が開いたまま瞬《まばた》きをすることができなくなった。

やめろ。

やめてくれ。

その声を出すことはできなかった。圧力で舌を動かすことができないのだ。開いたままの利明の眸《ひとみ》にそれぞれの姿が映った。それはゆっくりと利明たちのほうに歩み寄ってきた。途中、ちらと床に視線を投げ、ずぶずぶの状態になったＥｖｅ１に笑いかけた。油状の塊は汚らしい音を立ててそれに応えた。それがにこりとして利明たちのほうに向き直った。

《来るな》

利明は心の中で叫んだ。圧力はますます強くなってくる。臓腑《ぞうふ》が無理によじれ燃えるように熱い。頭蓋《ずがい》がぎりぎりと軋《きし》んでいる。喉《のど》がつぶれ息をすることもできない。全身から火花が飛び散っているようだった。相手は利明たちなど殺すのはたやすいはずだ。現に手術医たちの死体を一瞬のうちに消失させてしまっている。利明たちを弄んでいるのだ。より高等な生物が下等な生物を甚振《いたぶ》るのと同じように、あたかも人間の子供が蟻《あり》を捕まえその首や足を切断して胴体がもがくのを楽しむように、それは利明たちを嬲《なぶ》っているのだ。それに対して全くの無力である自分が許せなかった。命乞《ご》いをするしかない自分が許せなかった。

意識が朦朧《もうろう》としてくる。重力で押し潰《つぶ》されそうだった。視界が赤く濁った。眼の裏から血が溢《あふ》れ始めたのだ。体の中で何かが鈍い音を立てて破裂するのがわかった。熱いものが体中に広がってゆく。だが利明は必死で叫んだ。それに向かってぶつけるように来るなと叫んだ。

《パパ……》

ぎくりとした。

声が聞こえた。耳に入ってきた音は形容しようのない唸《うな》り声だった。だがそれは利明の頭の中で日本語に変換されていた。それが放った言葉だった。それは利明のことをパパと呼んできた。利明はぞっとした。赤く染まった視野の向こうに立つそれを、利明は見つめた。

それは凄まじい微笑を浮かべた。

利明は全身で絶叫した。自分がそれを見たということが信じられなかった。体のあちこちで血管が破裂してゆくのがわかった。体中がばりばりと音をたてる。利明は自分が気が狂うと思った。その微笑が瞳に焼き付いてしまっていた。瞼《まぶた》を閉じようと思っても閉じることができない、叫んでその光景を掻《か》き消そうと思ってもできない。凄まじいとしかいいようのない微笑だった。耐えられなかった。その微笑を留めたまま生きてゆくことはできないと思った。はやく殺してくれと利明は願った。いますぐこの体を潰してくれ。

そのときそれが顔を歪めた。

24

利明の体が床に落ちた。

すぐその後に安斉の体が落ちてきた。口から血を流し呻《うめ》いている。

もはや体を圧していた力は消え失《う》せていた。

なんだ？　利明はわけがわからなくなった。なぜ止《や》めたのだ？

利明は霞《かす》んだ目を見開き顔を上げた。そしてそれを見て啞然《あぜん》とした。

それが苦しんでいる。

苦悶《くもん》の表情を浮かべながらしきりに顔をかきむしっていた。ぼろぼろと肉がはがれ落ちている。

利明は目を見張った。それの体型が変化を始めていた。全身がざわざわと波立ち細かく痙攣《けいれん》している。腰のくびれがなくなり胸が堅く厚く変形してゆく。肩幅が広く腕が太くなってゆく。顔の骨格が変形してゆく。それは悲鳴を上げていた。だがその声も急速に変わってゆく。

これは……。これは一体どういうことなのだ？

女性であるはずの生命体から「男」が姿を現そうとしていた。

その股間《こかん》から何かが突出を始めた。指先ほどの大きさだったそれは次第に太く猛々《たけだけ》しく聳《そび》えていった。びくん、びくん、と脈を打つ。腰のまわりも柔らかい線は消え張りつめたような筋肉で覆《おお》われていった。腹筋が隆起し肩も盛り上がり首は太くそして貌《かお》は触ると切れそうなほど鋭く引き締まったものへと変化してゆく。鬢《びん》が獅子《しし》のように伸び、さらには顎鬚《あごひげ》、頬髯《ほおひげ》が現れ顔を覆う。背中が鋼《はがね》の丘のように迫《せ》り上がりそれは両手を床につき四つん這《ば》いの姿勢をとった。肉体の全《すべ》てが力を具現してゆく。噎《む》せるような怒気がその体から湧《わ》き起こった。それは全身の熱を発散させるかのようにぶるぶると体を震わせ床を激しく叩いた。

そしてそれは哮《ほ》えた。

破裂した利明の臓腑をその轟咆《ごうほう》が直撃した。全身がばらばらになりそうだった。ばりんと大きな音がして部屋の中が暗闇《くらやみ》となった。電灯が切れたのだ。どこかで金属製のものが倒れる音がする。

喉の奥から血の塊が込み上げてきて利明は吐いた。皮膚に亀裂《きれつ》が走りリンパ液が滲《にじ》み出してくる。頭の中が燃えそうなほど熱い。

瞳の奥で何かが音を立てて切れた。その瞬間から利明は赤と黒のドットしか認識できなくなっていた。目の前で砂嵐《すなあらし》が起こっているかのように無数の点が乱れ飛んでいる。あの生命体の唸り声が聞こえてきたがなにが起こっているのかわからなかった。コンクリートが弾《はじ》けるような音が断続的に響き、利明の体の上にもばらばらと壁の破片が降ってきた。

一体奴《やつ》はどうなったのだ？

どこからか人の悲鳴が上がった。吉住だ。なにかがぶつかる音が響く。だが利明は倒れたままなにもすることができなかった。指を動かすことすらできない。

利明の体が宙に浮いた。気がつくとどこかに体がぶつかっていた。次の瞬間には体の別の部分に衝撃があった。あるときは腰、あるときは肩、あるときは頭、あるときは胸、それが何度も何度も繰り返された。次第に利明は痛みの感覚がなくなっていった。自分が四方の壁に叩きつけられているらしいということは想像できたが、それを回避しようという気も失いかけていた。ただあの生命体がなぜ男になったのか、それを考えていた。ミトコンドリアは雌だったはずだ。なぜ男性に変化したのか。それはどういう意味なのか。さらなる進化なのか？　それとも……。

《………！》

利明はそれに気づいた。

まさか。

だがそれ以外考えられなかった。利明自身その意味するところを正確に理解できたわけではなかった。しかしその直感が煌《きら》めきにも似て利明の全身に広がってゆくのを感じた。

その利明の考えに応えるかのように、突如として生命体は苦悶の咆哮《ほうこう》を上げた。

大音響が轟《とどろ》き何かが爆発した。利明は床に落ちた。警報がけたたましく鳴り響く。

それ以上の音量で生命体の叫びが起こった。声が変化してゆく。利明の思ったとおりだった。それは再び女の声へと戻ろうとしていた。

肉の蠢《うごめ》く音がベルの切れ間に聞こえてくる。生命体が激しく代謝と産生を繰り返しているのだ。ときどき、どくん、と脈が打ち鳴らされる。男の咆哮を上から押し潰すように女の声が広がってゆく。それに対抗するのか、スロットルが噴射されるように男の声が女の声を切り裂いてゆく。生命体の中で雌と雄が闘っていた。互いがひとつの肉塊を支配しようと取り合いを続けている。雌の表現型が現れたかと思うと雄がその上に自らの姿を形成させてゆく。雌が体を穿《うが》ち子宮をつくればそれを埋めるようにして雄が子宮の中から陰茎を屹立《きつりつ》させてゆく。そして雌がその陰部をねじ伏せるようにそこへ乳房を隆起させてゆく。利明の直感があたっていた。眼で見ることはできなかったが、生命体がどろどろの塊となって縺《もつ》れてゆく様を感じることができた。

利明の心に何者かの感情が飛び込んできた。それは電話が偶然にも混線したように、利明の中で切れぎれにざらついた音を放った。ミトコンドリアだ、利明はすぐさま悟った。Ｅｖｅ１に寄生していたミトコンドリアだ。床の上でじくじくと溶け壊死《えし》を迎えようとしていたそれは、突然の娘の変化に驚愕《きょうがく》していた。なにが起こったのかわからないようだった。ミトコンドリアは必死になって宿主細胞にシグナルを送り再び増殖しようともがいていた。娘の異変を収拾しようと焦《あせ》っていた。だが宿主細胞はすでに引き返せないところまでダメージを受けていた。ミトコンドリアの放つ刺激に応《こた》えることができなかった。ミトコンドリアの悲痛な叫び声が利明の体に響いた。こんなはずではない、こんなはずではないと半狂乱になりながら訴えていた。

利明の頭の中は閃光《せんこう》で満たされていた。いままで心の隅に引っ掛かりながらどうしても手繰《たぐ》りよせることができなかったものが、体内で煌々《こうこう》と光を放ちその姿を現わす。……やはりそうだったのだ。Ｅｖｅ１に寄生していたミトコンドリアはひとつ重要なことを見落としていた。自分が雌であったためにそれを考慮することができなかったのだ。新たな生命体を造り上げるには、確かに精子が必要だったのだろう。だがＥｖｅ１の中のミトコンドリアは、男の遺伝子を単に生殖の道具としてしか考えていなかった。〈娘〉の中には、自分だけでなく、雄のミトコンドリアも混入してくるということに気づかなかったのだ。

Ｅｖｅ１に巣喰うミトコンドリアの断末魔の絶叫が鳴り渡った。そしてそれは長く長く尾を引きながら消えていった。利明はミトコンドリアの死を体で感じていた。外膜、内膜が破れ、ミトコンドリアの内部からＤＮＡが流出してゆく。細胞質内に充満した活性酸素がそれをずたずたに切り裂いてゆく。ミトコンドリアが産生した電位も拡散し消失してゆく。刺激を受けた受容体はばらばらに崩れ、なんら意味を持たないペプチドとなって活性を失ってゆく。意識は止まり、細胞は破裂し、ただの脂質とアミノ酸と糖へと還《かえ》ってゆく。もはやそれは生命体ではなかった。変性し腐敗してゆくだけの有機物の塊でしかなかった。

地鳴りのような怒号が突き抜けた。Ｅｖｅ１の子が雄と雌の入り混じった声で叫んでいた。

天井が崩れ始めた。生命体が真の力を噴出させはじめたのだ。がらがらと岩のようなものが利明の体を叩《たた》いた。逃げなくては、そう思った。しかし体が動かない。ベルが鳴り続けている。

どこからか複数の人の声が聞こえてきた。足音が近づいてくる。短い悲鳴や驚きの声がどこかで上がった。顔に光が当てられるのが感覚でわかった。

助けだ。

助けがきたのだ。

利明は歓喜の声を上げた。だがそれは音にならなかった。少しでも動こう、と体に力を込めるがうまくいかない。

そのとき津波のような熱気が発生した。

絶叫が上がった。ばたばたと走り回る音がする。空気が燃えるように熱い。ごうごうと渦を巻いている。

どうしたのだ？　利明は狼狽《ろうばい》した。救助に来た人たちはどうなってしまったのだ？　マグマのような爆風が利明の体を衝《つ》いた。なにか重いものが利明の下半身に当たる。その瞬間から足の感覚がなくなってしまった。吹き飛ばされたのかもしれない。どこか遠くで男の悲鳴がする。

「だめだ！」

「なんだこれは！」

「まだ生きているのに！」

そんな声が切れぎれに聞こえ、それにかぶさるようにして肉のちぎれる音、湿った爆発音、そして絶叫が響いた。奴だ、利明は思った。奴が自分の肉体を制御しようともがくうちにその力を辺りにぶちまけ室内を破壊しているのだ。

だめだ。利明は心の中で呻いた。このままでは救助の者たちが少女や吉住たちを部屋の中から助け出すことはできない。奴を鎮《しず》めなければならない。これ以上犠牲者を出すわけにはいかない。利明は自分の体の奥底から熱いものが湧き起こってくるのを感じた。奴を止めるんだ。奴を殺さなければならない。この自分が。自分が！

《やめろ！》

利明は有りったけの激情を生命体にぶつけた。

生命体が一瞬ひるむのがわかった。利明はさらに心の中で叫んだ。

《さあ、こっちへ来い！　俺を見ろ、俺だけを見ろ！　おまえの父親だぞ！　こっちへ来い！》

生命体が唸り声を上げた。利明に注意を向けている。熱風が弱まりつつあった。もうすこしだ。

《おまえのことはよくわかっている。どうしておまえがそうなってしまったかもわかっている。さあ、俺のところへ来い。抱いてやる、おまえを抱いてやる》

生命体は明らかに動揺していた。動きが鈍ってきている。きょろきょろとあたりを窺《うかが》っているようだ。母であるミトコンドリアを探しているのだろう。だがEve1はすでに死滅してしまっている。生命体はそれに気づき初めて不安げな声を出した。利明は畳み込むように呼びかけた。

《いまおまえは体がばらばらになりそうなんだろう。苦しいんだな。そうだろう。俺はおまえのことをわかっているんだ。おまえの父親なんだ。ここへ来い。俺が抱いてやる。その苦しみも俺が共有してやる。おまえは確かに自分の子孫を自分で作り出すことができるかもしれない。だが親はどうだ。おまえは親をつくることはできないだろう。母親も死んでしまったぞ。もうおまえの親は俺しかいない。俺におまえの苦しみをわけてく

れ。俺のことだけを考えろ。こっちだ。俺はここにいる。さあ、こっちだ！》

熱風が凪《な》いだ。

静寂が降りた。ベルの音も消えた。鳴っているのかもしれないが利明の耳に聞こえなかった。轟音を立てて崩れていたはずの天井もその動きを止めた。落下しているコンクリートの破片も空中で停止してしまったようだった。無音だった。無音という音すら聞こえないほどの静けさだった。

その中で、ずるり、とそれが動く音がした。

ずるり、
ずるり、とそれはゆっくり利明のほうへ向かってきた。そうだ、それでいい、利明は励ましの言葉をかけながら心の中で両腕を広げそれを迎え入れた。

利明の腹部にそれが触れた。暖かくどろりとしていた。それは利明の胴体を包み込んできた。利明は笑みを浮かべてそれに優しく声をかけた。

《さあ、俺の体におまえの痛みを分けてくれ。融合するんだ。俺の細胞と融合するんだ。一緒になろう。そうすればおまえもこわくないだろう。不安だったんだな。自分でない自分がいることが不安だったんだな。せっかく俺からもらった命がもうひとりの自分に捕《と》られてしまうと思ったんだな。おまえのことは俺がわかっている。俺と一緒になれ。俺の体の中に入って来い。父親と一緒になるんだ。さあ、どうした。俺の体に入ってく

れ》

そして、利明は自分の体が熔岩のように溶けてゆくのを感じた。それの細胞が皮膚の隙間《すきま》を抜け体内に入ってきた。細胞と細胞が擦《こす》れ、燃えるように熱い。方向感覚が急速になくなってゆく。自分の体がどうなっているのかわからなくなっていた。それの細胞が溶けこんでくる。それの細胞膜が利明の細胞と結合してくるのがわかる。それのミトコンドリアが利明のミトコンドリアとひとつになってゆくのがわかる。それのミトコンドリアDNAが利明のミトコンドリアDNAと混ざりあう。それの力は瞬《またた》く間に弱まっていった。

それは動いた。なんとか生き延びようと動いていた。摩擦が大きくなる。利明はいま自分がどうなっているのかわからなかった。だがあまりにも摩擦が大きくなる。利明は自分が燃えていることに気づいた。それと一緒に翔《と》んでいるのではないかと思った。それが最後の力を放出し、次々と瞬間移動を繰り返し、空気の流動で発熱しているのだろう。それは利明にとって不思議な感覚だった。これまで考えたこともないような刺激であり運動だった。おそらくこれまで地球上のどんな生命体も感じたことのないものだろう。進化するとはこういうことなのかと利明は思った。全く次元の違う世界を感じ、それを享受《きょうじゅ》する。その喜びと苦しみは進化していない生物には決して理解することができない。またその感覚の存在すらも知らないのだろう。やがてヒトもそこまで進化することができるのだろうか。そのときはまだミトコンドリアと共生しているだろうか。おそらく共生しているのだろう。進化とは自らと全く異なるものと共に暮らす過程で起こるものだ。相手が生命体のときもあれば環境のときもあるだろう。その場所が地球なのか、別の惑星なのか、それとも細胞の中であるのか、それはわからない。だが新しい共生関係を作り上げることができたとき、ヒトはさらに一歩進んだ世界を手に入れることができるのだろう。

それはどろどろと利明の中に入ってくる。奇妙なほど音が聞こえなかった。静寂の中で利明はそれとともに飛び回っていた。それの力が消えてゆく。小さく小さくなってかき消えてゆく。これで終わりだ、利明はそう思った。これで悪夢は終わりだ。

聖美、これでおまえはもとの聖美に戻るんだ。

俺の愛していた聖美に還るんだ。

25

安斉重徳が目を開けると、そこには見知らぬ男の姿が映った。

「……目を開けたぞ！」

その男が興奮した口調で誰かに叫んだ。ばたばたと足音が近づいてくる。

「大丈夫ですか！　聞こえますか！」

白衣を着た男が駆け寄ってきて安斉の顔を覗《のぞ》き込んだ。安斉の顔や体を触ってくる。

……ああ、自分は生きているんだな……。

そんな思いがぼんやりと頭をよぎった。

そしてぱっと娘の名が脳裏に浮かんだ。安斉は微睡《まどろ》むような状態から瞬時に抜け出し、麻理子の名を叫んだ。

「麻理子！　麻理子はどこだ！」

「落ち着いてください。動いちゃいけない」

医師が制しようとしたが、安斉はそれを無視した。麻理子のことが心配だった。上半身を起こす。背中に激痛が走り、思わず顔をしかめた。だが倒れるわけにはいかなかった。

安斉は自分が廊下らしきところにいるのに気づいた。床には大きな亀裂《きれつ》が入り天井も床もひび割れ崩れかけている。少し離れたところに金属製の扉が半分開きかけた状態でぐにゃりと歪《ゆが》んでいるのが見えた。警官や医師たちがせわしなく動き回っている。剖検室の前の廊下だった。安斉の周りには負傷した警備員らしき者が数人、担架に乗せられ呻《うめ》き声を上げている。その中に吉住の姿もあった。全身が血まみれで右手は奇妙な方向に捩《ねじ》れているが、致命傷ではなさそうだった。

しかし、麻理子の姿は見当たらなかった。

「麻理子！」

安斉は剖検室へと駆け寄った。膝《ひざ》に痛みが走りよろめきそうになる。だが安斉は一心に足を動かした。

安斉が扉のところへ手をついたとき、部屋の中から四、五人の救急隊員が担架を運んで出てきた。

その上に乗せられているのは全裸の麻理子だった。

「麻理子！　麻理子！」

安斉の目から涙が溢《あふ》れた。安斉は担架に取りすがった。大声で泣きわめき麻理子の名を叫ぶ。だが麻理子は動こうとしない。いくら耳元で叫んでも反応しない。安斉は頬をすりよせ娘の体をさすり続けた。麻理子が死ぬはずがない。そんなばかなことがあるはずがない。

「麻理子さんは大丈夫です」

誰かが安斉の肩を撫《な》でた。安斉ははっとして顔を上げ、周囲の医師たちを見回した。

「……本当ですか」

「ええ。気を失っていますが生きています。外傷はほとんどありません」

安斉の横にいた眼鏡をかけた医師がいった。安斉はその言葉を聞き、熱いものが胸に広がるのを感じた。ひとつしゃくりあげる。そして涙が止まらなくなった。

「ああ……、麻理子」

安斉は再び麻理子を抱いた。きつく抱き締めた。麻理子の顔に自分の顔をすりよせた。涙が麻理子を濡《ぬ》らしていたがそのまま安斉は麻理子を抱き続けていた。麻理子の肌は少し冷たかったがそれでも胸に手を当てるとしっかりとした心臓の鼓動が伝わってきた。体は医師のいうとおりかすり傷程度しかない。あれだけ部屋の中が崩れたというのにコンクリートの破片にもあたらなかったというのは奇跡に思われた。

そして麻理子の下腹部にはかさぶたのように血痕《けっこん》がついていた。その血痕に触れたとき安斉の眸《ひとみ》から流れる涙がさらに熱くそして声は大きくなっていった。麻理子の大切なものを自分は護《まも》ることができなかった、大事なときに娘を護ってやることができなかった、その深い後悔の念が安斉の心を締めつけた。

「……お父さん」

耳元で小さな声がした。

安斉は弾《はじ》かれたように起き上がった。

麻理子が薄目を開けていた。

「麻理子……」

「お父さん……、あたし……」

麻理子がかすかに指を動かした。安斉はその手を両手で包み自分の頰におしあてた。うんうんと頷《うなず》きながら涙を流し続けた。麻理子が唇を震わせなにかをいおうとしている。

「あたし……、あたし……」

そのとき。

どくん
麻理子の下腹部が動いた。

安斉は悲鳴を上げた。まわりの医師たちに驚愕《きようがく》の表情が浮かんだ。まさか。安斉は目の前が暗くなった。まさか、まだ化け物は生きているのか。麻理子の体を喰い破って出てこようというのか。やめろ、やめてくれ、安斉は絶叫した。

だが
倒れようとする安斉の手を握り締めてくれたのは
麻理子だった。

麻理子は安斉を引き寄せた。

そして父親の背に手を回し、やさしく撫でた。

「だいじょうぶ」

麻理子はいった。

「お父さん……、だいじょうぶ。もう……この腎臓《じんぞう》は……動かない。……あたしの……

腎臓になるから……あたしの……」

安斉はそっと麻理子の顔を見た。

麻理子は静かな笑みを浮かべていた。眠そうに瞼《まぶた》をぴくぴくと動かし、そしてそっと蝶《ちょう》が止まるかのように目を閉じた。かわいらしい寝息を立て始めた。

安斉は麻理子の下腹部におそるおそる手を触れてみた。だがそこにはなにも異変はなかった。移植の手術痕と、そしてすべやかな肌があるばかりだった。もはや麻理子や安斉を脅《おびや》かす気配はなくなっていた。

腎はいま、麻理子の体に同化したのだ。そう安斉は思った。

安斉は再び麻理子の体を抱いた。優しく、精一杯の愛情で麻理子を抱き締めた。麻理子はこれまでのことを許してくれないかもしれない。完全には心を開いてくれないかもしれない。だがひとつひとつ解決していこう。麻理子と共に過ごし、麻理子と感情を分け合おう。いつの日か麻理子が自分に心を開いてくれるまで。——これからだ。これから麻理子との本当の生活が始まるのだ。

「……さあ、娘さんを運びますよ」医師が安斉の背を叩《たた》いた。

安斉はずっと麻理子を抱いていたいという思いにひかれながらも、しぶしぶそれに従った。麻理子の担架が運ばれてゆく。

それが廊下を曲がって見えなくなったところで、ようやく安斉はもう一人の男のことを思い出した。

「あの人はどうしたんです」そばにいた警官に安斉は尋ねた。「あのドナーの夫……永島という人は？」

「ああ……」

警官は顔を曇らせた。安斉は背筋に寒いものを覚えた。

「どうしたんです。永島さんはどうなったんですか。教えてください」

「……あそこだ」警官が呻《の》くようにして安斉の後方を顎《あご》でしゃくった。

振り返って安斉は息を呑んだ。そこには白いシーツが広がっていた。シーツの中央が盛り上がっている。何かを覆《おお》っているのは明らかだったが、そこに隠されているのはどう見ても人間の形ではなかった。

安斉はシーツへ駆け寄った。驚いた警官の声が背後で聞こえたが、かまわず安斉はシーツをめくった。

「……ああ」

安斉は目を背けた。

半分溶けたような肉塊がそこには転がっていた。かろうじて人間の胸から上だとわかる。片手を伸ばし、何かをつかもうとするような格好で横を向いている。腕の皮膚の表面はねばねばとした液状に変わり、頭部はわずかに表情が見て取れるものの黒く焼け焦《こ》げ小さく縮んでいる。胸のあたりは飴《あめ》のように流れ床に広がっている。生肉を強火で焦がしたような臭《にお》いが鼻を衝《つ》いた。

……なんてことだ。

「……お願いだ、麻理子をここへ連れてきてくれ！」

安斉は叫んだ。まわりにいた者たちが一斉に振り返る。なにが起こったのだという表情だ。

「どうしたんです」さきほどの警官が走り寄ってきた。「さあ、あなたもひどい怪我《けが》をしてるんですよ。手当をしますからおとなしく……」

「お願いだ、頼む」安斉は哀願した。「これを聞いてくれたらいうとおりにする。麻理子をもう一度ここへつれてきてくれ。すぐに終わる。頼む、本当にすぐに終わるんだ」

警官が顔をしかめた。

「頼む」

「……すぐに終わるんですね」

警官は大きく息をついてそばにいた別の若い警官を呼んだ。ふたことみこと指示を出す。若い警官は廊下へと走っていった。

しばらくして麻理子を乗せた担架が運ばれてきた。口には酸素マスクがはめられ腕には輸液のチューブがセットされている。体には毛布がかけられていた。

「ここへ麻理子をおいてください」

安斉は頼んだ。医師たちが担架をそばに降ろした。

「どうするんです」

安斉はしかし警官の問いには答えず、麻理子の毛布をはがした。そして崩れかけた永島利明の手を取った。

安斉はその手を麻理子の下腹部に置いた。

麻理子の左下腹部、永島利明の妻の腎臓を移植した場所に。

永島利明の手は、何かに触れようと最後の力を振り絞って伸ばしたように安斉には見えた。きっと彼は妻に触れたかったのだろう、そう思った。こうする以外に、どんな手《た》向《む》けも思いつかなかった。

気のせいか、黒く焦げたその口元がかすかに動き、安らかな微笑を浮かべたような気がした。

エピローグ

「続いて修了証書の授与に移ります。薬学科。浅倉佐知子」

「はい！」

浅倉は大きな声で返事をして前へ進んだ。

壇上には燕尾服《えんびふく》姿の学部長が立っていた。浅倉は静かに頭を下げ、そしてもう一歩進み出た。

学部長が大きなベージュ色の証書を広げる。

マイクに向かって読み上げ始めた。

「学位記。浅倉佐知子。本学大学院薬学研究科、薬学専攻の、博士課程の前期二年の課程を修了したので、修士（薬学）の学位を授与する。平成＊年三月二十五日、＊＊大学。おめでとう」

学部長が証書を一八〇度回転させ浅倉に差し出した。頭を下げつつ両手を出し、恭《うやうや》しくそれを受け取る。どこかでカメラのフラッシュが焚《た》かれた。

左へ後じさり、もう一度お辞儀をした。体を左に向ける。そこに並んで座っている教授たちにも深くお辞儀をした。

進行係が次の名を呼ぶ。返事が部屋の中に響き渡る。

浅倉は証書を手に席へ戻った。

次々と同級生の名が呼ばれ証書が渡されてゆく。

薬学部の大講堂だった。全学の卒業式が終わり、浅倉たちは薬学部の校舎に戻ってきていた。ここで改めて全員に証書が手渡されるのだ。いつもは薄暗い雰囲気の講堂も、今日ばかりは袴《はかま》やスーツ姿の卒業生たちで溢《あふ》れ華やかに見えた。浅倉自身、今日は母譲りの袴をはいている。

浅倉が証書を丸めて筒に入れていると、ふわりと爽《さわ》やかな風が頬を撫《な》でた。

浅倉はなんだか嬉《うれ》しくなって窓の外を眺めた。

よく晴れたいい天気だった。寒さも身を潜め、土からはぽかぽかとした暖かい空気が湧《わ》き上がっているようだ。梅の蕾《つぼみ》が開きかけている。浅倉は窓からそよいでくる風を吸った。いい薫《かお》りだった。

浅倉はこうして自分が修了証書をもらい、ここにいるということを改めて実感し、ちょっとした感慨に浸っていた。入院が少し長引いたため秋から冬にかけてほとんど実験はできなかったが、それでもちゃんと自分なりに納得のいく修士論文を仕上げ、発表することができたのだ。体の一部には火傷《やけど》による痣《あざ》も残ったが、顔は自家移植の手術を受けたのでほとんど傷が目立たない。結局はうまくおさまったのだ。

浅倉は証書を受け取ってゆく同級生たちを眺め、これまでの学校生活を振り返った。いろいろなことはあったが、概して楽しい六年間だった。特にこの三年間は思い切り実験をすることができた。実験は楽しい。浅倉はひとり頷《うなず》いた。やはり自分は薬学部を選んでよかった、そう思った。


証書授与式のあと、場所を移して学生実習室で懇親会が開かれた。

「ええ、今日はみなさん、本当におめでとうございます」

卒業生と在校生、そして職員がビールの入ったコップを手にして、教務第一委員長の役職を受け持っている有機化学系講座の教授の挨拶《あいさつ》に耳を傾ける。

「これからみなさんは製薬会社なり研究施設なりに就職してゆくわけです。すでにみなさんはどこへいっても恥ずかしくないほどの薬学の知識を身につけていることと思います。社会へ出ても薬学部で勉強したことをフルに活用し、立派な業績を収めていただきたい。そのように思う次第であります」

卒業生の何人かが照れ笑いを浮かべる。

「ところで四年生の諸君」教授は声を張り上げた。「諸君には薬剤師国家試験というものが約一週間後に迫っているわけであります。今日は思う存分飲んでかまいませんが、明日からは試験勉強にスパートをかけて、どうか全員が合格してほしいものです」

会場から笑い声が上がった。浅倉も隣にいる友達と顔を見合わせくすくすと笑った。あの教授は毎年この話をして四年生を苦笑させるのだ。

「それでは、乾杯！」教授がコップをあげる。

「乾杯！」浅倉たちもそれに応じた。

たちまち実習室はざわめきと歓声で一杯になる。あちこちでフラッシュが光る。友達同士、あるいは講座の職員と同じフレームに収まり笑顔を浮かべる。ビールが追加され、オードブルが平らげられてゆく。

浅倉も友達に声をかけ、そして世話になった職員の人たちに挨拶してまわった。同級生と別れることになるのは寂しかったが、それでもみんなは盛り上がり懇親会を楽しんでいた。浅倉も心地よくほろ酔い気分になることができた。

会も半ばを過ぎたところで、浅倉はそっと会場をはなれ五階の生体機能薬学講座に向かった。

講座には誰もいなかった。みな懇親会のほうに出ているのだ。浅倉は三年間過ごしてきた第二研究室のドアを開けた。

部屋を見渡す。

幾つかの装置は作動したままになっている。誰かがPCRをかけているのだろう、サーマルサイクラーがうなりをあげて温度を調節していた。

浅倉は自分のデスクの前に立ち、それに軽く指を触れた。もういまはデスクの上には何も置かれていない。マッキントッシュもアパートに持って帰り、すでに荷造りし終えている。こんなに自分の机は広かったのかと感慨にふけった。

浅倉はデスクの横に設置されているラックに目をやった。そこにはこの一年分の『ネイチャー』がおさめられていた。講座で購入しているものだ。前はゼミ室に置いてあったのだが、なぜかここに移されている。おそらくゼミ室の模様替えをするのだろう。そのため一時、空いた空間である浅倉のラックに雑誌を移したのかもしれなかった。

浅倉はずらりと並んだ『ネイチャー』の背表紙を眺め、そしてその中からひとつを取り出した。

ページをめくる。そしてその論文が掲載されているところを開いた。

論文の題名が英語で書かれ、その下に永島利明、浅倉佐知子、そして教授の石原陸男の名が印刷されている。利明が書いた論文だった。

浅倉はそのページを見つめた。浅倉の出したデータが図になってそこに印刷されている。英語の長い脚注がつけられたそれらの図は、なんだか自分の手元から離れて勝手に偉くなってしまったようでもあった。すこしくすぐったい感じがした。

それはわずか二ページ半の論文だった。それでも、これはこの講座の勲章だった。そして浅倉にとっても。

もう二度と自分は『ネイチャー』などに名前が載ることはないだろう。そして利明のもとで実験をすることにならなければ、こうしてこの雑誌に載ることもなかったはずだ。すべては利明のおかげだった。

これで永島先生が生きていてくれたらよかったのに。浅倉はそう思った。

雑誌を胸に抱く。

利明の顔が目に浮かんだ。その途端、不意に涙が溢れてきた。瞳《ひとみ》がじんと熱くなる。浅倉は慌《あわ》てて手のひらで頬を拭《ぬぐ》った。だが涙は止まらなかった。これでは化粧が流れてしまう、どうしてだろう、高校のときに彼氏と別れたときだって泣かなかったではないか、それなのになぜ今は涙が出てくるんだろう。浅倉はおかしくて照れ笑いを浮かべようとしたが、湿った声しか喉《のど》から出てこなかった。鼻頭が熱い。きっと赤くなっているだろう。浅倉は洟《はな》をすすりながら自分のみっともなさを心の内で笑った。

なんとか込み上げる感情を落ち着かせたあと、浅倉はその雑誌をめくり、ページの肩に「NEWS AND VIEWS」と書かれてあるところを開いた。そこに載っている短い記事に目を落とす。入院中、利明の死を聞かされたときのことがどっと蘇《よみがえ》ってきた。

それはミトコンドリア遺伝子に関するコメントだった。浅倉も雑誌が出たときこの記事を読んではいたのだが、今回の事件が起こるまでは正直いって忘れていたのだ。入院中、浅倉は講座の友達や警察からＥｖｅ１が何をしたのか細かく聞き出していた。そしてＥｖｅ１内のミトコンドリアが反乱を起こしたこと、レシピエントの少女に子供を産ませたこと、その子供が突然男になったり女になったりして、最後は利明と溶け合い燃えるようにして滅んでいったことなどを知った。初めにその話を聞いたときは、なぜミトコンドリアの子供が死んでしまったのかわからなかった。だがこの記事を思い出し、ひとつの仮説にたどりついたのだ。

かつてミトコンドリアＤＮＡは完全に母系遺伝すると考えられていた。精子のミトコンドリアは卵の中に入り込むものの、その後増えることはなく、出生個体の持つミトコンドリアはほとんどすべてが母親由来のものになると思われていた。従って集団遺伝学の研究者たちは母系遺伝というルールに沿ってミトコンドリアＤＮＡを解析し、進化の速さを推測するのに役立ててきたのである。

ところが一九九一年、ある研究グループが衝撃的な結果を発表した。ある二種のマウスを掛け合わせた場合、生まれてきた仔《こ》の体内には父方由来のミトコンドリアＤＮＡが僅《わず》かではあるが存在するということが判明したのである。それまでの常識を覆《くつがえ》すこの論文は大きな注目を浴び、それ以来研究者たちは、果たしてミトコンドリアＤＮＡは単性遺伝するのか否《いな》かと頭を悩ませてきたのだ。そして最近になってようやくその問題が解決されようとしている。

つまり、結果はこうであった。同種間で交配した場合、父方のミトコンドリアDNAは精子と共に卵《らん》の中へ一旦《いったん》入るものの、ある一定の期間を過ぎると消失してしまう。おそらく卵細胞の中に存在する多胞体によって消化されてしまうのである。つまり発生してくる仔に父親のミトコンドリアDNAは受け継がれない。しかし、異種間で交配した場合、父方のミトコンドリアDNAは消失しない。出生する個体のおよそ56％に父方のミトコンドリアDNAが認められた。

浅倉はこう考えていた。おそらくEve1は利明と交配することによって利明の核だけを奪い、自らの核とミトコンドリアDNAを併せ持つ新たな種を作り上げようと考えていたはずだ。だがEve1はこの研究室で培養されている間にヒトとは異なる種へと分化しつつあった。ならばEve1の卵細胞と利明の精子の交配は異種間交配になる。利明のミトコンドリアDNAは卵細胞の中で排除されずに増えてゆくことになる。そしてその結果、何が起こったか。

浅倉は『ネイチャー』の記事を目で追った。退院してから浅倉はこの記事を何度も読み返していた。いまではもう英文を読まなくてもその内容が頭に浮かぶ。

それはムール貝と呼ばれるイガイ科の二枚貝で観察されたミトコンドリアDNAの遺伝形式に関する総説だった。ムール貝では父方のミトコンドリアDNAが子供に受け渡されるが、その伝達方法が極めて特殊だということがわかってきたのである。マウスやヒトとは違って、雄貝《おすがい》は雄型のミトコンドリアDNAを持っており、雌貝は雌型のミトコンドリアDNAを持っているのだ。雄と雌が交配すると、次のようなことが起こる。精子には雄型のミトコンドリアDNAが、卵には雌型のミトコンドリアDNAが含まれているわけだが、受精の結果生まれた接合体が雌だった場合、その中にはほとんど雌型のミトコンドリアDNAしか含まれないのに対し、雄が生まれた場合、その接合体の中には雄・雌両方のミトコンドリアDNAが含まれてくるのである。そして雄の子供は成長するにつれ雄型のミトコンドリアDNAが多くなり、最終的にはほとんど雄型が支配してしまうのだ。つまりムール貝ではマウスと異なり、単一の親からの遺伝子伝達《ユニペアレンタル・トランスミッション》がおこなわれる。雌型のミトコンドリアDNAは雌貝にしか受け継がれず、雄型のミトコンドリアDNAは雄貝にしか受け継がれないのだ。

なぜこのような奇妙なことが起こるのか。それは利己的なミトコンドリアDNAの拡散に対する防御機構なのではないかといわれている。仮に一匹の雌貝の中に、突然変異を起こしたミトコンドリアDNAが一個現れたとする。そのDNAは変異によって通常のものより複製が早く出来るようになったとしよう。それは貝の中でどんどん増えてゆくし、子供の体の中でも増殖を重ね、ついには通常の雌型ミトコンドリアDNAを駆逐してしまうだろう。もし親のミトコンドリアDNAが息子にも娘にも伝達されるような遺伝形態であれば、その変異を起こしたDNAはすぐに子孫に広まってしまうだろう。しかし雌のDNAは雌にしか受け継がれないのであれば、少なくともその変異DNAはその貝の娘家系にしか伝わらない。変異DNAの拡散が防げるわけである。この現象はリチャード・ドーキンスの提唱した「利己的遺伝子」という考え方を導入すると面白いことが見えてくる。

利己的遺伝子の概念とは、簡単にいえば「遺伝子は自分の子孫を多く残すことのみを考える」ということだ。この場合は、貝の核ゲノム、雄のミトコンドリアDNA、そして雌のミトコンドリアDNAという三つの利己的遺伝子が絡《から》んでくる。変異を起こした雌のミトコンドリアDNAはできるだけ多くの自分をつくりたいと思い、複製を重ね、さらに子孫へ自分のDNAを伝達させようとするだろう。しかしそれは雄のミトコンドリアDNAにとっては、自分のDNAが駆逐されてゆくことになるわけだから雌の変異DNAの伝播《でんぱ》を阻止したい。また貝の核ゲノムにとっても自分の体の中で共生関係にあるミトコンドリアが無用な変異を受けるのは好まないだろう。せっかくこれまで良い関係を保ってきたというのに、ミトコンドリアが突然変異を起こせば自分の生存が危うくなる可能性もある。雌のミトコンドリアDNAが利己的な態度をとるということは、雄のミトコンドリアや核ゲノムの利己的戦略と拮抗《きっこう》することになってしまうのだ。だから雌のミトコンドリアDNAの遺伝拡散をくい止めるような機構が働くのではないか。そしてＥｖｅ１から生まれた生命体にも同じようなことが起きたのではないだろうか。浅倉はそう考えていた。

Ｅｖｅ１から受精卵へ受け継がれたのは「進化したミトコンドリアＤＮＡ」だった。一方、利明の精子からは、わずかではあるが「普通のミトコンドリアＤＮＡ」が伝達された。生まれた生命体の中にはこのふたつの遺伝子が存在していたのだ。Ｅｖｅ１の中のミトコンドリアは、自分の進化が自分だけの力でおこなわれてきたと信じていたにちがいない。実際は父方のミトコンドリアＤＮＡが子孫に混ざることでミトコンドリアＤＮＡは進化を遂げてきたのに、雌であるＥｖｅ１のミトコンドリアはそれに気づかなかったのだろう。Ｅｖｅ１は利明由来の「普通のミトコンドリアＤＮＡ」が娘に受け継がれることを想定していなかったのだ。

生まれた生命体の中に伝達された「普通のミトコンドリアＤＮＡ」は、自分が「進化したＤＮＡ」に滅ぼされることを恐れたのではないか。「普通のミトコンドリアＤＮＡ」の持つ、子孫を残したいというエゴが、Ｅｖｅ１によって進化を受けたミトコンドリアＤＮＡのエゴと真っ向から対立したのだ。生命体の体の中でふたつの遺伝子は激しい生存合戦を繰り広げたのだろう。そして互いに殺戮《さつりく》しあい、結局は共倒れになったのではないだろうか。

もっとも、これは憶測にすぎない。本当のところは誰もわからないのだ。人間がミトコンドリアについて知っていることはあまりにも少ない。まだミトコンドリアの研究はようやくその入り口に立ったところなのだ。

浅倉は『ネイチャー』を閉じた。

それになぜ、ミトコンドリアの子は、利明と溶け合うようにして最期《さいご》を迎えねばならなかったのか。それも大きな謎《なぞ》だった。だが浅倉は、どうしてそのような結末に至ったのか、なんとなくわかるような気もしていた。ミトコンドリアの子と利明は、いわば親子でもあったのだ。……

「あれ、浅倉さん、どうしてこんなところにいるんですか」

不意に後ろから声をかけられ、浅倉は少しびっくりして振り返った。

一学年下の男子学生が立っていた。この第二研究室に所属しており、彼も浅倉と同様に利明から指導を受けていた。したがって浅倉も彼とは毎日のように顔を合わせてきた。その下級生はサーマルサイクラーからエッペンドルフチューブを取り出した。ＰＣＲをかけていたのは彼だったのだ。反応が終わる時間を見計らって懇親会から抜けてきたのだろう。

「浅倉さんの姿が見えないって、みんな探してましたよ。ここに来るんだったらそういってくれればよかったのに」

「ごめんなさい。ちょっとこの部屋を見ておきたくて」

浅倉は『ネイチャー』を棚に戻し、泣いていたことを悟られないように笑顔で答えた。下級生はチューブを冷蔵庫に入れていたが、扉を閉めたところで思い出したように浅倉にいった。

「そうだ、浅倉さん、永島先生の細胞がディープフリーザーから見つかったんですけど、どうしたらいいのかわからなくて。ちょっと見てもらえますか」

「癌《がん》細胞なの？」

「いや、なんだかよくわからないんです」

浅倉は下級生の後に従って機器室に向かった。下級生が大きなディープフリーザーの扉を開ける。白い冷気が浅倉の顔にかかった。下級生がラックを取り出し中を探る。

「これです」

下級生は数本の血清チューブを浅倉に見せた。

ラベルには霜が張り付いていた。浅倉はそれを指先で擦《こす》りとった。

利明の字だ。一瞬浅倉は息を呑《の》んだ。

そこには去年の七月の日付と、そして
Ｅｖｅ１
という文字が記されていた。

心臓が、どくん、と音を立てたような気がした。

「……浅倉さん？」

下級生が声をかける。はっとして浅倉は無理やり笑みをつくった。

「浅倉さん、どうしたんですか？　なんかこわい顔してましたけど」

「なんでもないの。それより、見つかったのはこれだけ？　これで全部なの？」

「あと、ここに別の表示のもありますけど」

そういって下級生は袋に入った数十本のチューブを見せた。それらは「Ｅｖｅ」とだけ書かれているものもあれば「Ｅｖｅ２」「Ｅｖｅ３」と別の番号のものもあった。

「………………」

いままで忘れていたのが迂闊《うかつ》だった。

プライマリー・カルチャーの過程で保存しておいた細胞だった。いまは冷凍されているが、適温にまで戻せばこれらの細胞は再び増殖を始めるのだ。

浅倉の背筋に冷たいものが閃《はし》った。

「……どうします？　必要なら保存しておきますけど」

「いえ……、いいのよ。これは捨てましょう。見つけてくれてありがとう。すぐに加圧滅菌器《オートクレーブ》にかけるわ」

「僕がやっておきますよ」

「いいの。わたしにやらせて」

浅倉はそれらのチューブを袋にまとめて入れ、きつく縛った。培養室へ向かう。自然と駆け足になっていた。

こんなものを残しておいてはいけない。すぐにでも加熱して殺さなければならない。

浅倉は培養室に駆け込み、扉のすぐ横に設置されているオートクレーブの蓋《ふた》を開けた。

その中に袋を入れ、きつく蓋を閉める。

これを殺せば、もうあんなことは起こらない。

そのはずだ。

だがそのとき、浅倉のうなじがぞくりと疼《うず》いた。

びくりと浅倉は体を硬直させた。あの感覚だった。

浅倉の心を小さな不安が過《よぎ》った。

今回のことで、最後まで説明できなかったことがひとつだけあった。それはなぜ聖美のミトコンドリアが反乱を起こしたのかということだった。浅倉のミトコンドリアでもなく利明のミトコンドリアでもなく、聖美だったのはなぜなのか？

単なる多型現象《ポリモルフィズム》の結果なのだろうか？　ヒトはみな少しずつ違った遺伝子を持っている。聖美の遺伝子がたまたまミトコンドリアの暴走を招くようなものだったということなのか？

それなら、これから先、再びミトコンドリアが反乱しないという保証はない。聖美と類似した遺伝子多型を持つヒトが生まれたら、その体からまたミトコンドリアが進化してくる可能性がある。結局、ミトコンドリアの暴走を止めることはできないのではないか？

だが、浅倉にはその問いに答えることはできなかった。そうなのかもしれないし、そうでないのかもしれない。

わからないのだ。

ただ、いまの浅倉にできるのは、この細胞を殺すことだけだった。

「懇親会が終わったらみんなで写真を撮ろうっていってましたよ」

下級生が扉の向こうでいった。

浅倉は微笑《ほほえ》み、そしてオートクレーブのスイッチを入れた。

erators' *Nature*, **347**, 645-650, 1990.
18) Hirose, A., Kamijo, K., Osumi, T., Hashimoto, T. and Mizugaki, M. ‘cDNA cloning of rat liver 2, 4-dienoyl-CoA reductase' *Biochim. Biophys. Acta*, **1049**, 346-349, 1990.
19) Kobayashi, S., Amikura, R. and Okada, M. ‘Presence of mitochondrial large ribosomal RNA outside mitochondria in germ plasm of *Drosophila melanogaster*' *Science*, **260**, 1521-1524, 1993.
20) Gyllensten, U., Wharton, D., Josefsson, A. and Wilson, A.C. ‘Partial inheritance of mitochondrial DNA in mice' *Nature*, **352**, 255-257, 1991.
21) Hurst, L.D. and Hoekstra, R.F. ‘Shellfish genes kept in line' *Nature*, **368**, 811-812, 1994.
22) Kaneda, H., Hayashi, J., Takahama, S., Taya, C., Lindahl, K.F. and Yonekawa, H. ‘Elimination of partial mitochondrial DNA in intraspecific crossing during early mouse embryogenesis' *Proc. Natl. Acad. Sci. USA*, **92**, 4542-4546, 1995.
23) 金田秀貴，米川博通「ミトコンドリアＤＮＡはなぜ母性遺伝をするのか」*組織培養*，**21**, 142-146, 1995.

232, 1994.
9) Soltys, B.J. and Gupta, R.S. 'Changes in mitochondrial shape and distribution induced by ethacrynic acid and the transient formation of a mitochondrial reticulum' *J. Cell. Physiol.*, **159**, 281-294, 1994.
10) Schulz, H. 'Beta oxidation of fatty acids' *Biochim. Biophys. Acta*, **1081**, 109-120, 1991.
11) Lazarow, P. B. and De Duve, C. 'A fatty acyl-CoA oxidizing system in rat liver peroxisomes:enhancement by clofibrate, a hypolipidemic drug' *Proc. Natl. Acad. Sci. USA*, **73**, 2043-2046, 1976.
12) Wienhues, U. and Neupert, W. 'Protein translocation across mitochondrial membranes' *BioEssays*, **14**, 17-23, 1992.
13) Pfanner, N., Söllner, T. and Neupert, W. 'Mitochondrial import receptors for precursor proteins' *Trends Biochem. Sci.*, **16**, 63-67, 1991.
14) Glover, L.A. and Lindsay, J.G. 'Targeting proteins to mitochondria:a current overview' *Biochem. J.*, **284**, 609-620, 1992.
15) Stuart, R.A., Nicholson, D.W. and Neupert, W. 'Early steps in mitochondrial protein import:receptor functions can be substituted by the membrane insertion activity of apocytochrome c' *Cell*, **60**, 31-43, 1990.
16) Kliewer, S.A., Umesono, K., Noonan, D.J., Heyman, R.A. and Evans, R.M. 'Convergence of 9-*cis* retinoic acid and peroxisome proliferator signalling pathways through heterodimer formation of their receptors' *Nature*, **358**, 771-774, 1992.
17) Issemann, I. and Green, S. 'Activation of a member of the steroid hormone receptor superfamily by peroxisome prolif-

ドリア・イブの贈り物』1992，双葉社.
13）Lemonick M.D. 'How Man Began' *Time*, 143, No. 11, 38-45, 1994.
14）竹内久美子『そんなバカな！　遺伝子と神について』1991，文藝春秋.
15）朝日新聞科学部／編『医者の小道具・大道具122』1992，羊土社.
16）リン・ピクネット『超常現象の事典』1994（原著1990），青土社.

《総説記事、報告記事、学術論文》
1）「特集　臓器移植　1994」*腎と透析*，36, 25-84, 1994.
2）小崎政巳「腎移植」*外科治療*，70, 46-51, 1994.
3）国立佐倉病院「死体腎移植システム報告」*移植*，28, 540-550, 1994.
4）日本移植学会「腎移植臨床登録集計報告（1991）」*移植*，27, 594-617, 1992.
5）川口　洋，伊藤克己「腎移植患児の思春期における諸問題」*思春期学*，11, 10-14, 1993.
6）島田明仁，宮本克彦，高橋　進，小崎政巳「死体腎移植における透析室の役割」*日本透析療法学会雑誌*，25, 1409-1412, 1992.
7）Bereiter-Hahn, J. and Vöth, M. 'Dynamics of mitochondria in living cells:shape changes, dislocations, fusion, and fission of mitochondria' *Microsc. Res. Tech.*, 27, 198-219, 1994.
8）Kuroiwa, T., Ohta, T., Kuroiwa, H. and Kawano, S. 'Molecular and cellular mechanisms of mitochondrial nuclear division and mitochondriokinesis' *Microsc. Res. Tech.*, 27, 220-

【参考文献】

本作品を執筆するにあたり、以下に記す著作、報告をはじめ、多くの文献を参考にさせていただきました。篤《あつ》く御礼申し上げます。

《マニュアル、解説書、啓蒙《けいもう》書、エッセイ》
1）「臨牀透析」編集委員会／企画，酒井　糾／編『腎移植のすべて』*臨牀透析*，6，8月別冊，1990，日本メディカルセンター．
2）東間　紘，大島伸一，長谷川昭／編『腎移植マニュアル』1993，中外医学社．
3）斎藤　明，太田和宏／監修『透析ハンドブック　よりよい自主管理透析のために・第2版』1991，医学書院．
4）立花　隆『脳死臨調批判』1992，中央公論社．
5）渡辺淳一『いま脳死をどう考えるか』1994（原著1991），講談社文庫．
6）太田和夫『臓器移植はなぜ必要か。』1989，講談社．
7）柳田邦男「犠牲（サクリファイス）―わが息子・脳死の11日」*文藝春秋*，'94．4，144-162及び'94．5，126-151，1994．
8）大塚敏文『救急医療』1991，ちくまライブラリー．
9）Guillouzo, A. and Guguen-Guillouzo, C. "Isolated and Cultured Hepatocytes" 1986, John Libbey Eurotext Ltd/INSERM.
10）ＮＨＫ取材班『生命　40億年はるかな旅・1　海からの創世』1994，日本放送出版協会．
11）竹内久美子『小さな悪魔の背中の窪《くぼ》み　血液型・病気・恋愛の真実』1994，新潮社．
12）フジテレビ／編『アインシュタインＴＶ・3　ミトコン

【生化学用語解説】

ミトコンドリア研究と『パラサイト・イヴ』

日本医科大学　太田成男

ミトコンドリアが発見されたのは1890年であり、ミトコンドリア遺伝子が発見されてからも30年が過ぎた。この間ミトコンドリア関連の研究によりノーベル賞を受賞した人はWarburg, Krebs, Theorell, deDuve, Mitchellら5博士にも及ぶ。ミトコンドリアの起源については長い間論争となっていたが、太古の昔に共生していた生物の痕跡《こんせき》であると考えてほぼまちがいないであろう。

ミトコンドリアの主な仕事はエネルギーを供給することである。エネルギーの枯渇《こかつ》によって病気がおこることは容易に想像でき、実際、糖尿病、心筋症、脳卒中など一般にもなじみ深い病気の一部はミトコンドリア遺伝子の誤りによっておきる。しかも、それぞれミトコンドリア遺伝子の16、600分の1の誤りによってである。さらに、最近の研究によって、ミトコンドリアはエネルギーの供給だけでなく、ミトコンドリアの成分が外へ出ていって細胞あるいは個体全体に対して大切な役割をはたしていることがわかってきた。例えば小説でもふれられている生殖細胞の形成や免疫《めんえき》機構に対してである。この小説に書かれているミトコンドリア像は原作者が現役の研究者だけあって正確でありその推察は的確である。この小説のモチーフが実際のミトコンドリアの特性に基づいているため、独特の迫力を発しているのだろう。時にはこの小説は予言的であり、この小説のモチーフである事実が後になって発見された例もある。例えば、我々を構成している細胞は不必要になると自ら死を選ぶ、すなわち自殺する。この現象は小説でもプログラム細胞死として記載されている。この自殺を決定するシグナルはミトコンドリア内部から発せられ、そのシグナルによって核の遺伝子が切断され死にいたることが1996年夏に発表されている。すなわち、ミトコンドリアが細胞の生死を決定しているといっても過言ではない。ミトコンドリア研究も新しい段階に入っており、この未知の領域に対し文部省などからも重点的に研究費が投入されている。

この専門用語の解説によって小説のイメージがもっと鮮やかになり、モチーフのミトコンドリアの魅力を理解していただけたら幸甚《こうじん》である。

p12

ℓ7　**制限酵素**　遺伝子組み換えに必須《ひっす》な酵素で、特定のDNAの配列部を切断する酵素。*Eco*RIと*Bam*HIはそれぞれDNAのGAATTCとGAGCTCという配列の場所を切断する。

ℓ12　**顕微鏡**　培養細胞の観察には倒立位相差顕微鏡が用いられる。細胞を色素で染色せずに屈折率の違いを利用して観察する。また、レンズが下についており、底が平たい培養フラスコ内の生きたままの細胞を下から観察できる。

ℓ15　**クリーンベンチ**　手だけをいれて無菌操作をするためのガラスに囲まれた実験台。フィルターを通した無菌的な風を流してエアーカーテンを作っている。

p13

ℓ10　**NIH3T3**　マウス（ハツカネズミ）の胎児皮膚から分離された培養細胞。マウスの正常細胞は培養液中では10回ほど分裂するとそれ以上は増えない。一方、癌《がん》細胞は無限に細胞分裂が続く。ＮＩＨ３Ｔ３は正常細胞の性質をもち、しかも無限に細胞分裂する有名な細胞である。ＮＩＨ（アメリカ国立衛生研究所）で採取され、３日ごとに3倍に薄めて培養するのでこの名がついている。

ℓ11　**レチノイド受容体《レセプター》**　ビタミンA類似の化合物（レチノイド）と結合して特定のタンパク質合成をうながすタンパク質。レチノイドと結合していない時は細胞質にあるがレチノイドと結合すると核の中にはいりこみ、タンパク質合成の指令部分に結合して特定のタンパク質の合成を促す。

ℓ13　**β《ベータ》酸化系酵素**　脂肪酸を分解してエネルギーをとりだす一連の酵素。酸素を必要とし、エアロビクス（有酸素運動）で脂肪酸を消費するのはこの反応である。これらの酵素はミトコンドリア内にあり、別の細胞小器官であるペルオキシゾームにもほぼ同じ反応系がある。

p21

ℓ3　**ヌードマウス**　体毛がなく、独特の風貌《ふうぼう》をしているマウス。免疫機能をもたず他種の細胞を拒絶できないので癌細胞の移植実験などに用いられる。

p27

ℓ14　**ハイブリドーマ**　癌細胞とリンパ球を人為的に細胞融合して作られた細胞。リンパ球の性質を保ち無限に増殖するので実験に用いられる。

ℓ17　**赤い培養液**　酸性／アルカリ性の程度（pH）がわかるように培養液に色をつけておくことが多い。黄色は酸性、赤は中性、紫はアルカリ性である。培養液の色によって細胞の状態がわかる。

p34

ℓ9　**初期継代培養**《プライマリー・カルチャー》　ヒトやマウスの細胞を臓器から分離して培養すること。コラゲナーゼ（p82・ℓ10）などの酵素で細胞をつなぎとめているタンパク質を溶かして細胞をバラバラにする。一方、NIH3T3のような他人が採取した細胞を培養する場合は初期継代培養とは言わない。

p36
ℓ6 **癌遺伝子産物** 発癌物質や放射線などが原因で癌遺伝子に変化が生じると癌遺伝子産物が変化して細胞分裂の制御がきかなくなる。これが癌の原因である。現在までに約百種類の癌遺伝子がわかっており、複数の癌遺伝子に変化がおきてはじめて癌化する。後にでてくるＦｏｓやＪｕｎ（ｐ332・ℓ１）も癌遺伝子産物である。本来は秩序よく細胞増殖をうながす因子である。

p81
ℓ6 **ＨＥＰＥＳ《へぺス》バッファ** 溶液のpHを変化させないようにするための試薬。ＨＥＰＥＳは毒性がほとんどなく、中性付近のpH維持能力が強いので、培養液に混ぜて使うことが多い。

ℓ16 **ラット** 白色の体毛の実験動物の鼠《ねずみ》。ハツカネズミよりも大型で15㎝くらいの体長。

p83
ℓ16 **50ｇ《ジー》くらいの遠心で優しく** バラバラになった細胞は遠心分離機にかけて集める。50ｇとは通常の遠心分離機で一分あたり７００回転で作り出される重力で、地球上の重力の50倍である。肝細胞は他の細胞に比べて大きいので遠心速度を遅くして集める。「優しくやってくれ」は、遠心速度をゆっくりしろの意。

p98
ℓ12－13　**エッペンドルフチューブ**　1.5mℓまでの液体をいれるプラスチック容器。熱にも強くそのまま遠心機にもかけられるので、遺伝子組み換えなどの実験に多用される。一本6円程度なので使い捨てにする研究室が多い。本来はドイツのエッペンドルフ社の製品であるが他社から市販されている同様の容器もエッペンドルフチューブと呼ぶことが多い。1.5mℓ用の他に0.5mℓ用、2mℓ用などがある。

p99
ℓ16　**スターラー**　溶液を混ぜるための器具。攪拌《かくはん》される溶液にはテフロンで覆《おお》われた磁石をいれる。スターラーについている磁石がモーターで回転すると溶液内の磁石が回転し溶液が攪拌される。

p100
ℓ1　**ピペットマン**　0.2—1000マイクロリットル程度の液を正確にとりだす器具。遺伝子組み換えでは10—100マイクロリットルの量で実験することが多い。1マイクロリットルは一辺が1㎜の立方体の体積。

ℓ13　**綿でくるんでマイナス80℃**　細胞は生きたまま凍結保存することができる。保存溶液中で一分あたり1℃冷えるようにゆっくり凍らせるのがコツである。綿でくるんで冷凍庫にいれるとゆっくり冷えるので細胞に悪影響なしに細胞が凍結できる。

p101

ℓ1　**肝細胞は光り輝いていた**　コラゲナーゼ処理された生きている細胞は球状で位相差顕微鏡では光り輝いて見える。死にかけた細胞や死細胞は黒ずんで見え、慣れるとその輝きによって細胞の状態を判断できる。肝細胞は数時間すれば底面に付着して輝きを失う。

p102

ℓ7　**ゾルの中を泳ぎ回った**　核やミトコンドリアなどの細胞小器官以外の細胞部分を細胞質（サイトゾル）と呼ぶ。実際はミトコンドリアはチュブリンと呼ばれる網目上の骨格にくっついているので自由に移動することはできない。また、神経細胞などの長い細胞ではモーター蛋白《たんぱく》と呼ばれるタンパク質に結合して移動する。自由に泳ぎ回れるミトコンドリアは特殊である。

p104

ℓ1－2　**思いのままにコピーを増やせるというのは愉快だった**　細胞あたりのミトコンドリア数は臓器ごとに決まっており、心臓や筋肉などエネルギーを必要とする細胞ではミトコンドリアの数も多い。筋肉や神経活動が活発になるとそれにつれてミトコンドリア数も増加する。また、ミトコンドリアが無秩序に増えすぎて細胞内を埋め尽くしてしまう病気もある。

p114 ℓ7 **プレート**　シャーレ型の培養容器で倒立顕微鏡で直接細胞を下から観察できる。いろいろな大きさのプレートがあり、6—96個の穴（ウェル）がついているプレートもある。6ウェルプレートひとつの穴は直径3.5㎝で約2㎖の培養液をいれる。

p132 ℓ5 **MOM19**　ミトコンドリアDNAはとても小さく、ミトコンドリアタンパク質の大部分は核遺伝子に情報が入っている。ミトコンドリアの外で合成されたタンパク質をミトコンドリア内へ移行させる装置が必要である。MOM19はその装置を構成するタンパク質。移行実験（p170・ℓ15）はミトコンドリアを取り出して、ミトコンドリアタンパク質とまぜあわせてミトコンドリア内にはいっていく様子を調べる実験。ミトコンドリアタンパク質はアイソトープ標識することが多い。

p138 ℓ3 **繊維芽細胞**　名のとおり細長い細胞。繊維芽細胞は培養が比較的簡単でヒトでは50回くらい細胞分裂させることができる。肝細胞は培養が難しく増殖因子を添加しても2倍にしか増えずせいぜい1～2週間しか維持できない。細胞を維持するには肝細胞よりも繊維芽細胞を培養したほうがずっと楽ではあるが、利明は常日頃研究対象にしていた肝細胞を使いたかったのであろう。

ℓ17　**クローニング**　初代培養で培養されている各々の細胞はすこしずつ性質が異なっている。あるいは培養中にも性質が変化する。均一の細胞集団を得るために単一の細胞から増殖した細胞系列を得ることを細胞のクローニングという。細胞のクローニングの方法はいくつかあるが限外希釈法（p140・ℓ7）が一般的である。限外希釈法は細胞を含む培養液を薄めて小さなウェルの中に細胞の数が平均一個以下になるように培養する。小さなウェルの中で増えてきた細胞は一個の細胞から増えてきた細胞で性質は同じである。Ｅｖｅ1、Ｅｖｅ2はそれぞれ別のウェルで増えてきた細胞であり、それぞれ別のクローンである。一種の遺伝子を分離することは遺伝子のクローニングという。ジェノミック・クローニング（p301・ℓ14）は染色体遺伝子を分離することをいう。

p165

ℓ10－11　**ノザンブロット**　ＲＮＡの定量法。ＲＮＡにはその役割によってリボソームＲＮＡ（ｒＲＮＡ）、トランスファーＲＮＡ（ｔＲＮＡ）、メッセンジャーＲＮＡ（ｍＲＮＡ）、その他のＲＮＡに分類される。ＤＮＡの検出法はSouthernという名の人が考案したのでSouthernブロットという名がつけられた。ＤＮＡのSouthern（南）に対してＲＮＡはNorthern（北）というわけである。タンパク質の検出法はWestern（西）ブロットであり、Eastern、South Western法などもある。研究者の世界ではこのようなジョークは珍しいことではない。ここでは、β酸化系の酵素がどのくらいできているかをメッセンジャーRNAの量で調べようとしている。

p168
ℓ6－7　**サーマルサイクラー**　特定のDNA部分を増やすための装置。DNA複製酵素を使って試験管内でDNAを複製する。最近は髪の毛一本や体液から採取した細胞からもDNAを調べることができるようになり、刑事事件での犯人の特定にも利用される。『ジュラシック・パーク』の恐竜の遺伝子もこの方法によって復元されたことになっている。RT－PCR（p170・ℓ5）はRNAをDNAに置き換えて増やす方法。

p169
ℓ1－2　**DNAの構成ひとつをとっても核とは全く異なっており…**　ミトコンドリアDNAは環状であり、ヒトでは5マイクロメーターの長さで、核DNAの20万分の1の長さである。ヒトミトコンドリアDNAにはわずか13種類のタンパク質と22種類のtRNA、2種類のrRNAの遺伝子があるだけである。それでもミトコンドリアDNAには無駄なところがない。核DNAではタンパク質の情報を担《にな》うのはわずか5％程度でその他は無駄な部分である。この余裕の部分が進化の原動力となったわけである。DNAはマイナスの電荷をもっていてヒストンと呼ばれるプラスの電荷をもつタンパク質に核DNAは覆われている。核DNAはタンパク質にまきついたようなヌクレオソーム（p349・ℓ5）というビーズ状の構造をもつ。ミトコンドリアDNAにはヒストンが絡《から》み付いていないので障害をうけやすい。

p170 ℓ9 **クロフィブレート**　血液中のコレステロールを低下させる薬剤。ミトコンドリアとは別の細胞器官であるペルオキシゾームを増加させることができる。先にβ酸化でも説明したようにβ酸化系はミトコンドリアとペルオキシゾームの両者にある。クロフィブレートはペルオキシゾームだけでなくミトコンドリアのβ酸化酵素も増加させる。

p171 ℓ6 **ペルオキシゾーム**　細胞小器官のひとつで過酸化水素の発生や分解をするための酵素がたくさん詰め込まれている。ミトコンドリアよりやや小さく数も4分の1くらいである。最近、エネルギー代謝や活性酸素（p349・ℓ6）と関連して注目されている。ペルオキシゾームができないためにおきる病気もある。

p179 ℓ10 **クエン酸回路**　ミトコンドリア内にある代謝経路のひとつで、糖、脂肪酸、多くのアミノ酸を代謝してエネルギーをひきだすための前段階の反応。クエン酸はレモン、うめぼしなどに含まれるすっぱい味の源で、この回路で最初に合成されるのでこの名がついている。

p191

ℓ11　**ATP**　ミトコンドリアで合成される高エネルギー化合物。分解されるとき7.3kcalのエネルギーを放出する。筋肉が縮むなどエネルギーを必要とする時はATPが分解する。ミトコンドリアがエネルギーを作るということはATPを合成するということである。

ℓ8　**細胞バンク**　様々な種類の培養細胞を登録している所。研究者から請求されれば細胞を送ってくれる。

p209

ℓ5　**酸素が毒になってしまうのです**　酸素はときには毒性の強い活性酸素に変化する。酸素を利用してエネルギーを引き出すのは効率的ではあるが害も大きい。細胞は進化の過程でこの活性酸素を無毒化するためのシステムを獲得して初めて酸素を利用することを可能にしたのである。活性酸素は老化や癌の原因のひとつである。われわれの祖先はミトコンドリアを引き入れて酸素を利用しエネルギー効率を高めたが老化という犠牲を払ったのである。酸素を利用する細菌を好気性菌と呼び、酸素に対して防御機構のない菌を嫌気性菌と呼ぶ。

p212

ℓ4　**宿主の核遺伝子に組み込んでしまったのです**　ミトコンドリアDNAの長さは進化の度合によって段階的に短くなり遺伝子数も少なくなっている。そして、ミトコンドリアから失われた遺伝子は核が保有している。例えばATP合成酵素のα《アルファ》サブユニットというタンパク質の遺伝子は、植物ではミトコンドリアDNAがもつのに対しヒトでは核がもっている。最も短く遺伝子数も少ないのは哺乳類《ほにゅうるい》のミトコンドリアDNAである。これらの事実からミトコンドリアの遺伝子は長い期間をかけて核へ移行したと考えられている。また、ミトコンドリアと細胞質の双方にある2種類のタンパク質がひとつの核遺伝子を共有している場合も少なくない。

p213

ℓ11-12　**老化に伴ってミトコンドリア内のDNAが異常をきたしてゆく**　40歳を境にして短いミトコンドリアDNAが急激に現われてくる。短いDNAは不完全な遺伝子であるのでますますエネルギー効率が低下し、有毒な活性酸素が増える。ミトコンドリアDNAの異常が老化の原因なのか結果なのかは論争中である。

p214

ℓ5　**必ずしもそうではないという結果が出ていまして**　ミトコンドリアDNAが短くなったりあるいはなくなってしまうためにおきる病気で父親から遺伝する例がある。ミトコンドリアDNAを防御するための遺伝子が核にあってその核遺伝子が正常に作用しないためにミトコンドリアDNAが短くなったりなくなったりすると考えられている。この事実からもミトコンドリアと核の共生が密接であることがわかる。

p216 ℓ4 **可能性もあるわけです**　実際にストレスタンパク質の機能低下による病気もみつかっている。

p310 ℓ2 **神経伝達を思うままに操る**　神経の伝達は一種の電流の流れであり、ナトリウムイオンが神経細胞の中へ入り込むことによって生じる。ナトリウムイオンを即座に細胞外へ汲《く》み出さないと次の信号を伝えることができない。ナトリウムイオンを汲み出すのがNaK-ATPaseであり、ATPを多量に消費する。神経活動には大量のエネルギーが必要とされ、全身のエネルギーの20%は脳で使われる。したがって、ミトコンドリアなしに神経活動はありえない。ミトコンドリアの機能によって記憶のメカニズムを説明する学者もいる。記憶は神経間の電流の流れ易《やす》さである。電流が流れるとその神経細胞のミトコンドリアが増加し、ミトコンドリアが増えるとさらに電流が流れやすくなって記憶が形成されるというものである。

p349 ℓ15-16 **すべての人種がアフリカのひとりの女性に行き着く**　ミトコンドリア・イヴ（p348・ℓ16）。１９８７年にキャンとウィルソンが発表した説である。ただし、人類がたった一人の女性からスタートしたという意味ではない。

p366 ℓ13 **ミトコンドリアはエネルギー産生の場だ**　ミトコンドリアは酸素を利用してＡＴＰを合成する。ＡＴＰを合成するためのエネルギーは一度電気エネルギーとして蓄えられる。クエン酸回路と協力してこの電気エネルギーを作り出すのが電子伝達系（p180・ℓ3）である。この電気エネルギーは10万分の１㎜の厚さのミトコンドリア膜に0.21ボルトの電圧がかかる膜電位（p380・ℓ2）エネルギーである。計算上は１㎝にかかる電圧としては20万ボルトである。ＡＴＰが分解するときに運動や熱のエネルギーを放出するがミトコンドリアは電気エネルギーから直接熱を発生させることもできる。すなわち放電させて熱を発生させる。赤ちゃんはこの放電の熱を利用しているので暖かい。この放電させるタンパク質はuncoupling proteinと呼ばれ、３０７個のアミノ酸でできている。もし、仮に全身のミトコンドリアが一斉に放電するとしたら想像を絶する熱が発生するはずである。

p380

ℓ2 **二荷イオンが奔流のように流れ込んでくる**　カルシウムイオンはプラス電荷をふたつ持つので二荷イオンと呼ばれる。カルシウムイオンの蓄積はミトコンドリアの大切な機能のひとつで、ミトコンドリア膜電位が上昇するとカルシウムはミトコンドリアに蓄積される。カルシウムイオンは細胞内の情報伝達をするのでミトコンドリアも情報伝達機構の一端をになっているといえる。

p435

ℓ13 **運動**　運動はアクトミオシンと呼ばれる筋肉のタンパク質が収縮することである。ミオシンはATPを分解し力を発生させる。但《ただ》し、筋肉にはミトコンドリア以外にもATPを合成するシステムがあり、ミトコンドリアが働かなくとも短距離走のような短時間の運動は可能である。しかし、息をとめてできる範囲内である。

p437

ℓ1 **プログラム死**　高等生物の細胞には自ら死を導く機構がある。不必要になった細胞は積極的に自殺して指の形を作ったり、神経回路や免疫系を作ったりあるいは外敵から身をまもるのである。このプログラム死を（アポトーシスともいう）Bcl-2という名のタンパク質が阻止する。Bcl-2は主にミトコンドリアにある。さらにこのプログラム細胞死のシグナルがミトコンドリアから発せられることが最近明らかにされた。ミトコンドリアが細胞を操るというのはすでに想像の世界の事柄ではない。

p440

ℓ13　**ショウジョウバエを使った実験が報告されたんです**　本来生殖細胞になるべき細胞に紫外線を照射すると生殖細胞になれなくなる。この細胞にミトコンドリアのリボソームRNAを注入すると生殖細胞へ分化するステップが始まる。この実験は衝撃的であるためになかなか信用されず、論文になるまで3年の時間を要した。想像を超えることを発見した場合には論文としてなかなか出版されないこともある。ミトコンドリア内で合成されたミトコンドリアリボソームRNAがミトコンドリアの外にでて働いていることは特殊な方法を用いて電子顕微鏡によって観察できる。tudorと呼ばれるタンパク質がミトコンドリアからそのリボソームRNAをひきずりだしているらしい。ショウジョウバエだけでなく、カエルでも同じ現象が発見されている。卵子や精子の生殖細胞とミトコンドリアの関わりを示す現象はそのほかにもある。細胞分裂の時に生殖質と呼ばれるものをとりこんだ細胞だけが生殖細胞になる。このとき生殖質は多くのミトコンドリアにとりかこまれており、生殖質は多量にミトコンドリアといっしょに動く。

p442

ℓ17　**心臓を停止させた**　わずか16、600分の1のミトコンドリアDNA変化で心筋症がおきることが知られている。

p473
ℓ6－7　**それのミトコンドリアが利明のミトコンドリアとひとつになってゆくのがわかる**　細胞を融合させると各々《おのおの》のミトコンドリアも融合することが実際に証明されている。しかし、病的ミトコンドリア同士では融合しない時もあり、どのような状況で融合するのかについては不明な点も多い。

p493
ℓ7　**実際は父方のミトコンドリアDNA…**　ミトコンドリアDNAの進化に父方のミトコンドリアDNAが関係しているかどうかはまだわからない。しかし、ムール貝の例のように父方のミトコンドリアが伝達されている場合もあるので進化に関与している可能性は否定できない。ヒトの進化においては、ミトコンドリア・イヴをたどるためにはむしろ父方のミトコンドリアの影響を無視して考えている。

p497
ℓ14　**多型現象《ポリモルフィズム》**　遺伝子の個人差。ミトコンドリア遺伝子では核遺伝子よりも10倍以上多型が多い。遺伝子の変化が病気などの原因になる場合は多型と呼ぶより変異と呼ぶ。

（1996年11月）

謝辞、及び文庫版における変更点について

瀬名秀明

本作品『パラサイト・イヴ』は一九九四（平成六）年の四月から八月にかけて書き、一般公募の新人賞に応募したものである。一九九五年の一月末に受賞が決定した後、二月と三月で改稿をおこない、そして四月にハードカバーとして刊行された。

本作品を執筆するにあたって、なるべく専門用語や科学的事実を正確に記すよう心がけたが、それでも幾つかのミスに気づくことなくハードカバー版を出版してしまった。これまで何人かの先生からご指摘を受けたので、今回文庫版を出版する機会をとらえ、ハードカバー版でのミスを訂正した。いずれの先生も本作品を非常に好意的に評価して下さり、その上でさらに良い作品になればとご指摘を下さったことに感謝している。以下に主な変更点を列記した。（ハードカバー版は26版以降から訂正されています。）

①「ペルオキシゾーム増殖剤」という書き方を「ペルオキシゾーム増殖薬」に変更した。文部省の学術用語集（薬学編）の定義によれば、「剤」とつけるのはその薬物の剤型が重要な意味を持つ場合に限られる。本文中では薬物作用そのものを問題にしているので、

「増殖薬」と記すのがより適切である。慣用的には「増殖剤」のほうが広く用いられているが、今回は「増殖薬」で統一することとした。ご指摘下さった東京薬科大学臨床生化学教室・須賀哲弥先生に感謝いたします。

②ミトコンドリアDNAが母性遺伝することに関し、精子の形態を理由に挙げ、精子のミトコンドリアが受精卵に入らないと説明していたが、これは誤りであった。実際は精子のミトコンドリアも受精卵に入る。ただし父方のミトコンドリアは受精卵の中で増えない。そのため見かけ上ミトコンドリアDNAは母性遺伝をする。ミトコンドリアを専門に研究している科学者の間でもこのことは広く誤解されているようである。私も精子の形態を理由にミトコンドリアの母性遺伝を説明した書物を読み、その記述を鵜呑《うの》みにしていたのである。複数の文献を調べるという基本的な行動を怠った私のミスであった。ご指摘下さった日本医科大学老人病研究所生化学部門・太田成男先生に感謝いたします。なお、太田先生からは本作品に登場するミトコンドリア関係の専門用語について素晴しい解説を戴《いただ》いた。重ねて御礼申し上げます。

③Ｅｖｅ１が受精卵を麻理子の子宮に植え付ける理由として組織適合性を挙げていたが、これは私としても信じられないようなミスであった。受精卵を子宮に植える場合、母親の血液型やＨＬＡ型は一切考慮する必要がない。Ａ型の母親からＢ型の子供が産まれる可能性があることや、アメリカでは「借り腹」という商売が存在することからも明らか

である。執筆中に私はそれらの事実を失念していたのである。文庫版ではその矛盾を直しておいた。最初にご指摘下さった静岡大学農学部応用生物化学科・森誠先生に感謝いたします。

④父方のミトコンドリアＤＮＡが子に遺伝するか否《いな》かという問題は本作品の中でも重要な位置を占める。ハードカバー版が刊行された後、同種間交配及び異種間交配におけるミトコンドリアＤＮＡの伝達様式について研究が進み、クライマックスからラストにかけての記述がそれらの結果とそぐわないものになった。そのため文庫版では③の問題と絡《から》めて若干の書き直しをおこなった。ご指摘下さった東京都臨床医学総合研究所実験動物研究部門・金田秀貴先生に感謝いたします。

ただし、いうまでもないことだが、本作品はフィクションである。事実を記すことが必要な部分ではなるべく事実を記したが、物語として成立させるために必要な箇所では現実にありえない事象を描写していることをお断りしておく。また、前述したように本作品は主として一九九四年に書いたものであるため、物語の中で言及されている医療体制や研究結果などは、④で記した例外を除き、すべて一九九四年当時のそれに拠《よ》っている。医療や科学は常に進展しているため、すでに本作品の内容の一部は過去のものとなりつつある。例えば本作品中では脳死者が心臓死するのを待って移植腎《じん》を摘出しているが、今後は臓器移植の方法やルールも大きく変化してゆくものと思われ、実際にそのような動きが報道されている。あくまで本作品は一九九四年当時の状況を描いているということで、どうかご了承いただきたい。

今回の文庫化にあたって解説をご寄稿下さった篠田節子先生に深く感謝いたします。篠田先生はデビュー作の『絹の変容』以来、常に一級のエンターテインメントを発表しておられ、それらの作品は私にとって憧れであり、また目標とするところでもある。荒俣宏先生、景山民夫先生、高橋克彦先生、林真理子先生、さらに予選の選考に関わって下さった先生方、角川書店の皆様にも深く感謝いたします。ありがとうございました。

そして最後になったが、どうしても感謝の言葉を記しておきたい方がいる。漫画家の故・坂口尚《さかぐちひさし》先生である。本作品『パラサイト・イヴ』は、直接的にではないにしろ坂口先生の『VERSION』という作品からインスパイアされて書かれた小説なのである。結局、その出来映えは坂口先生の作品に遠く及ばなかったものの、本作品を書くきっかけのひとつを与えて下さったということで坂口先生には深く御礼申し上げます。

坂口先生はこの他にも『12色物語』という美しい連作短編集や、『石の花』『あっかんべェ一休』という骨太な歴史長編、そして未完となった『紀元ギルシア』に代表される流麗なSFなど多くの素晴しい作品を残し、一九九五（平成七）年十二月二十二日、急性心不全のため亡《な》くなられた。生前に一度もお会いすることができず、本書を差し上げる機会を永久に失ってしまったのが残念である。心よりご冥福《めいふく》をお祈りいたします。

一九九六年十一月四日

*「謝辞、及び文庫版における変更点について」は、角川ホラー文庫のために書かれたものを再収録した。

新潮文庫版あとがき

1

「『ストレンジャーズ』を書いたとき、私はほとんど正気ではなかった」

アメリカの作家ディーン・クーンツは、彼をハードカバー作家へと押し上げた出世作について、新しいペーパーバックのあとがきをこのような言葉から語り起こしている。『ストレンジャーズ』の刊行は一九八六年、このあとがきが書かれたのは二〇〇二年だ。その間に一六年の経過がある。いつものクーンツらしくユーモアでまぶしたその文章は、しかしやはりいつものクーンツのように、真剣で、希望へと向かう意志に満ち、私の心に強く響く。

『パラサイト・イヴ』はいまから一二年前の小説だから、クーンツの一六年には少し足りない。そしてもちろんクーンツはそれまでに何十冊という本を書いていたが、もちろん私はまったくの新人だった。

アメリカ本国で『ストレンジャーズ』が刊行された八六年、私は大学に入学した。仙台へ来ていちばん嬉《うれ》しかったのは、丸善に洋書コーナーがあったことだ。八〇年代にはホラー映画のブームがあり、ハヤカワ文庫からモダンホラー・セレクションも刊行されていて、なかでもクーンツはその中の目玉として大いに前宣伝されていた。だから『ストレンジャーズ』や『ウォッチャーズ』のペーパーバックを丸善の平台で見つけたときは、本当に胸が躍ったものだ。私は『ストレンジャーズ』を、毎日一章ずつ、ゆっくりと、ゆっくりと読み進めていった。クーンツが自分にとって大切な作家となることを確信していたし、とにかく「読んで読んで読みまくれ、書いて書いて書きまくれ」という彼の檄文《げきぶん》に、当時の私は感化されていたのだ。

週末には市立図書館へ通い、クーンツの『ベストセラー小説の書き方』の巻末リストを参考にして、海外のポピュラー・メインストリーム・フィクションを読み漁《あさ》った。一割引で書籍が購入できる大学生協も大いに利用した。この頃購入した本にはひとつずつ丁寧に大学生協のカバーをかけていたから、いまでも自宅の本棚を見渡せばどれが当時読んだ本か一目でわかる。ただひたすら面白い本を読み続けたい、すべてを忘れてエンターテインメントに熱中し続けたい、誰でも一度は人生の中でそういった時期があると思うが、私にとって大学生活の最初の数年間が、まさにそうだったのである。

私は小学校の卒業文集に将来の夢は推理作家だと書いたが、自然科学者にもなりたかった。中学生のときに新聞で遺伝子に関する記事を読み、遺伝子の研究をしたいと思っていたのだ。私の父は薬学の研究者でインフルエンザウイルスの感染機構を専門にしており、母はアガサ・クリスティや仁木悦子などのミステリーをよく読んでいた。親と同じ学部を志望したことが気恥ずかしくて、大学は少しでも実家から遠いところにしようと考えたが、かなりの浅知恵である。学会へ行けば父親と顔を合わせることになるからだ。

大学四年のときは実験にのめり込んで、大学院試験がおろそかになった。私は文部技官を一年間やって、同級生より一年遅れて大学院に進学した。当時、企業に就職しようと考えたことは一度もない。

私は社会のことをまるで知らなかった。いまはわかっているのかといわれるとそれも怪しい。だが社会と科学の関係について考えるようになったのは、大学院の環境がきっかけのひとつだったと思う。私が配属になったのは、後に臨床薬学と呼ばれるようになる分野の研究室だった。周りには医師や薬剤師がたくさんいて、基礎研究ばかりに眼が向いていた私をゆっくりと変えたのである。私は基礎研究の分野を受け持っていたが他の学生のほとんどは臨床応用的な仕事をしており、患者の尿や血清から微量の物質を定量して、予後の診断に役立てるというテーマを追っていた。当時の私は真に役立つ科学を築き上げてゆくことの醍醐味《だいごみ》をまだ実感できずにいた。しかし干支《えと》がひと回りしたいま周囲を見渡すと、時代は確実にその方向へ進んでいる。

最初の大学院の試験に落ちたとき、私のことを気にかけて下さった教授がいる。その教授が「薬学は雑学だ」という意味のことを語っていたと記憶しているが、この言葉こそが『パラサイト・イヴ』の核であったと思う。

私はいまも小説を書き、科学のことについて語っている。私は基礎科学の分野が好きだ。しかしどこかで否応《いやおう》なしに、社会への展開を意識している。決してスムーズに両者が繋《つな》がるわけではない。そこにもどかしさや違和感を覚えるものの、どちらかを切り棄《す》てることはしたくなかった。私は後に看護学部で勤めることになり、そこでも同じ問題を考えることになる。看護とは科学だろうか。それとも技術だろうか。看護という世界で、自然科学はどのような意味を持つのか。基礎研究に従事するだけならそんなことは考える必要もない。しかしそれでは〝面白くない〟のだ。

基礎研究だけではなく、臨床応用だけでもない面白さ。薬学が雑学であるとはそういうことだ。当時の私はまだそこまで視野を広げられず、臨床薬学の意義さえも摑《つか》み切れないままだった。それでも私は薬剤師と一緒に実験をしながら、細胞生物学と臨床薬学の間で行ったり来たりを繰り返し、少しずつ経験を積んでいったのだ。

2

日本ホラー小説大賞へ応募しようと考えたのは、一九九三年の元日の新聞で、角川書店の全面広告に惹《ひ》きつけられたからだ。そこには角川とフジテレビジョンが日本ホラー小説大賞を創設すること、それに伴い角川ホラー文庫が創刊されることが謳《うた》われていた。私は角川ホラー文庫の創刊ラインアップをすべて購入し、その後の新刊も欠かさず入手して、とにかく片端から読んだ。そして『嗤笑《ししよう》のミューズ』という四〇〇枚の長篇で応募した。幼馴染《おさななじ》みの男性ふたりが、成長してまったく違うタイプの作家となり、そしてひとりの女性を巡って心理戦を繰り広げるサスペンスである。

これは四次予選で落ちたと聞いている。最終選考の一歩手前だ。しかしひとりの編集者から直筆の手紙が来て、ぜひ次回も応募してほしいとの旨《むね》が記されていた。私はその夜、手紙を枕元《まくらもと》に置いて寝た。こんな手紙を送ってくる人なのだから、きっと新人賞運営の中心で働いている編集者に違いない。それほどの人が自分を待ってくれているのだ。単純な思い込みである。しかしそれまでまったく未知の世界だった出版界が、その夜はとつぜんすぐそこまでやってきたような気がしたのだ。

正気ではなかった。しかしそれは狂気であったということではない――そうクーンツは『ストレンジャーズ』のあとがきで書いている。彼は出版社に売れるかどうかわからないまま長い小説を書き続けた。彼は当時六カ月分の貯蓄があったそうだが、実際に書き終えるまでには一一カ月と三週間が過ぎていた。そして原稿ができると今度は追加の原稿料と引き替えに全体を三割短くすることを持ちかけられた。結局クーンツは一〇ページだけ削り、追加の金額を受け取らなかった。だが結果的に『ストレンジャーズ』は、クーンツにとって初のハードカバー・ベストセラーとなった。

『パラサイト・イヴ』を書いていたとき、自分ではいたってまともな状態だと思っていたが、周囲はそう感じていなかったかもしれない。第二回のホラー小説大賞の応募締切は八月末日に設定されていた。いまとなってはよく憶《おぼ》えていないが、私は研究室で隣の机を使っていた下級生にだけ、小説を書くので明日からしばらく大学を休むと告げたらしい。そして約二カ月間、自宅に籠《こ》もって原稿を書いた。『パラサイト・イヴ』は、おおむね一〇枚から一五枚程度の短い場面の積み重ねで展開してゆく。この一場面が私の一日の執筆量だった。

科学技術の現場を描くときに大切なものは、研究の進展に伴う〝時間の経過〟だと思う。すべての実験には時間の流れが内包されている。ところが遠い世界のように思えることについて、人はそのことを忘れがちだ。だからどのような研究でどれだけの時間が流れるのか、それが自分なりに表現できたとき、私はわずかであっても何かを書き留められたという気持ちになる。

私は当時『パラサイト・イヴ』に登場するすべての手技のプロトコルを作成し、その時間経過に沿ってプロットを組み立てていった。複数の人物をそれぞれ少しずつ描いてゆく手法はクーンツのものであったし、私の頭の中では坂口尚《ひさし》のマンガ『ＶＥＲＳＩＯＮ』に出てくる台詞《せりふ》が明滅していて、その台詞が先へ先へと進むパワーをもたらしてくれた――「ゲノムとのアクセスだ!!」

八月三一日、締切ぎりぎりで私は原稿を投函《とうかん》し、私は大学へと戻った。途中、誰にも原稿を見せてはいない。

最終選考当日、私は自宅で待つことを命じられ、研究室のゼミにも出ずに早退した。夕方から待ち続けたが、なかなか電話はかかってこなくて空腹だった。コンビニエンスストアで弁当を買ってこなかったことを悔やみ、ようやく受賞の知らせが届いたときにはほっとしていた。

しかしもちろん、それが始まりであったわけだ。夜のうちにプロフィールの確認の電話が編集部から何度もかかってきて、そのときの編集者K氏が私の最初の担当編集者となった。一年前、私に手紙を送ってくれた人であった。私より若く、入社して何年も経《た》たない編集者であったことを知ったのは後のことだ。

数日後、K氏から高橋克彦さんの選評がファックスで送られてきた。それはワープロ原稿で、紙面の隅に宛名《あてな》である編集者の名前が手書きで記されていた。K氏は編集部に届いたファックスを、そのまま私に転送してくれたのだ。
（1）八百枚近い力作『パラサイト・イヴ』を一息に読み終えた直後の感想は、「アイラ・レヴィンの再来」という一言に尽きる。わずか二十三歳の若者が『死の接吻《せっぷん》』をひっさげてミステリーの世界に殴り込みをかけてきたときの衝撃が、まざまざと甦《よみがえ》ってきたのだ。（高橋克彦氏、第二回日本ホラー小説大賞選評）

私は感激して、その手書きの部分を指でなぞった。作家の筆跡を目《ま》の当たりにした、ということだけではない。アイラ・レヴィンの名が出ていることが、驚きであったと同時にとても嬉しかったのだ。

レヴィンはまさに悪魔的な作家で、『ローズマリーの赤ちゃん』や『ブラジルから来た少年』のように時代を確立するような作品を世に問う凄《すさ》まじいほどの才能を持っている。一方で信じがたいほどの駄作を書くが、後になってみるとその凡庸ぶりさえもが時代を象徴していたことがわかるのだから、戦慄《せんりつ》せずにはいられない。ところが彼の作品は無数のフォロワーを生み出しながら、結果的にはそれらに喰《く》い尽くされて、小説としては忘れ去られてしまい、骨となって残ったアイデアでさえも輝きを失ってしまう。その経緯を辿《たど》らなかった唯一《ゆいいつ》の小説が『死の接吻』である。だが私はそれらすべてのことを含めてレヴィンという作家が好きだったし、高橋さんの選評を読んで即座に気づいたのだ。確かに自分はレヴィンの年齢をどこかで意識していたということに。

雑誌に掲載する「受賞のことば」は、もっと力強いものにと書き直しを命じられた。その際、タイトルとペンネームの変更も提案された。私の名字は日本でもっともありふれたものだったからだ。編集部が出してきたタイトルは『イヴのめざめ』で、私は『パラサイト・イヴ』というタイトルを残してもらうかわりにペンネームの変更に応じた。瀬名という名字は私の出身地の町名から採っている。出版後、この名前から急逝したF1レーサーのアイルトン・セナを連想した「Ｎｕｍｂｅｒ」誌の編集者が、私に原稿依頼をしてきたときには驚いたものだ。

そして九五年四月下旬、『パラサイト・イヴ』は刊行された。この年には阪神・淡路大震災があり、エボラウイルスが注目を集めた。そして三月二〇日には地下鉄サリン事件が起こり、世の中は騒然となっていた。

3

（2）27歳。恐るべき新世代作家の誕生（『パラサイト・イヴ』初刷オビ）

これがオビの惹句《じやつく》である。四選考委員（荒俣宏さん、景山民夫さん、高橋克彦さん、林真理子さん）の選評の抜粋も掲示された。

刊行と前後して、北上次郎氏による書評が讀賣新聞に出た。

（3）この長編はＳＦとも読めるし、ホラーとも読めるし、活劇小説とも読める。そのすべての要素を含んでいる。したがって、それぞれのジャンルからさまざまな評がなされるだろう。しかし、これは断じてクーンツである。（中略）クーンツ作品が持つパワーとスピード、ホラーすれすれのばかばかしさが生み出す物語の興奮、がここにある。（中略）この瀬名秀明の登場を契機に、クーンツ派の奮起と巻き返しを大いに期待したい。（北上次郎氏「讀賣新聞」九五年四月一七日）

『パラサイト・イヴ』は日本ホラー小説大賞への応募作であり、モダンホラーを目指して書かれた小説なのだから、このように評されたことは嬉しかった。しかしその後、『パラサイト・イヴ』の評価は大きくふたつの軸へと分かれてゆくことになる。ひとつはエンターテインメントとしての評価、そしてもうひとつは科学を描くことに対する評価である。

（4）専攻する薬学の知識を駆使しながら、最終ページまで緊張感が切れることのない創造力に溢《あふ》れた傑作だ。（長薗安浩《ながぞのやすひろ》氏「週刊朝日」九五年六月九日号）

科学分野からの反応もあり、いくつかの日本語の学術雑誌で言及がなされたほか、ポピュラーサイエンスの分野では「Ｑｕａｒｋ」誌が九五年一〇月に特集記事を組んだ。

いま読み返すと、この小説は文章がとても「機能的」である。登場人物の役割、彼らの心理状態や行動、それらすべてが制御されていて、エンターテインメントというひとつのシステムとして機能しているという印象を受ける。そしてスピードがある。生命科学の用語がたくさん出てくるが、それらはむしろ物語を加速させる担《にな》い手となっていて、いまでも私はそのことが気に入っている。

一方、「専門用語」というものはくせもので、「専門知識をひけらかしている」「専門用語が羅列されている」と容易に批判の対象になった。

巻末につけられた文献一覧も火種となった。スノッブな感じを与えたのだろうが、文献を明示することは読者への誠意であり、マナーであり、サービスであると考えていた私にとって、そこに違和を持たれるということ自体が衝撃だった。私は作家がどのような道筋で作品を創作したのかをあれこれ考えるのが好きだ。作家が何を知り、何をわきまえた上で空想を膨らませていったのか、その過程を推測するのはとても楽しい。それに文献一覧は次の読書への羅針盤となりうる。小説における文献一覧とは、いわば作品の基盤であると同時に作者の創作姿勢の表明であり、そして読者にとってはどこでもドアのようなものなのである。文献一覧を示すことは、決してそこから丸写ししたことのエクスキューズではないのだ。

このように、作品そのものへの批判よりも、作家としての「態度」に批判が集まったことは、当時の私にとってまったく予想外のことであり、驚きの連続だった。従来の方法から外れていたことは自覚していたが、むしろ読者や出版業界関係者にその逸脱を楽しんでもらいたいと願っていただけに、この強い拒絶反応は心の痼《しこ》りとなって私の中に残った。

違和感を解消する方法はある。いやな相手は無視すればよいのである。歓迎してくれた人だけを相手に小説を書き続ければよいのだ。しかしそれが本当のエンターテインメントのあり方だろうか、という疑問はずっと私について回った。小説とはもっと自由で、もっと広がりを持ったものであってほしいと私は思っていたし、エンターテインメントであっても枠を超えてゆくことへの信念を持ち続けていたいと願っていた。私たち人間は、社会の中で常に違和感と共に生きている。その違和感こそが新しい社会を創るパワーとなるのだ。境界を超えて物語が進んでゆくとき、そこには必ず人間の違和感が立ち現れる。違和感というと印象が悪いが、これは「おやっ?」と好奇心を掻《か》き立てる人間の創造力と表裏一体のものだ。『パラサイト・イヴ』によって初めて私は人間の〈知〉のあり方に気づき、そこで得られた問題意識は後に『境界知のダイナミズム』(橋本敬・梅田聡との共著)という仕事へと結びついてゆくことになる。

もちろん当時は私にも隙《すき》があった。例えば文献一覧の中に竹内久美子氏の著作を含めたことは、結果的に『パラサイト・イヴ』そのものへの信頼を失わせることとなった。

竹内氏は動物行動学の成果を自らの言葉で語り直し人々に伝えるが、往々にして過ぎた言葉を用いてしまう。そのことは動物行動学者から強い批判の対象となっている。ポピュラー・サイエンスの活動が常に抱える難しい問題である。

私がこの『パラサイト・イヴ』以降に目指したのは、マイクル・クライトンとは違う書き方を自分なりにつくるということだった。『ジュラシック・パーク』を思い出されたい。あの小説の科学的な面白さは、琥珀《こはく》に閉じこめられた蚊から恐竜のＤＮＡが採取でき、それによって現代に恐竜を蘇《よみがえ》らせることができるかもしれないという発想だった。しかし『ジュラシック・パーク』の小説としてのキモはそこではない。暴走した恐竜から逃げる人間たちのサバイバル劇である。クライトンは科学の面白さと小説の面白さを作品の中で完璧《かんぺき》に区別することによって、科学者とそうでない読者の両方を楽しませる方法論を確立したのだ。『パラサイト・イヴ』は、半ばこの方法論を踏襲している。しかし私は両者をひとつにしたいと願った。ミトコンドリアの小説ならエネルギーを感じさせる物語に、脳の小説なら脳のように複雑に。そのためには文献を読み、文献の中を、あるいは文献の中で生きるしかない。それほど文献を調べる必要があるのか、小説は調べて書くものではないぞ、という言葉が投げかけられたならば、私は次のように答える。その問いは小説を書くためにそれほど生きる必要があるのか、という意味と同質なのだと。クライトンは若き日の傑作『アンドロメダ病原体』の巻末に、極めて詳細な文献一覧を付した。そこに掲載された文献の多くは一次文献だった。しかし現在のクライトンは、いくつかの成書を巻末に挙げるに過ぎない。そしてかつてのクライトンより、明らかに現在のクライトンのほうが売れている。この現状をどう考えるのか、ということである。私は彼と異なる方法を模索したかった。ただそれだけのことだ。

『パラサイト・イヴ』は科学者に賞賛されたのだろうか。それともブーイングを受けたのだろうか。科学者は一枚岩ではないから、この大雑把な問いに答えることはできない。熱心に賞賛し、歓迎してくれた科学者もいれば、そうでなかった科学者もいた、という事実があるだけだ。しかし理系・文系という区分が絡《から》んでくると、事態は少し厄介になる。しかも当時はオウム事件の最中だった。

図1は『パラサイト・イヴ』関連記事数の変遷《へんせん》を示したものである。書評部分の横に添えてある数字は、オウム真理教に少しでも言及している書評の数だ。それらの記事から書評だけを抜き出して、評価の内容で分類したのが表1である。ある人にすべての書評を読んでもらい、「絶賛している」から「けなしている」まで五段階で判断してもらった。最初のうちは肯定的評価が多いが、やがて否定的評価が増えてきて、再び肯定的評価が戻ってくる、という全体の流れが読み取れる。おそらくは個々の書評が互いに影響を及ぼし合った結果だろう。このようなうねりは、ウェブ書評が盛んになったいまのほうが見えやすくなっているかもしれない。注目したいのはカッコ内の数字で示したオ

図1　『パラサイト・イヴ』関連記事数の変遷

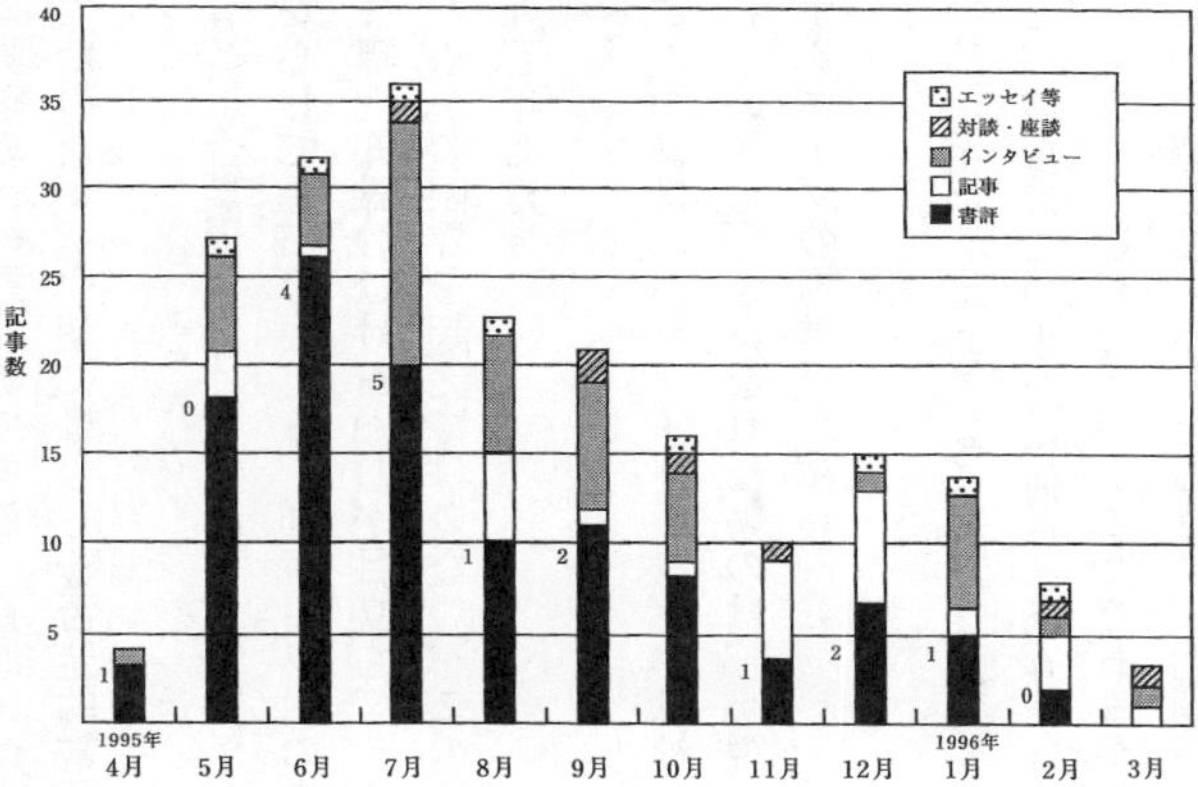

表1　書評における『パラサイト・イヴ』の評価の変遷

年　月	絶賛している	ほめている	ふつう	あまりほめていない	けなしている	さまざまな意見	合計
1995年4月	2(1)	1	0	0	0	0	3(1)
5月	12	2	0	4	0	0	18(0)
6月	10(2)	11(1)	3(1)	2	0	0	26(4)
7月	4(1)	10(2)	4	2(2)	0	0	20(5)
8月	2	4(1)	4	0	0	0	10(1)
9月	3(1)	5	2(1)	1	0	0	11(2)
10月	1	1	3(1)	1	2(1)	0	8(2)
11月	1	2	0	0	1(1)	0	4(1)
12月	0	7(2)	0	0	0	0	7(2)
1996年1月	1(1)	1	1	1	0	1	5(1)
2月	1	0	1	0	0	0	2(0)
3月	0	0	0	0	0	0	0(0)
合　計	37(6)	44(6)	18(3)	11(2)	3(2)	1(0)	114(19)

カッコ内は、オウム真理教に言及のある書評数

ウム真理教への言及数である。初期には肯定的書評の中でオウムが言及されることが多かったのだが、中期にはむしろ否定的書評の方でオウムが引き合いに出されている。

（5）文科系ばかりの選考委員諸氏にえらく評判がいい。（中略）こうなると、当方は安心して悪口がいえる。国産ホラーの水準を超えているのは確かだが、全体に不必要な専門知識のひけらかしが目立ち、テーマの壮大さに人間が追いつかないという理科系小説の限界を超えてはいない。この感じ、どこかオウムに似て。（郷原宏氏《ごうはらひろし》「宝石」九五年七月号）

この頃には『パラサイト・イヴ』は社会現象としてとらえられていた。

私がいまも好きになれないのは、小説そのものを貶《けな》すのではなく、小説の読者を馬鹿《ばか》にするタイプの物言いだ。

（6）生物学者でない多くの評論家が『パラサイト・イヴ』を絶賛している所をみると、彼らはこの小説に何らかのリアリティーを感じているに違いない。（中略）ベストセラーになったということであるから、多くの読者もまた荒唐無稽《こうとうむけい》なホラ話以上のものを感じているのだろう。

物理学的にはあり得ない麻原［彰晃］の空中浮揚に信者達がリアリティーを感ずるのにも何か理由があるように、生物学的にはあり得ないバイオホラー小説が売れるのにも何か理由があるに違いない。（中略）
人々が恐怖を抱くのは物質ではなく、我々には窺《うかが》い知れぬ意志を持つ他者である。そこで、ウイルスやDNAを主役とするホラー小説をつくる最も安易な方法は、これらがあたかも意志をもつ他者であるかのように設定すればよい事になる。生物学者としての私は、そこで白けてしまって馬鹿馬鹿しくなり後は読むのが苦痛になり、本当の事を知らない評論家はそこで興奮し絶賛することになるのだろう。無知はホラー小説を楽しむための第一の資格である。（池田清彦氏「週刊読書人」九五年一〇月二〇日号）

申し添えておくが『パラサイト・イヴ』の中に、「ミトコンドリアが意志を持つ」と記述された箇所はひとつもない。このフレーズは版元のとある雑誌記事が初出である。売れているのは何か理由があるに違いない、と考えを短絡させてしまうことにも私は警戒心を覚える。

私たちは気をつけていても、自分が思っていることや考えていることをつい他者にまで敷衍《ふえん》させてしまう。自分がこう考えるのだから、自分と同じコミュニティに所属する人も同様に考えているはずだ、と信じてしまう。これは必要以上の懐疑を避けて他者と円滑にコミュニケートしてゆくための、いわば優れた社会的知能であるわけだが、この天賦《てんぷ》の才はしばしば問題の核心を覆《おお》い隠す。「もっと一般読者にわかるように書け」というときの「一般読者」とは誰だろうか。「一般読者」と呼ばれる括《くく》りの中に、科学者や技術者も含まれているという事実は忘れられている。「一般読者にはわからない」という物言いは、実は「それでは私にはわからない」といい切ってしまうばつの悪さを隠す方便に過ぎないのではないか。「一般読者にもわかるものを」といわれたとき、その意味は「科学を知らない人にもわかるように」とほぼイコールで結ばれてしまう。私はこのことにずっと強い違和を抱き続けてきたし、いまでも小説はそのような言説からもっと自由になれると考えている。

「私は文系なのでわかりません」も何百回と聞いてきた言葉だ。これほど文系を貶《おとし》める言葉はないのに、なぜ多くの人が免罪符のように、はにかんだ笑みさえ浮かべて、この言葉を口にするのだろう。この言葉が裏に隠している意味は、つまり「私は自分に関係のないことは切り捨てることにしています」ということではないか。そのような態度は理系・文系といった区分と何の関係もないことである。自分の生き方に過ぎないことを、漠然とした学問領域に責任転嫁《てんか》してしまうのはとても悲しいことだ。

専門用語に関する問題も同様である。「専門用語」という言葉は、常に「自分はそのにつけるのは、その対象について――

専門ではない」と感じている人によって規定される。人が用語をつくるのは、その対象についてひとりでも多くの他者とクリアに語り合いたいからだ。本来、専門用語と呼ばれるものは、業界内だけで用いられる隠語の類《たぐい》ではありえず、誰もがその意味を知れば理解できる、実に開かれた言葉なのである。例えばパイロット免許を持つ人なら誰でも「エルロン」や「フレア」という言葉を知っているだろう。これらの言葉は飛行機を操縦する際にごく自然に使われるし、彼らの身体感覚の一部にさえなっているだろう。多くの人はこれらの言葉を知らないかもしれないが、いったんわかってしまえば「魚を三枚に下ろす」などと同様に、確実な情報共有手段となる。その短い言葉遣いに、人はふと生活の機微を感じることさえあるかもしれない。このように、私たちの日常生活の中にも専門用語は溢れている。ただ私たちには物事をなるべく効率よくとらえるという知能が備わっており、いま自分が関わりのない世界、そして今後も関わらないだろうと判断した世界を、なるべく脇《わき》へ押しやろうとする。

難しいと思うことは、決してつまらないことと同義ではない。一九九七年に『BRAIN VALLEY』という二作目の長篇を出したとき、私は出版社に頼んで読者アンケートハガキに少し奇妙な設問を掲載してもらった。小説の難しさと面白さを五段階で評価してもらうというものだ。刊行から半年の間で一六四六の回答があった。五四七頁《ページ》の図2がその結果である。

私はこの結果に勇気づけられた。科学者ならおそらく、「難しいけれど面白い」という心の高揚を経験したことがあるだろう。そして私たちは小説を読んでいるときもまた、同様の面白さを感じることがある。エンターテインメントの世界は、このタイプの面白さを疎《おろそ》かにしてきたのではないか。面白いと感じる心のあり方を、私たちはもっと模索し、もっと拡《ひろ》げていってよいはずである。そのくらいのことをしなくて、何が娯楽か。

4

二〇世紀、アメリカでサイエンス・フィクションというジャンルが生まれた。ふつうに訳せば科学小説となるが、現在のSF関係者がそのような意味で「SF」の二文字を使うことはまずない。

『パラサイト・イヴ』は日本ホラー小説大賞への応募作であるからまず何よりもホラー小説であるが、科学と小説の関係について、いくつかの課題を投げかける結果になったように思える。それはすなわち、何を科学のアイデンティティと見なすのか、どこまでを小説の裁量と納得できるのかという課題であった。

(7) どうもいまの日本では、DNA観というべきものの二極分解が進んでいるらしい。その二極化とは、DNAの研究者のDNA観と、それ以外の人たちのそれであり、

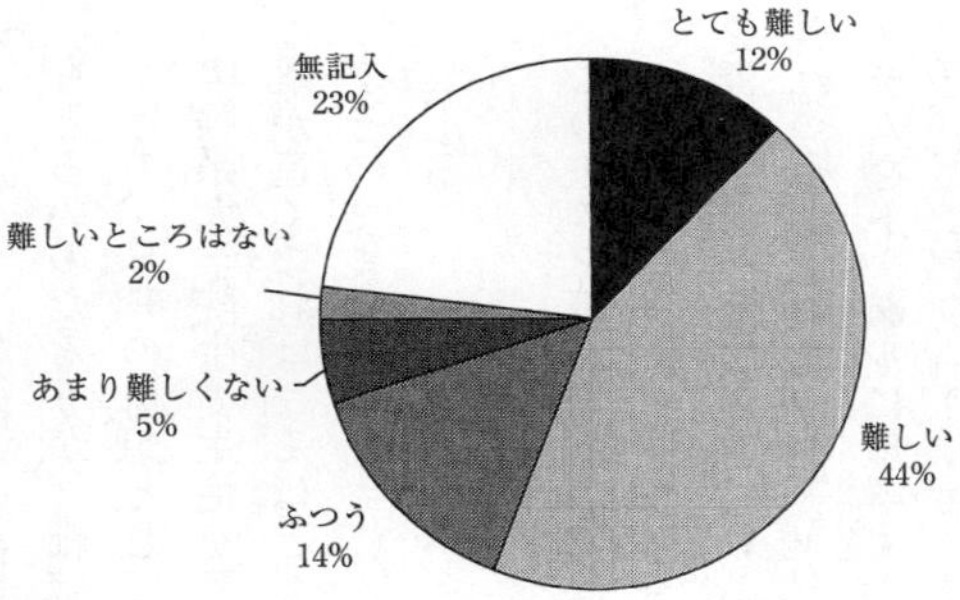

『BRAIN VALLEY』に対する「難しさ」の評価

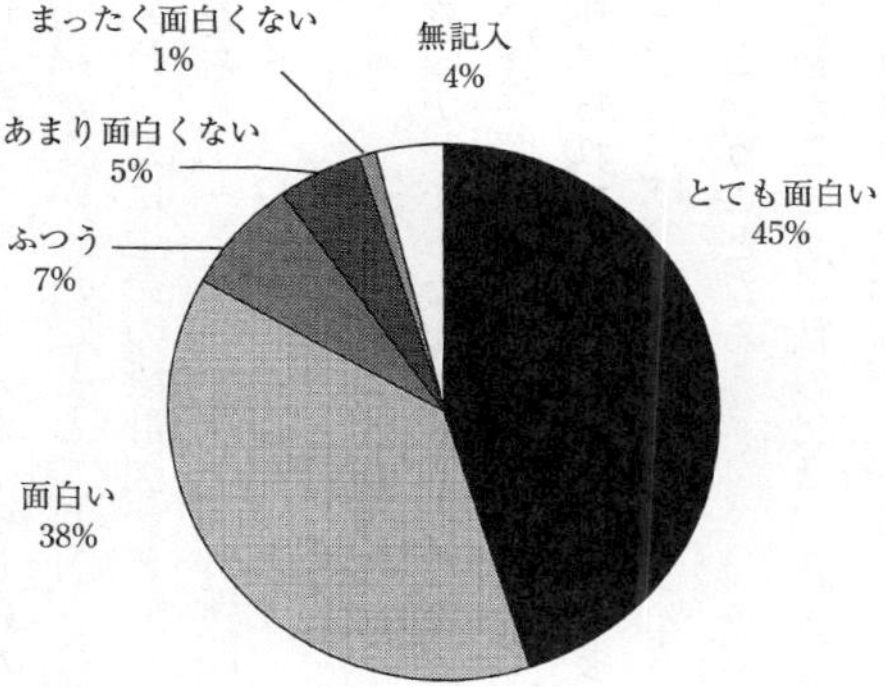

『BRAIN VALLEY』に対する「面白さ」の評価

図2　『BRAIN VALLEY』に対する読者の評価
＊図1・表1・図2はすべて『ハートのタイムマシン！』（角川文庫）より転載

『パラサイト・イヴ』のDNA観は後者のものである。(改行)ホラー小説としてはおもしろいのだろうが、細胞内器官であるミトコンドリアの特殊なDNAを擬人化しただけの、SFの構想としてはB級の作品がなぜ売れるのか。それはたぶん、これまで実験系大学院生の生活を素材にした小説がなかったことと、DNAの研究者からの距離が遠くなればなるほど、いまなお「DNAは生命の設計図」という古臭いDNA観がそのまま共有されているからなのだろう。(米本昌平《よねもとしょうへい》氏「朝日新聞」九五年一〇月二七日)

この抜粋を読んだだけでは、評者の意図がわからないかもしれない。実際、私の父にこの批評の概要を伝えたとき、「DNAは生命の設計図ではないのか?」と怪訝《けげん》な表情を浮かべたことを憶《おぼ》えている。ここで述べられているのは、DNAの多彩な役割が解明されつつあるいま、「生命の設計図」というだけの認識に縛られているのでは、生命システムをトータルに理解するのが難しいということだろう。

だがここでの「DNAの研究者」とは誰のことか。私の父は、評者の考えている基準から外れてしまうかもしれない。ライフサイエンスの研究に従事し、日常的にDNAの話題を口にし、遺伝子工学的な実験手段に親しんでいる者であっても、ここでいう「DNAの研究者」から遠い距離に位置してしまう人は多いだろう。

人が古典的な知識を引きずって暮らしているのは当然のことだ。学校で習った知見や子供の頃に図鑑で見た情報がアウト・オブ・デイトになっていたとしても、気づかずに信じたままでいることは多いだろう。そしてほとんどの科学者も、自分が本当に研究している対象以外のことに関しては、似たような状況にあるはずである。

むろん近い分野のトピックなら学会で触れる機会もある。自分で興味を持てば他の分野との交流もできる。だが生命観が本当に共有されるのかといえば、やはり限界があるのだ。どこまで近づけば私たちは「ＤＮＡの研究者」になれるのだろうか。つまり問題の核心は、生命観が二極化されているどころか、広大な境界領域が科学の業界にさえも広がっており、ある事柄についてＡ氏がその中心近辺に位置していたとしても、別のＤＮＡ問題に関しては辺縁に位置してしまうことがままあるということなのだ。そして「ＤＮＡの研究」は、その広大な境界領域に立つ多くの科学者の努力によって日々進展しているという事実なのである。

エンターテインメントの世界観もまた、古臭さと新しさの間にある。自分と相容《あいい》れない生命観で描かれた小説には、ちょうど科学者が自分と異なる世界認識の科学者に対して反論をぶつけるように、私たちは敢然と異を唱えることになる。「小説としてはおもしろいのかもしれないが」という一文はその意味で示唆《しさ》的だ。すなわちこのような世界観の相違は、現状において小説の面白さとは異なる次元で、小説そのものを断じてしまうことへと繋《つな》がる。「小説のリアリティ」というものでこの問題が解決できるのかどうかさえ、後で述べるように私にはまだわからないのだ。

次に挙げるのは、作家の池澤夏樹氏が朝日新聞に寄せたコメントである。『パラサイト・イヴ』に対する批判で、真に熟考すべき問題は、ほとんどこの池澤氏の指摘に集約されていると私は思う。

（8）「科学が、揺るがない拠点としての自然に向かうものとすれば、自然を人間に都合よく変えようというのが技術。いまあるのは、面白さのために前提をかえる技術的発想の小説ではないか。しかもその約束ごとにすぎないものを現実と信じたがっているようだ。人類とは別の知的生命体、新ウイルス、化け物、別の自分が存在すると仮想するのは、そんなものでも存在してほしいからだ。人間や自然との対話能力を失った、神なき時代の人間の寂しさの表れとみえる」（由里幸子氏まとめ「朝日新聞」一九九五年七月二九日）

ここで述べられている自然は、人間の小手先の力では立ち入りがたい、巨大な海や風の動き、複雑に絡み合った動植物の賑《にぎ》やかで豊かな営為、そういったものを思い浮かべるとよくわかる。揺るがない拠点としての自然に対峙《たいじ》し、その真理を解き明かした科学実験には、しばしば美しいという形容が贈られる。ロバート・P・クリースの著書『世界でもっとも美しい10の科学実験』には、そのような実験のほとんどが物理学の分野に属することがわかるだろう。では生命科学はどうか。心理学はどうなのか。

科学と技術を混同してはならない、とはよくいわれることだが、科学の中にはどうしても両者の境界が曖昧《あいまい》になってしまう分野がある。例えば看護学は科学だろうか、技術だろうか。薬学はどうか。微細な構造へと突き進んでゆく生命科学はどうか。これらの分野では揺るがない根拠を求めようとすればするほど、揺らいだ世界が顕在化されてくる。しかしそれこそが今後の二一世紀科学の面白さではないのか。ならば池澤氏がここで述べていることは、文学とエンターテインメントの間に横たわる重大な齟齬《そご》のことであると私は思う。

小説は虚構を描く。そして大部分の真実の中に、ほんの少しのウソを混ぜて読者を愉《たの》しませるのがエンターテインメントの大原則だ。それがときに現実を衝き、現実を超える。小説を書く際に現実を見る力が問われるのはそのためだろう。ではどこを真実として取り上げ、どこをウソとしてデザインするのか。絶対的な基準は存在しない。ある人にとって許容できる範囲であっても、別の人にとっては納得しがたいものであるケースは数知れない。いくらかの公約数的な許容範囲がぼんやりと浮かび上がってきたとき、それを共有できるコミュニティが生まれ、ジャンルという概念が浮かび上がってくる。

だがその許容範囲はもちろんダイナミックに変貌《へんぼう》しうるものであり、またそれを促すのが人間の知能の本質でもあるのだ。

　エンターテインメントは人をもてなすためにウソという名の技術を現実へと投入する。実際にはありえないことを、物語の力によってさもリアリティがあるかのように書く。それは人間の認識機構に余計な負荷をかけないよう、都合よく前提を変えることを意味する。だがそのような手段に頼って、本当に世界を描いたことになるのか。ウソを吐《つ》くのだとしても、せめて揺るがない拠点としての前提の手前に留めておくべきではないのか。池澤氏はそのように述べているように見える。

　だが、揺るがない前提とはどこまでを指すのか。

　美しいと呼ばれる科学実験が明らかにするような物理現象が揺るがなければそれでよいのか。日常的認識に反しない程度であればそれでよいのか。それでよいのだ、と納得することもひとつの見識である。だがそれで本当に最終的な解答になりうるのか。技術は人間の暮らしをよりよくデザインするために自然の様態を変えるが、自然界の原理を変えるわけではない。だから小説の技術も自然界の原理には不可侵であるべきだし、世界そのものを虚構によって構築するならその中で一貫性のある摂理を設定しなくてはならない、というレベルの話なのだろうか。これは現代ＳＦの標準的な態度であろうが、私にはその程度で留まる問題だとはとても思えない。分野によっては科学と技術の区別が曖昧になったように、揺るがない前提といわれる〝自然〟でさえ、人によってイメージするところは大きく異なるのだ。科学者同士であってもおそらく厳密なコンセンサスは取れないだろう。『パラサイト・イヴ』はDNAを擬人化してアニミズムに陥っているという批判の核心はここにある。『パラサイト・イヴ』はSFではない、という批判の核心もここにある。そして同じく科学の分野に身を置く人たちが、一部では『パラサイト・イヴ』を歓迎し、そして一部では違和を表明した理由の核心もここにある。

私は『パラサイト・イヴ』を書いたとき、DNA観を都合よく変えようとは思わなかったし、自然を都合よく変えようとも思わなかった。しかし確かに私は『パラサイト・イヴ』で読者をもてなすために、虚構を導入した。その導入位置は、私にとって（そして少なからぬ読者にとって）揺るぎのない前提の手前にあったはずであったが、そのように思わない人もいた。ならば前提とはいったい何なのか。揺るがない拠点とはいったい何であるのか。この問題は、単に瀬名秀明というひとりの人間の小説が社会とディスコミュニケーションを起こしたというだけの小さな枠に留まるものではない。エンターテインメントで科学を描くことは本質的に可能なのか。池澤氏の投げかけは、この究極の問題をはっきりと含んでいるように思えるのだ。

『パラサイト・イヴ』はまさにその意味で、解答のフォーミュラを踏襲していたのだと思う。本質的に可能かどうかはわからない、その解答が見出《みいだ》せるかどうかもわからない、だが少なくともその解答は、古典と新しさの間にあるだろう、という希望である。この推測が正しいかどうかもわからない。だからこその希望なのである。当時の私が意識していなかったことを、いくつかの書評が指摘している。近年、評論家の永瀬唯《ながせただし》氏は『パラサイト・イヴ』とブラム・ストーカーの『ドラキュラ』との類似性を挙げ、古典的モチーフと執筆当時の現実的科学観の交叉《こうさ》がどのような世界像をつくりあげてきたのかを論じている。そして九五年当時にも、すでにこの問題を意識し、その先の可能性まで論じた書評はあった。

(9) 簡単に言ってしまうと、これはエクソシスト的乗り移りの進化形であり、人類を超える新しい生き物の創造でもあるという、ある意味では古典的なモチーフを追った小説なのだ。しかし、そのSFとホラーにまたがった古典性は、遺伝子操作という新技術による「人間」の尊厳の希薄化という主題によって新しい生命を吹き込まれている。さらに、古典ホラーではつねに乗り移られる人間の側に哲学があり、得体の知れないものはあくまで得体が知れないものであったのだが、ここでは人間の哲学と得体の知れないものの哲学が拮抗《きっこう》するというダイナミックな展開が見られ、きわめてスリリングな斬新《ざんしん》さが感じられる。(大岡玲氏「文藝春秋」九五年八月号)

いまこの書評を読み返してみて驚くのは、私のその後がまさに明快に予言されていることだ。いくらか語句を差し替えるだけで、そのまま『デカルトの密室』で目指していたことに当てはまるのである。

もう一度述べておくが、エンターテインメントで科学を描くことは可能かという問いに対して、私はいまも明確な解答を見つけていない。だが人間はルールの中で生きてゆきながら、そして同時にルールを変えてゆくダイナミックなパワーを天賦の才として授かっている。その力が小説をつくり、科学をつくり、現実をつくるのだと私は思う。そしてそのプロセスも成果物も、エンターテインメント、すなわち私たちの歓《よろこ》びの一部なのだ。そのことが読者の心に少しでも伝わるのなら、私の名前は忘れ去られてもよいのである。

(10) ただ、「レヴィンの再来」というのは、どうか。本書には古典『死の接吻』ほどの衝撃性はないけれど(あの語《かた》り=騙りの凄《すご》さ!)、瀬名にはレヴィンを越える可能性がある。つまり瀬名は、デビュー作『死の接吻』以上の傑作を書けなかったレヴィンにはならないということだ。「レヴィンの再来」では贔屓《ひいき》の引き倒しですよ、高橋さん。(池上冬樹氏「正論」九五年八月号)

5

ジョウゼフ・コンラッドが一九一五年に『シャドウ・ライン』という中編小説を書いている。陰影線《シャドウ・ライン》とは少年らしさを通過した若者すべてが、やがて目にする警告の境界線のことだ。主人公のマーロウは東南アジアで、深い考えもなしにせっかくの船員の仕事を辞めてしまう。そしてある経緯によって、彼はバンコク発の船に船長として乗り込むことになるのだが、前任の船長は奇怪な死を遂げていた。マーロウはマラリアや嵐《あらし》や不安と闘いながら、船長として船を進めなければならない。彼の中でやがて、前任の船長の遺骸《いがい》が横たわっているといわれる北緯八度二〇分を船で越えてゆくことと、大人へと成長することとが次第に重なってゆく。そしてついに仕事を成し遂げたとき、彼は陸上で会う人すべてが、単なる若者たちの群れのように見えるのである。

小説を読むことにもひとつのシャドウ・ラインがあるのだ、と私は思う。その陰影線を見出した者は、もはや「自分は活字中毒者です」などと無邪気にいうことはできない。それでも小説を読み、小説を愉しみ、そして一部の人は小説を書くのだろう。『パラサイト・イヴ』を書いていたとき、私はコンラッドの小説を読んでいなかった。私は『パラサイト・イヴ』によって自分の視点をようやくわずかながらに得て、シャドウ・ラインへと乗り出していったのだろう。

科学者が巨人の肩に乗って世界を眺め、そこから自らのテーマを見つけてゆくように、『パラサイト・イヴ』はジャンル小説のフォーミュラに支えられ、その力を借りるかたちで書かれた。そのことは幸運だったといまでは思う。「科学を信ずる」というとき、おそらく多くの科学者は「科学の方法論を信頼する」の意味でこの言葉を用いる。それとまったく同じ意味で、当時の私は小説を信じていたし、いまでもその気持ちにかわりはない。

(11)青木　デビューから十一年ですね。どのような変化がありましたか。
瀬名　僕の変化よりも、環境が大きく変わった感じがします。今年の一月から東北大学機械系特任教授になりました。以前は、研究の現場にいながら小説を書くのは異端のイメージでしたが、十年間、小説の仕事を積み重ねてきた結果、研究者の方たちが評価と機会を与えてくださったのだと、非常に感激しました。(中略)
青木　デビュー当時にインタビューした時とお変わりないですね。
瀬名　いやいや、だいぶ白髪が増えましたよ(笑)。
(青木千恵「新刊ニュース」二〇〇六年六月号)

この返答は正確ではない。私の文体は変化し、書くものも少しずつ変わった。先に述べたように読書の傾向も変わった。いまもエンターテインメント小説には心を躍らせているが、ポピュラー・サイエンスの本も日常的に手に取るようになった。そして同時代小説だけでなく昔の小説にも惹《ひ》かれるようになった。ただ自分が〝面白い〟と思うことは、一二年前もいまもあまり変わらない。

この一二年でディーン・R・クーンツはディーン・クーンツの名で邦訳されるようになり、世界は二〇世紀から二一世紀へと変わり、そして私が小学校を卒業した春に公開された映画『ドラえもん　のび太の恐竜』はリメイクされて次世代の子供たちへと受け継がれた。それでもクーンツはクーンツであり、ドラえもんはドラえもんであり続けている。

旧作は、新作によって生かされる。新たな小説が積み重なることによって、旧作がまた違った読まれ方をなされ、読者の交代を促すのは事実だろう。新作の積み重なりによって輝きを増す旧作もあれば、逆に捨て去られてゆく旧作もあるだろう。いま私を「ホラー作家」と呼ぶ者はいない。もはや『パラサイト・イヴ』をオウム真理教との関連で語る評論家もいない。SF業界の人々は私をSF作家とは呼ばないが、いま私はSFと名のついた肩書きで、大学に小さな部屋をもらっている。その部屋は薬学部ではなく工学部にある。ただ、私は自分が薬学から離れたとは思わない。作家のカテゴリーをひとつ自分で選べといわれたらいまでもホラー作家を名乗るだろう。それが私の基盤であるからだ。すなわちそれは、その分野で専門の教育を受けたということである。

私はこのあとがきを、一二年前の自分にではなく、一二歳下の世代に向けて書きたいと思った。これから研究者になる人たちに。これから小説を書く人たちに。これからエンターテインメントの「シャドウ・ライン」を越えてゆく人たちのために。

その希望が叶《かな》えられたかどうかわからない。しかし一二年前の私はクーンツを読み、そして幸運なことにいまの私もこうしてクーンツを読んでいる。

クーンツは『ストレンジャーズ』のあとがきを次の言葉で締め括っている。

「つまるところ、私はそれからずっと、幾らかクレイジーであり続けている。このような心地よい熱狂に身を浸していられるのは、読者の皆様が私の執筆をサポートして下さるおかげなのだ。ありがとう。そしてあなたがそこにいることに、神への感謝を」

本来、このクーンツのまとめ以上につけ加えるべきことは何もない。ただ、ひとつ加えるとすれば、それはクーンツがあとがきの中で示さなかった、科学と小説の関係についてのことだ。

いまでも時折、私は読者の方からメールや手紙をいただく。『パラサイト・イヴ』や『BRAIN VALLEY』を読んで、大学で生命科学を専攻することに決めました、という内容の手紙である。このような言葉をいただくときがいちばん嬉《うれ》しい。

ノンフィクションはその時代を動かす。だが小説は一〇〇年後の未来を動かすのだと、私は思う。

二〇〇六年十一月

瀬名秀明

この作品は平成七年四月角川書店より、平成八年十二月角川ホラー文庫より刊行された。

瀬名秀明著

ポロック生命体

人工知能が傑作絵画を描いたらどうなるか？最先端の科学知識を背景に、生命と知性の根源を問い、近未来を幻視する特異な短編集。

横山秀夫著

ノースライト

誰にも住まれることなく放棄されたY邸。設計を担った青瀬は憑かれたようにその謎を追う。横山作品史上、最も美しいミステリ。

米澤穂信著

儚い羊たちの祝宴

優雅な読書サークル「バベルの会」にリンクして起こる、邪悪な5つの事件。恐るべき真相はラストの1行に。衝撃の暗黒ミステリ。

有栖川有栖著

絶叫城殺人事件

「黒鳥亭」「壺中庵」「月宮殿」「雪華楼」「紅雨荘」「絶叫城」――底知れぬ恐怖を孕んで闇に聳える六つの館に火村とアリスが挑む。

有栖川有栖著

乱鴉の島

無数の鴉が舞い飛ぶ絶海の孤島で、火村英生と有栖川有栖は「魔」に出遭う――。精緻な推理、瞠目の真実。著者会心の本格ミステリ。

連城三紀彦著

恋文・私の叔父さん

直木賞受賞

妻から夫への桁外れのラヴレター、5枚の写真に遺された姪から叔父へのメッセージ。男と女の様々な〈愛のかたち〉を描いた5篇。

筒井康隆著
家族八景

テレパシーをもって、目の前の人の心を全て読みとってしまう七瀬が、お手伝いさんとして入り込む家庭の茶の間の虚偽を抉り出す。

筒井康隆著
七瀬ふたたび

旅に出たテレパス七瀬。さまざまな超能力者とめぐりあった彼女は、彼らを抹殺しようと企む暗黒組織と血みどろの死闘を展開する！

筒井康隆著
笑うな

タイム・マシンを発明して、直前に起った出来事を眺める「笑うな」など、ユニークな発想とブラックユーモアのショート・ショート集。

筒井康隆著
エディプスの恋人

ある日、少年の頭上でボールが割れた。強い〝意志〟の力に守られた少年の謎を探るうち、テレパス七瀬は、いつしか少年を愛していた。

筒井康隆著
富豪刑事

キャデラックを乗り廻し、最高のハバナの葉巻をくわえた富豪刑事こと、神戸大助が難事件を解決してゆく。金を湯水のように使って。

筒井康隆著
夢の木坂分岐点
谷崎潤一郎賞受賞

サラリーマンか作家か？　夢と虚構と現実を自在に流転し、一人の人間に与えられた、ありうべき幾つもの生を重層的に描いた話題作。

筒井康隆著
虚航船団
鼬族と文房具の戦闘による世界の終わり――。宇宙と歴史のすべてを呑み込んだ驚異の文学、鬼才が放つ、世紀末への戦慄のメッセージ。

筒井康隆著
パプリカ
ヒロインは他人の夢に侵入できる夢探偵パプリカ。究極の精神医療マシンの争奪戦は夢と現実の境界を壊し、世界は未体験ゾーンに！

筒井康隆著
懲戒の部屋
―自選ホラー傑作集1―
逃げ場なしの絶望的状況。それでもどす黒い悪夢は襲い掛かる。身も凍る恐怖の逸品を著者自ら選び抜いたホラー傑作集第一弾！

筒井康隆著
ヨッパ谷への降下
―自選ファンタジー傑作集―
乳白色に張りめぐらされたヨッパグモの巣を降下する表題作の他、夢幻の異空間へ読者を誘う天才・筒井の魔術的傑作短編12編。

筒井康隆著
最後の喫煙者
―自選ドタバタ傑作集1―
「ドタバタ」とは手足がケイレンし、耳から脳がこぼれるほど笑ってしまう小説のこと。ツツイ中毒必至の自選爆笑傑作集第一弾！

筒井康隆著
傾いた世界
―自選ドタバタ傑作集2―
正常と狂気の深～い関係から生まれた猛毒入りユーモア七連発。永遠に読み継がれる傑作だけを厳選した自選爆笑傑作集第二弾！

天童荒太著
幻世《まぼろよ》の祈《いの》り 家族狩り 第一部
高校教師・巣藤浚介、馬見原光毅警部補、児童心理に携わる氷崎游子。三つの生が交錯したとき、哀しき惨劇に続く階段が姿を現わす。

天童荒太著
遭難者の夢 家族狩り 第二部
麻生一家の事件を追う刑事に届いた報せ。自らの手で家庭を壊したあの男が、再び野に放たれたのだ。過去と現在が火花散らす第二幕。

天童荒太著
贈られた手 家族狩り 第三部
発言ひとつで自宅謹慎を命じられる教師。殺人の捜査より娘と話すことが苦手な刑事。決して器用には生きられぬ人々を描く、第三部。

天童荒太著
巡礼者たち 家族狩り 第四部
前夫の暴力に怯える綾女。人生を見失いかけた佐和子。父親と逃避行を続ける玲子。女たちは夜空に何を祈るのか。哀切と緊迫の第四弾。

天童荒太著
まだ遠い光 家族狩り 第五部
刑事、元教師、少女——。悲劇が結びつけた人びとは、奔流の中で自らの生に目覚めてゆく。永遠に光芒を放ち続ける傑作。遂に完結。

天童荒太著
孤独の歌声 日本推理サスペンス大賞優秀作
さぁ、さぁ、よく見て。ぼくは、次に、どこを刺すと思う？　孤独を抱える男と女のせつない愛と暴力が渦巻く戦慄のサイコホラー。

平野啓一郎著

顔のない裸体たち

昼は平凡な女教師、顔のない〈吉田希美子〉の裸体の氾濫は投稿サイトの話題を独占した……ネット社会の罠をリアルに描く衝撃作！

平野啓一郎著

日蝕・一月物語

芥川賞受賞

崩れゆく中世世界を貫く異界の光。著者23歳の衝撃処女作と、青年詩人と運命の女の聖悲劇。文学の新時代を拓いた2編を一冊に！

平野啓一郎著

葬送

第一部（上・下）

ロマン主義全盛十九世紀中葉のパリ社交界を舞台に繰り広げられる愛憎劇。ドラクロワとショパンの交流を軸に芸術の時代を描く巨編。

平野啓一郎著

葬送

第二部（上・下）

二月革命が勃発した。七月王政の終焉、共和国の誕生。不安におののく貴族、活気づく民衆。時代の大きなうねりを描く雄編第二部。

平野啓一郎著

決壊（上・下）

芸術選奨文部科学大臣新人賞受賞

全国で犯行声明付きのバラバラ遺体が発見された。犯人は「悪魔」。'00年代日本の悪と赦しを問うデビュー十年、著者渾身の衝撃作！

平野啓一郎著

透明な迷宮

異国の深夜、監禁下で「愛」を強いられた男女の数奇な運命を辿る表題作を始め、孤独な現代人の悲喜劇を官能的に描く傑作短編集。

S・キング 山田順子訳
スタンド・バイ・ミー
—恐怖の四季 秋冬編—

死体を探しに森に入った四人の少年たちの、苦難と恐怖に満ちた二日間の体験を描いた感動編「スタンド・バイ・ミー」。他1編収録。

S・キング 永井 淳訳
キャリー

狂信的な母を持つ風変りな娘——周囲の残酷な悪意に対抗するキャリーの精神は、やがてバランスを崩して……。超心理学の恐怖小説。

S・キング 白石 朗他訳
第四解剖室

私は死んでいない。だが解剖用大鋏は迫ってくる……切り刻まれる恐怖を描く表題作ほかO・ヘンリ賞受賞作を収録した最新短篇集！

S・キング 浅倉久志訳
ゴールデンボーイ
—恐怖の四季 春夏編—

ナチ戦犯の老人が昔犯した罪に心を奪われた少年は、その詳細を聞くうちに、しだいに明るさを失い、悪夢に悩まされるようになった。

S・キング 浅倉久志他訳
幸運の25セント硬貨

ホテルの部屋に置かれていた25セント硬貨。それが幸運を招くとは……意外な結末ばかりの全七篇。全米百万部突破の傑作短篇集！

K・グリムウッド 杉山高之訳
リプレイ
世界幻想文学大賞受賞

ジェフは43歳で死んだ。気がつくと彼は18歳——人生をもう一度やり直せたら、という窮極の夢を実現した男の、意外な、意外な人生。

モーパッサン
新庄嘉章訳
女の一生
修道院で教育を受けた清純な娘ジャンヌを主人公に、結婚の夢破れ、最愛の息子に裏切られていく生涯を描いた自然主義小説の代表作。

モーパッサン
青柳瑞穂訳
脂肪の塊・テリエ館
〝脂肪の塊〟と渾名される可憐な娼婦のまわりに、ブルジョワどもがめぐらす欲望と策謀の罠――鋭い観察眼で人間の本質を捉えた作品。

J・アーチャー
永井淳訳
百万ドルをとり返せ!
株式詐欺にあって無一文になった四人の男たちが、オクスフォード大学の天才的数学教授を中心に、頭脳の限りを尽す絶妙の奪回作戦。

J・アーチャー
永井淳訳
ケインとアベル（上・下）
私生児のホテル王と名門出の大銀行家。典型的なふたりのアメリカ人の、皮肉な出会いと成功とを通して描く〈小説アメリカ現代史〉。

J・アーチャー
戸田裕之訳
15のわけあり小説
面白いのには〝わけ〟がある――。時にはくすっと笑い、騙され、涙する。巨匠が腕によりをかけた、ウィットに富んだ極上短編集。

J・アーチャー
戸田裕之訳
運命のコイン（上・下）
表なら米国、裏なら英国へ。非情国家に追い詰められた母子は運命を一枚の硬貨に委ねた。奇抜なスタイルで人生の不思議を描く長篇。

B・クロウ
村上春樹訳
さよならバードランド
―あるジャズ・ミュージシャンの回想―
ジャズの黄金時代、ベース片手にニューヨークを渡り歩いた著者が見た、パーカー、マイルズ、モンクなど「巨人」たちの極楽世界。

B・クロウ
村上春樹訳
ジャズ・アネクドーツ
ジャズ・ミュージシャンが残した抱腹絶倒、荒唐無稽のエピソード集。L・アームストロング、M・デイヴィスなど名手の伝説も集めて。

J・フジーリ
村上春樹訳
ペット・サウンズ
恋愛への憧れと挫折、抑圧的な父親との確執……。ビーチ・ボーイズの最高傑作に隠された、天才ブライアン・ウィルソンの苦悩。

C・マッカラーズ
村上春樹訳
結婚式のメンバー
多感で孤独な少女の姿を、繊細な筆致と音楽的文章で描いた米女性作家の最高傑作。村上春樹が新訳する《村上柴田翻訳堂》シリーズ。

W・サローヤン
柴田元幸訳
僕の名はアラム
アルメニア系移民の少年が、貧しいながらもあたたかな大家族に囲まれ、いま新世界へと歩み出す――。《村上柴田翻訳堂》シリーズ。

T・ハーディ
河野一郎訳
呪われた腕
―ハーディ傑作選―
ヒースの丘とハリエニシダが茂る英国南部の情景を舞台に、運命に翻弄される男女を描く幻想的な物語。《村上柴田翻訳堂》シリーズ。

新潮文庫最新刊

河野裕著
さよならの言い方なんて知らない。8
月生亘輝と白猫。最強と呼ばれる二人が、七十万もの戦力で激突する。人智を超えた戦いの行方は？　邂逅と侵略の青春劇、第8弾。

三田誠著
魔女推理
―嘘つき魔女が6度死ぬ―
記憶を失った少女。川で溺れた子ども。教会で起きた不審死。三つの死、それは「魔法」か「殺人」か。真実を知るのは「魔女」のみ。

三川みり著
龍ノ国幻想5
双飛の闇
最愛なる日織に皇尊《すめらみこと》の役割を全うしてもらうことを願い、「妻」の座を退き、姿を消す悠花。日織のために命懸けの計略が幕を開ける。

J・ノックス
池田真紀子訳
トゥルー・クライム・ストーリー
作者すら信用できない――。女子学生失踪事件を取材したノンフィクションに隠された驚愕の真実とは？　最先端ノワール問題作。

塩野七生著
ギリシア人の物語2
―民主政の成熟と崩壊―
栄光が瞬く間に霧散してしまう過程を緻密に描き、民主主義の本質をえぐり出した歴史大作。カラー図説「パルテノン神殿」を収録。

酒井順子著
処女の道程
日本における「女性の貞操」の価値はいかに変遷してきたのか――古今の文献から日本人の性意識をあぶり出す、画期的クロニクル。

パラサイト・イヴ

新潮文庫　せ-9-4

平成十九年二月一日発行
令和五年八月三十日三刷

著者　瀬《せ》名《な》秀《ひで》明《あき》
発行者　佐藤隆信
発行所　株式会社新潮社

郵便番号　一六二―八七一一
東京都新宿区矢来町七一
電話　編集部(〇三)三二六六―五四四〇
　　　読者係(〇三)三二六六―五一一一
https://www.shinchosha.co.jp

価格はカバーに表示してあります。

乱丁・落丁本は、ご面倒ですが小社読者係宛ご送付ください。送料小社負担にてお取替えいたします。

印刷・錦明印刷株式会社　製本・錦明印刷株式会社

ISBN978-4-10-121434-4 C0193